Incríveis passatempos matemáticos

Ian Stewart

Incríveis passatempos matemáticos

Tradução:
Diego Alfaro

Revisão técnica:
Samuel Jurkiewicz
Coppe-UFRJ

ZAHAR

Para Avril, por 40 anos de dedicação e apoio

Título original:
Professor Stewart's Hoard of Mathematical Treasures

Tradução autorizada da primeira edição inglesa,
publicada em 2009 por Profile Books Ltd.,
de Londres, Inglaterra

rua México 31 sobreloja | 20031-144 Rio de Janeiro, RJ
tel (21) 2108-0808 | fax (21) 2108-0800
editora@zahar.com.br | www.zahar.com.br

Grafia atualizada respeitando o novo Acordo Ortográfico da Língua Portuguesa

Preparação: Angela Ramalho Vianna | Revisão: Michele Mitie, Joana Milli
Projeto gráfico e composição: Mari Taboada
Capa: Sérgio Campante sobre fotos de Lease Roe e Sachin Ghodke

CIP-Brasil. Catalogação na fonte
Sindicato Nacional dos Editores de Livros, RJ

S871i Stewart, Ian, 1945-
Incríveis passatempos matemáticos / Ian Stewart; tradução Diego Alfaro; revisão técnica Samuel Jurkiewicz. – Rio de Janeiro: Zahar, 2010.

Tradução de: Professor Stewart's hoard of mathematical treasures
ISBN 978-85-378-0270-0

1. Matemática – Obras populares. I. Título.

10-2864 CDD: 510
CDU: 510

Sumário

Um matemático é uma máquina de transformar café em teoremas.

PAUL ERDÖS

Segunda gaveta abaixo...

Quando eu tinha 14 anos, comecei a colecionar curiosidades matemáticas. Já venho fazendo isso há quase 50 anos, e a coleção não cabe mais no caderno original. Por isso, quando meu editor sugeriu que montássemos uma coletânea matemática, não houve escassez de material. O resultado foi o *Almanaque das curiosidades matemáticas*.*

O *Almanaque* foi publicado em 2008 e, com a aproximação do Natal, começou a desafiar a lei da gravidade. Ou talvez a obedecer a lei da levitação. De qualquer forma, nas queimas de estoque após o Natal, o livro tinha subido para o número 16 de uma lista de best-sellers bastante conhecida no Reino Unido; no fim de janeiro, já chegara ao número seis, sua melhor posição. Um livro de matemática dividia espaço com Stephenie Meyer, Barack Obama, Jamie Oliver e Paul McKenna.

Isso, claro, era completamente impossível: todo mundo sabe que não existe tanta gente interessada em matemática. Das duas uma: ou meus parentes estavam comprando um grande número de cópias, ou certos conceitos precisavam ser repensados. Assim, quando recebi um e-mail do meu editor perguntando se haveria alguma perspectiva de continuação, pensei: "O meu famoso arquivo ainda está transbordando de quitutes, por que não?" Então, este *Incríveis passatempos matemáticos* emergiu prontamente de minhas gavetas escuras para a luz do dia.

O livro é tudo o que você precisa para passar as horas na sua ilha deserta. Assim como no *Almanaque*, o leitor pode começar em qualquer ponto. Na verdade, poderia embaralhar os dois livros e *ainda assim* começar em qualquer ponto. Uma miscelânea, como eu já disse antes e mantenho firmemente, deve ser desordenada. Não precisa estar presa a nenhuma ordem lógica fixa. Na verdade, *não deve* estar, até porque ela não

* Rio de Janeiro, Zahar, 2009. (N.T.)

existe. Se eu quiser encaixar um quebra-cabeça supostamente inventado por Euclides entre uma história sobre reis escandinavos jogando dados pela posse de uma ilha e um cálculo sobre a probabilidade de que macacos digitem aleatoriamente a obra completa de Shakespeare, por que não?

Vivemos num mundo em que é cada vez mais difícil trabalharmos de modo sistemático num argumento ou numa discussão longa e complicada. Essa ainda é a melhor maneira de nos mantermos bem informados – não a estou condenando. Eu mesmo experimento um pouco disso quando o mundo permite. Mas quando o método acadêmico não funciona, existe uma alternativa, que requer apenas alguns minutos aqui e ali. Aparentemente isso cai no gosto de muitos de vocês, portanto, lá vamos nós outra vez. Como comentou um entrevistador de rádio sobre o *Almanaque das curiosidades matemáticas* (num tom condolente, acredito): "Imagino que seja o livro ideal para ser lido no banheiro." Bem, na verdade, Avril e eu fazemos um grande esforço para *não* deixar livros no banheiro para os visitantes, pois não queremos ter de bater na porta a uma da manhã para retirar um convidado que ficou inesperadamente vidrado em *Guerra e paz*. E não queremos correr o risco de ficarmos nós mesmos presos ali dentro.

Mas é aí que está. O entrevistador estava certo. E, assim como seu predecessor, *Incríveis passatempos matemáticos* é justamente o tipo de livro para se levar num trem, num avião ou a uma praia. Ou para folhear ao acaso depois do Natal, enquanto você assiste aos canais de esportes e às novelas. Ou o que quer que prenda a sua atenção. O objetivo deste livro é a diversão, não o trabalho. Não é uma prova, não há um currículo a ser cumprido, não há questões de múltipla escolha para resolver. Você não precisa se preparar. Apenas mergulhe.

Alguns dos itens se encaixam naturalmente numa sequência coerente, por isso coloquei-os próximos uns dos outros, e os que aparecem primeiro às vezes esclarecem os seguintes. Portanto, se você se deparar com termos que não estão sendo explicados, é provável que eu os tenha discutido num item anterior. A menos que eu não pensasse que eles precisavam de uma explicação, ou que tenha esquecido dela. Folheie as páginas anteriores para entendê-los. Se tiver sorte, você talvez até os encontre.

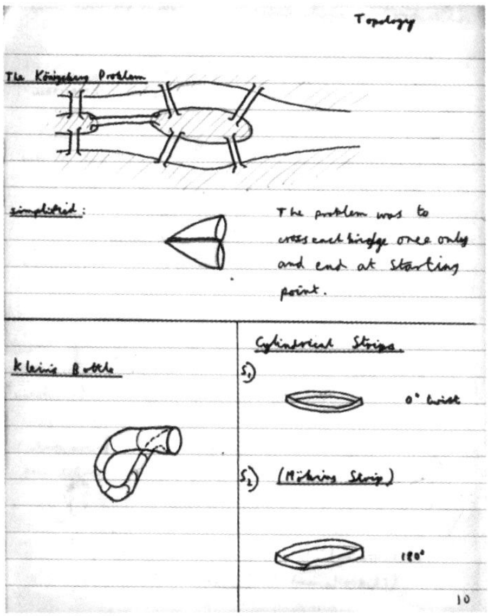

Página do meu primeiro caderno de curiosidades matemáticas.

Enquanto revirava as gavetas do meu arquivo escolhendo novos itens para o livro, classifiquei em particular seu conteúdo em categorias: quebra-cabeça, jogo, tema da moda, sátira, pergunta frequente, anedota, informação inútil, piada, uau-caramba, factoide, curiosidade, paradoxo, folclore, mistério e assim por diante. Havia subdivisões de quebra-cabeças (tradicional, lógica, geométrico, numérico etc.), e muitas das categorias se sobrepunham. Cheguei a pensar em incluir símbolos para dizer ao leitor que item é o quê, mas haveria símbolos demais. Algumas indicações, no entanto, talvez ajudem.

Os quebra-cabeças se distinguem da maioria dos outros itens porque terminam com *Resposta na p.X*. Alguns deles são mais difíceis que o resto, mas não chegam a ser nada do outro mundo. Muitas vezes vale a pena ler a resposta mesmo se – especialmente se – você não resolver o problema. No entanto, você irá apreciar mais a resposta se ao menos tentar responder à pergunta, por mais rápido que desista. Alguns dos quebra-cabeças estão inseridos em histórias mais longas; isso não significa que ele seja difícil, só que eu gosto de contar histórias.

Quase todos os tópicos são acessíveis a qualquer pessoa que tenha estudado um pouco de matemática na escola e que ainda tenha algum interesse pela matéria. As perguntas frequentes são explicitamente *sobre* coisas que vimos na escola. Por que não somamos frações do mesmo modo como as multiplicamos? O que é 0,999...? As pessoas muitas vezes fazem essas perguntas, e este me pareceu um bom lugar para explicar o raciocínio por trás delas. Que nem sempre é o que poderíamos esperar, e, num dos casos, não era o que *eu* esperava quando comecei a escrever o item, graças a um e-mail que, por acaso, me fez mudar de ideia.

Entretanto, a matemática da escola é apenas uma parte pequenina de um empreendimento muito maior, que atravessa milênios de cultura humana e se estende por todo o planeta. A matemática é essencial para tudo o que afeta nossas vidas – telefones celulares, medicina, mudança climática – e está crescendo mais rápido que nunca. Mas a maior parte dessa atividade acontece nos bastidores, e é muito fácil imaginarmos que simplesmente não esteja acontecendo. Por isso, em *Incríveis passatempos matemáticos*, dediquei um pouco mais de espaço às aplicações curiosas ou incomuns da matemática, tanto na vida cotidiana como nas fronteiras da ciência. E um pouco menos para a matemática pura, sobretudo porque já cobri muitos dos temas realmente interessantes no *Almanaque das curiosidades matemáticas*.

Os assuntos tratados vão desde encontrar a área de um ovo de avestruz até o intrigante excesso de matéria em comparação à antimatéria logo após o big bang. Também incluí alguns tópicos históricos, como os numerais babilônicos, o ábaco e as frações egípcias. A história da matemática tem ao menos 5 mil anos, e as descobertas feitas no passado distante ainda são importantes hoje, pois a matemática se edifica sobre seus êxitos passados.

Alguns itens são mais longos que o resto – miniensaios sobre tópicos importantes com os quais você talvez tenha se deparado no noticiário, como a quarta dimensão, a simetria ou virar uma esfera do avesso. Esses temas não vão exatamente *além* da matemática da escola: em geral eles seguem numa direção completamente diferente. A matemática compreende muito mais do que costumamos perceber. Também incluí alguns comentários técnicos nas notas e os deixei espalhados entre as respostas. Senti que essas coisas precisavam ser ditas, ao mesmo tempo que precisavam ser fáceis de ignorar. Fiz referência ao *Almanaque das curiosidades matemáticas* em locais apropriados.

Você poderá se deparar eventualmente com fórmulas que parecem complicadas – mas que, na maior parte das vezes, foram relegadas às notas no final do livro. Se você detesta fórmulas, *pule essa parte*. As fórmulas estão aí para que você conheça sua aparência, e não porque precisará delas para passar numa prova. Alguns de nós *gostamos* de fórmulas – elas podem ser bonitas demais, embora, admito, isso seja um gosto adquirido. Eu não quis me esquivar, omitindo detalhes cruciais; pessoalmente, acho isso muito irritante, como os programas de TV que fazem um grande alarde sobre alguma descoberta interessantíssima, mas que nada dizem a seu respeito.

Apesar da disposição aleatória, talvez a melhor maneira de ler *Incríveis passatempos matemáticos* seja a óbvia: começando no começo e seguindo até o fim. Desse modo, você não acabará lendo a mesma página seis vezes enquanto deixa passar algo muito mais interessante. Mas você sem dúvida deverá se sentir à vontade para pular para o item seguinte no momento em que sentir que entrou na gaveta errada, por engano.

Essa não é a única abordagem possível. Durante boa parte da minha vida profissional, li livros de matemática começando pelo final, folheando o livro para a frente até encontrar algo que parecesse interessante, continuando para a frente até achar os termos técnicos dos quais a coisa dependia, e então seguindo na direção normal para descobrir o que realmente estava acontecendo.

Bem, isso funciona comigo. Você talvez prefira uma abordagem mais convencional.

Curiosidade na calculadora 1

Pegue sua calculadora e calcule:

$(8 \times 8) + 13$
$(8 \times 88) + 13$
$(8 \times 888) + 13$
$(8 \times 8888) + 13$
$(8 \times 88888) + 13$
$(8 \times 888888) + 13$
$(8 \times 8888888) + 13$
$(8 \times 88888888) + 13$

Resposta na p.291

Ano de cabeça para baixo

Alguns algarismos se mantêm (razoavelmente) iguais quando virados de cabeça para baixo: 0, 1, 8. Outros dois vêm num par, em que cada um é igual ao outro de cabeça para baixo (6, 9). Os demais – 2, 3, 4, 5, 7 – não parecem algarismos quando virados de cabeça para baixo (bem, podemos escrever o 7 com uma voltinha, e ele então parece o 2 ao contrário, mas por favor não faça isso). O ano 1691 permanece igual quando o viramos de cabeça para baixo.

Qual é o ano mais recente no passado que permanece igual quando virado de cabeça para baixo?

Qual é o ano mais próximo no futuro que permanece igual quando virado de cabeça para baixo?

Resposta na p.291

Os lânguidos lamentos de Lilavati

Lilavati

Entre os grandes matemáticos da Índia antiga encontra-se Báskara, "O Professor", nascido em 1114. Na verdade, ele era astrônomo: em sua cultura, a matemática era essencialmente um técnica astronômica. Aparecia em textos de astronomia, e não como uma disciplina separada. Entre as obras mais famosas de Báskara temos um livro chamado *Lilavati*. Esse livro está cercado por uma lenda.

Fyzi, poeta da corte do imperador mogul Akbar, conta que Lilavati era filha de Báskara. Ela estava em idade de casar, por isso Báskara calculou seu horóscopo para descobrir a data mais propícia para o casamento (até depois do Renascimento, muitos matemáticos ainda ganhavam a vida fazendo horóscopos). Báskara, que tinha uma evidente vocação para o espetáculo, pensou ter bolado uma ideia magnífica para tornar sua previsão mais dramática. Ele fez um furo numa xícara e colocou-a para flutuar numa bacia de água, preparando tudo de forma que a xícara afundasse no momento fatídico.

Infelizmente, a ansiosa Lilavati estava inclinada sobre a bacia esperando a xícara afundar. Uma pérola de seu vestido caiu na xícara e bloqueou o orifício, por isso a xícara não afundou, e a pobre Lilavati nunca pôde se casar.

Para animar a filha, Báskara escreveu um livro de matemática para ela.

Pô, valeu, pai.

Dezesseis fósforos

Dezesseis fósforos estão dispostos formando cinco quadrados idênticos.

Movendo exatamente *dois* fósforos, reduza o número de quadrados para 4. Todos os fósforos devem ser usados, e cada fósforo deve fazer parte de um dos quadrados.

Resposta na p.291

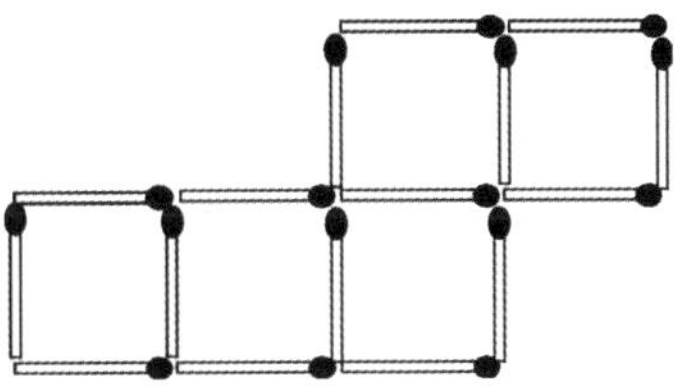

Dezesseis fósforos formando cinco quadrados.

Engolindo elefantes

Elefantes sempre usam calças cor-de-rosa.
Toda criatura que come mel sabe tocar gaita de fole.
Tudo que é fácil de engolir come mel.
Nenhuma criatura que usa calças cor-de-rosa sabe tocar gaita de fole.

Portanto:

Os elefantes são fáceis de engolir.

Esta dedução está correta ou não?

Resposta na p.291

Círculo mágico

Na figura, temos três círculos grandes, e cada um deles passa por quatro círculos menores. Coloque os números 1, 2, 3, 4, 5, 6 nos círculos pequenos de modo que os números de cada círculo grande somem 14.

Resposta na p.293

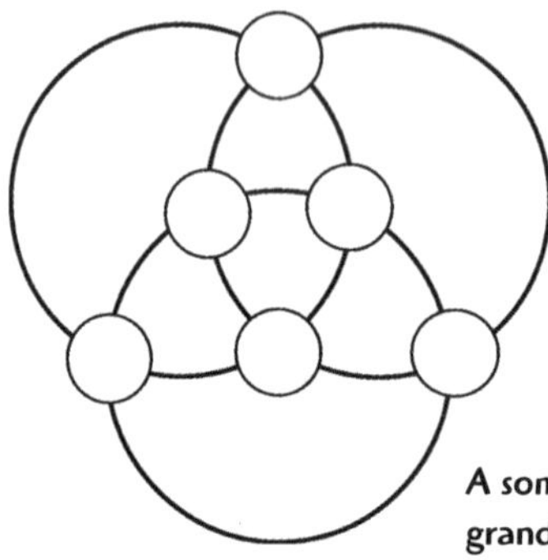

A soma de cada círculo grande deve ser 14.

Dodgem

Este é um jogo matemático com regras muito simples e bem divertido de jogar, mesmo num tabuleiro pequeno. Foi inventado pelo escritor e especialista em quebra-cabeças Colin Vout. A figura mostra o tabuleiro de 4 × 4.

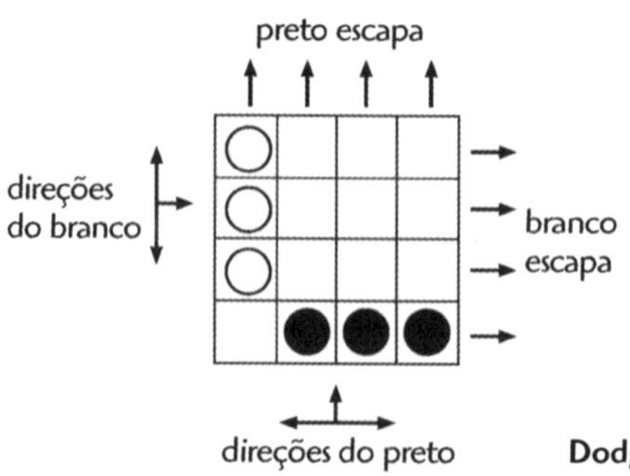

Dodgem num tabuleiro de 4 × 4.

Os jogadores se revezam mexendo uma de suas pedras um quadro à frente, à esquerda ou à direita, como ilustrado pelas setas com as "direções do preto" e "direções do branco". Uma pedra não pode ser mexida se estiver bloqueada por uma pedra do oponente na borda do tabuleiro, a não ser na borda oposta, onde as pedras podem escapar. Um jogador sempre deve deixar ao menos uma jogada para seu oponente, e perde o jogo se não o fizer. Ganha o jogador que conseguir escapar com todas as suas pedras.

Num tabuleiro maior, a disposição inicial é semelhante: o canto inferior esquerdo fica desocupado, há uma fileira de pedras brancas na coluna da esquerda e uma fileira de pedras pretas na fileira de baixo.

Vout provou que, usando uma estratégia perfeita, o primeiro jogador sempre ganha num tabuleiro de 3 × 3, mas, em tabuleiros maiores, aparentemente não sabemos quem deve ganhar. Uma boa maneira de jogar é com as peças de um jogo de damas no tabuleiro habitual de 8 × 8.

Parece natural usarmos tabuleiros quadrados, porém, com um tabuleiro retangular o jogador com menos pedras tem de movê-las mais longe, por isso o jogo pode ser jogado em tabuleiros retangulares. Até onde eu sei, os jogos nesses tabuleiros ainda não foram examinados.

Adivinhação numérica

Aprendi esse truque com o grande Whodunni, um ilusionista até o momento desconhecido, mas que merece maior reconhecimento. É ótimo para festas, e somente os matemáticos presentes irão adivinhar como ele funciona.* O truque foi projetado para ser usado especificamente no ano de 2009, mas vou explicar como modificá-lo para 2010, e a resposta na p.293 irá estendê-lo para qualquer ano.

Whodunni chama um voluntário da plateia, e sua bela assistente Grumpelina entrega uma calculadora ao sujeito. Whodunni faz então um

* Ao contrário do que se acredita, os matemáticos realmente vão a festas.

grande estardalhaço, dizendo que essa calculadora era perfeitamente normal, até que foi enfeitiçada. Agora, ela pode revelar os segredos ocultos das pessoas.

– Vou pedir que você faça alguns cálculos – explica o mágico ao voluntário. – Minha calculadora mágica irá usar os resultados para mostrar sua idade e o número da sua casa.

Ele diz então ao voluntário que realize os seguintes cálculos:

- Digite o número da sua casa.
- Multiplique por 2.
- Some 42.
- Multiplique por 50.
- Subtraia o ano do seu nascimento.
- Subtraia 50.
- Some o número de aniversários que você já fez este ano, isto é, 0 ou 1.
- Subtraia 41.

– Eu agora prevejo – diz Whodunni –, que os dois últimos algarismos do resultado serão sua idade, e os algarismos restantes serão o número da sua casa.

Vamos fazer o teste com a bela Grumpelina, que mora na casa número 327. Ela nasceu em 31 de dezembro de 1979; suponhamos que Whodunni realizou seu truque no dia de Natal de 2009, quando ela tinha 29 anos.

- Digite o número da sua casa: 327
- Multiplique por 2: 654.
- Some 42: 696.
- Multiplique por 50: 34.800.
- Subtraia o ano do seu nascimento: 32.821.
- Subtraia 50: 32.771.
- Some o número de aniversários que você já fez este ano (0): 32.771.
- Subtraia 41: 32.729.

Os dois últimos algarismos são 29, a idade de Grumpelina. Os outros são 327, o número da casa dela.

O truque funciona com qualquer pessoa de idade entre 1 e 99, e com qualquer número de casa, por mais alto que seja. Você poderia pedir um número de telefone e ainda assim funcionaria. Mas Grumpelina não gosta de revelar seu telefone a qualquer um, por isso não posso ilustrar o truque com ele. Se fizer o truque em 2011, substitua o último passo por "subtraia 40".

Você não precisa de uma calculadora mágica, claro: uma calculadora comum funcionará perfeitamente. Também não precisa entender como é o truque para deslumbrar seus amigos. Mas, para quem quiser saber o segredo, ele está explicado na p.293.

Segredos do ábaco

Nestes tempos de calculadoras eletrônicas, o instrumento conhecido como ábaco parece bastante fora de moda. Muitos de nós o conhecemos como um brinquedo educativo para crianças, um conjunto de arames com contas que sobem e descem representando números. Entretanto, o ábaco não se resume a isso, e esse instrumento ainda é amplamente utilizado, sobretudo na Ásia e na África. Para conhecer sua história, veja: en.wikipedia.org/wiki/Abacus.

O princípio básico do ábaco é que o número de contas em cada arame representa um algarismo num cálculo, e as operações básicas da aritmética podem ser realizadas movendo-se as contas na direção correta. Um operador treinado pode somar números com a mesma velocidade que uma pessoa com uma calculadora, e o instrumento é perfeitamente prático para coisas mais complicadas, como a multiplicação.

Os sumérios já usavam uma forma de ábaco em torno de 2.500 a.C., e os babilônios provavelmente também. Existem alguns indícios da presença do ábaco no Egito antigo, mas até agora não foi encontrada nenhuma imagem do instrumento, apenas discos que talvez tenham sido usados para contar. O ábaco foi utilizado de modo amplo pelas civilizações persa, grega e romana. Durante muito tempo, a disposição mais eficiente era a empregada pelos chineses do século XIV em diante, chamada *suànpán*. Ela tem duas fileiras de contas; as contas da fileira de baixo significam 1, e as da fileira de cima significam 5. As contas mais próximas à linha divisória determinam o número. O *suànpán* era bastante grande: tinha cerca de 20cm de altura e uma largura variável, dependendo do número de colunas. Era usado sobre uma mesa plana para evitar que as contas deslizassem até posições indesejadas.

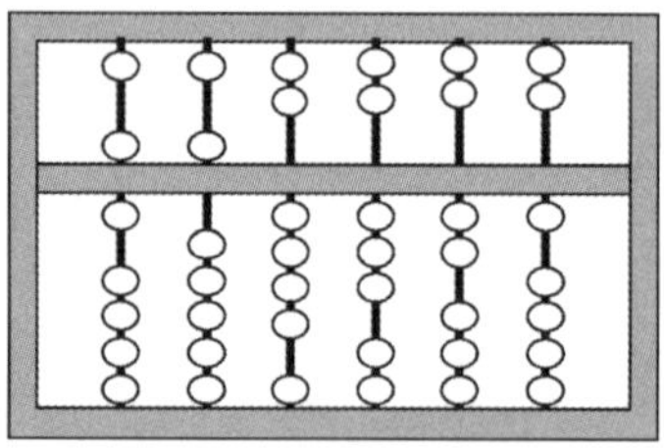

Número 654.321 num ábaco chinês.

Os japoneses importaram o ábaco chinês a partir de 1600, aperfeiçoando-o para que fosse menor e mais fácil de usar, e chamaram-no de *soroban*. As principais diferenças eram que as contas tinham um corte hexagonal, era o tamanho ideal para o encaixe dos dedos e usava-se o instrumento na horizontal. Por volta de 1850, o número de contas na fileira de cima foi reduzido a um, e, por volta de 1930, o número na fileira de baixo foi reduzido a quatro.

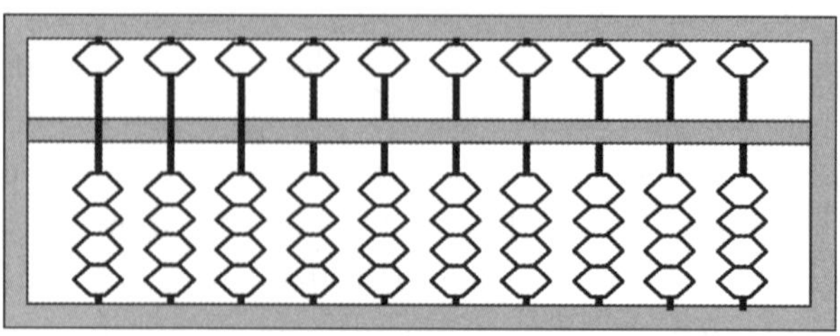

Ábaco japonês, zerado.

O primeiro passo em qualquer cálculo é colocarmos o ábaco em sua posição original para que represente 0 … 0. Para fazer isso de maneira eficiente, incline a borda de cima para que todas as pedras deslizem para baixo. Depois deixe o ábaco deitado na mesa e corra o dedo rapidamente da esquerda para a direita, logo acima da linha divisória, empurrando todas as pedras de cima para o alto.

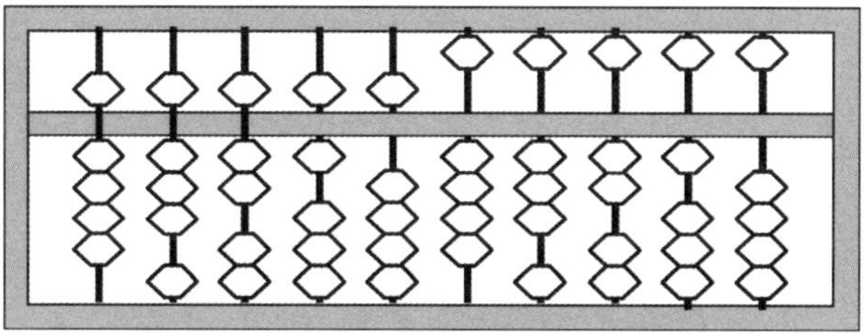

Ábaco japonês representando 9.876.543.210.

Novamente, os números da fileira de baixo significam 1, e os da fileira de cima representam 5. O projetista japonês tornou o ábaco mais eficiente ao remover as pedras supérfluas, que não traziam nenhuma informação nova.

O operador utiliza o *soroban* apoiando levemente as pontas do indicador e do polegar sobre as contas, uma em cada lado da barra central, com o resto da mão pairando sobre as fileiras inferiores. Então é preciso aprender e praticar vários "movimentos", mais ou menos do mesmo modo que um músico aprende a tocar um instrumento. Esses movimentos são os componentes básicos de um cálculo aritmético, e o cálculo em si se parece bastante com tocar uma breve "música". Você poderá encontrar muitas técnicas detalhadas com o ábaco em: www.webhome.idirect.com/~totton/abacus/pages.htm#Soroban1.

Vou mencionar apenas as duas mais fáceis.

Uma regra básica é: sempre trabalhe da esquerda para a direita: isso é o contrário do que aprendemos na aritmética da escola, em que o cálculo corre das unidades para as dezenas, para as centenas e assim por diante – da direita para a esquerda. Mas nós *dizemos* os algarismos da esquerda para a direita: "trezentos e vinte e um". Faz bastante sentido pensarmos neles dessa forma e calcularmos assim. As contas também atuam como uma memória, para não nos confundirmos nos casos em que "vai um" algarismo para a posição seguinte.

Para somar 572 e 142, por exemplo, siga as instruções nas figuras. (Numerei as colunas 1, 2, 3 a partir da direita, pois é assim que pensamos. A quarta coluna não tem nenhuma função, mas teria, se estivéssemos somando, por exemplo, 572 e 842, onde 8 + 8 = 13, portanto, "vai um" para a posição 4.)

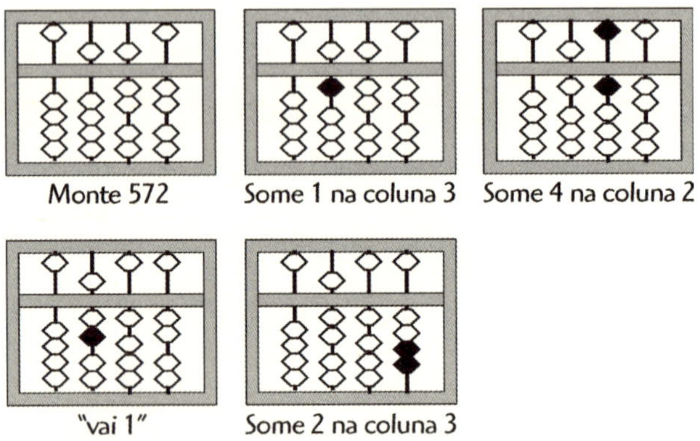

Uma técnica básica ocorre na subtração. Não vou desenhar os lugares para onde as contas vão, mas o princípio é o seguinte: para subtrair 142 de 572, troque cada algarismo x em 142 por seu *complemento* $10 - x$. Portanto, 142 se transforma em 968. Agora *some* 968 e 572, como antes. O resultado é 1.540, mas claro que 572 − 142 é na verdade 430. Ah, mas eu ainda não falei que em cada etapa subtraímos 1 da coluna situada uma posição à esquerda (enquanto realizamos o procedimento). Portanto o 1 inicial desaparece, o 5 se torna 4, e o 4 se torna 3. O zero permanece inalterado.

Por que isso funciona, e por que não mexemos no algarismo das unidades?

Resposta na p.294

O tesouro do Barba-Ruiva

O capitão Roger Barba-Ruiva, o pirata mais temível das ilhas Molinetes, olhava fixamente para a figura que havia desenhado na areia às margens da tranquila lagoa atrás do recife da Chibata. Ele havia enterrado um baú cheio de dobrões espanhóis naquele local, alguns anos antes, e agora queria recuperar seu tesouro. Mas tinha esquecido onde o tesouro estava. Felizmente, ele havia preparado uma mnemônica inteligente para se lembrar. Infelizmente, a mnemônica era um pouco inteligente *demais*.

O capitão se dirigiu então ao bando de brutamontes esfarrapados que constituíam sua tripulação.

– Alto, seus ratos de estiva fedorentos! Alô, Mentecapto, largue esse tonel de rum e escute!

A tripulação finalmente se acalmou.

– Cês tão lembrados de quando a gente abordou o *Príncipe Espanhol*? E logo antes de jogarmos os prisioneiros pros tubarões, um deles falou onde tinham escondido o butim? E a gente escavou o tesouro inteiro e enterrou de volta num lugar seguro?

Ouviram-se brados grosseiros, a maioria de concordância.

– Pois então, o tesouro tá enterrado exatamente ao norte daquela pedra em forma de caveira logo ali. Tudo que a gente tem de saber é *quanto* para o norte. Agora, o lance é que eu sei que o número exato de passos é o número de maneiras diferentes com que um homem pode soletrar a palavra TESOUROS colocando o dedo na letra T no alto desta figura e andando com o dedo para baixo uma fileira de cada vez até uma letra adjacente, uma posição para a direita ou para a esquerda. Vou dar dez dobrões de ouro ao primeiro marujo entre vocês que descobrir esse número. O que me dizem, rapazes?

T
E E
S S S
O O O O
U U U U U
R R R R R R
O O O O O O O
S S S S S S S S

Quantos passos separam a pedra do tesouro?

Resposta na p.294

Hexaflexágonos

Os hexaflexágonos são brinquedos matemáticos fascinantes, inventados pelo famoso matemático Arthur Stone em seus tempos de aluno de pós-graduação. Vou mostrar o mais simples e passarei a referência na internet para que você conheça os outros.

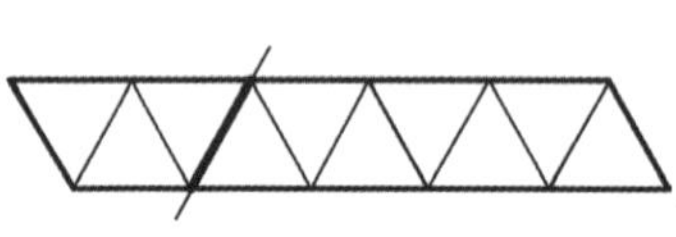

Corte uma fita com 10 triângulos equiláteros e dobre onde indicado, passando a parte da direita por trás do resto...

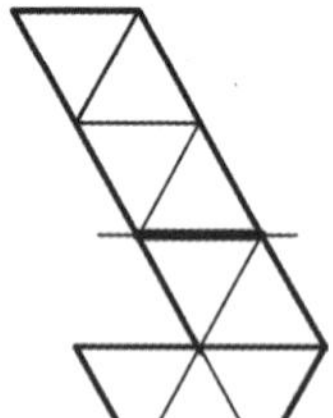

...ficando com isso. Agora pegue a parte de cima e dobre para trás onde indicado; passe então essa ponta da fita por cima da outra ...

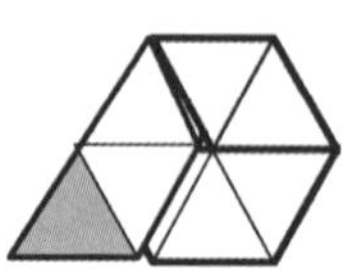

...ficando com isso. Finalmente, dobre a aba cinza para trás e cole-a ao triângulo adjacente...

...para obter um triflexágono pronto.

Depois de montarmos essa forma curiosa, podemos *flexioná-la*. Se você segurar entre os dedos dois triângulos adjacentes separados por uma linha sólida (a borda da faixa original), abre-se um espaço no meio, e será possível virar as bordas para fora – virando o hexágono do avesso, por assim dizer. Isso expõe um conjunto diferente de faces. A figura pode ser flexionada de novo, o que a faz voltar à configuração inicial.

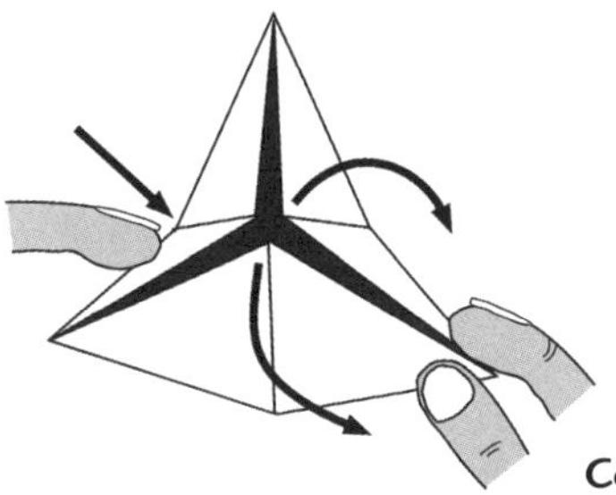

Como flexionar o seu hexaflexágono.

Experimentar tudo isso num modelo é mais fácil que descrevê-lo. Se você colorir a parte da frente do hexágono original de vermelho e o verso de azul, a primeira flexão revela outro conjunto de triângulos ainda não coloridos. Pinte esses triângulos de amarelo. Agora, cada flexão sucessiva remete a cor da frente para o verso, faz a cor do verso desaparecer e mostra uma nova cor na frente. Portanto, as cores formam o seguinte ciclo:

- Vermelho na frente, azul no verso.
- Amarelo na frente, vermelho no verso.
- Azul na frente, amarelo no verso.

Existem flexágonos mais complicados, com mais faces ocultas, que exigem outras cores. Alguns deles usam quadrados em vez de triângulos.

Stone formou um "comitê de flexágonos" com três outros estudantes da pós-graduação: Richard Feynman, Brent Tuckerman e John Tukey. Em 1940, Feynman e Tukey desenvolveram uma teoria matemática completa que caracterizava todos os flexágonos. Um bom ponto de partida para o extenso mundo do flexágono é en.wikipedia.org/wiki/Flexagon.

Quem inventou o sinal de igual?

A origem da maior parte dos símbolos matemáticos se perde nas brumas da antiguidade, mas sabemos de onde veio o sinal de igual (=). Robert Recorde foi um médico e matemático galês que, em 1557, escreveu *A pedra de amolar o intelecto, que é a segunda parte de aritmética: contendo a extração das raízes; a prática cossike, com a regra da equação; e os trabalhos dos números surdos.**

No livro, Recorde escreveu: "Para evitar a tediosa repetição dessas palavras "é igual a", utilizarei, como faço frequentemente em meu trabalho, um par de retas paralelas, ou gêmeas de extensão um: ═══, pois não pode haver .2. coisas mais iguais."

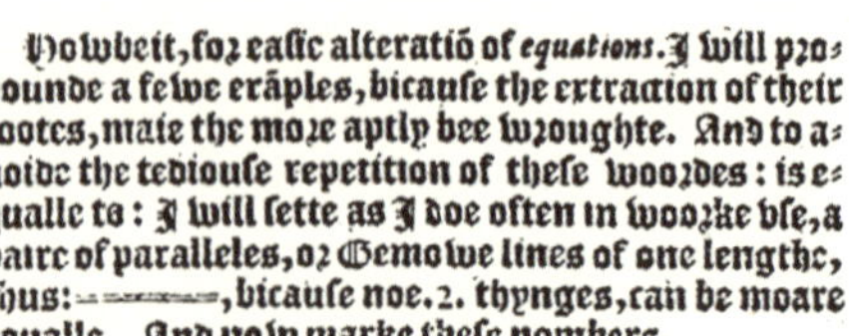

Howbeit, for easie alteratiō of *equations*. I will pro-
pounde a fewe exāples, bicause the extraction of their
rootes, maie the more aptly bee wroughte. And to a-
uoide the tediouse repetition of these woordes: is e-
qualle to: I will sette as I doe often in woorke use, a
paire of paralleles, or Gemowe lines of one lengthe,
thus: ═══, bicause noe.2. thynges, can be moare
equalle. And now marke these nombers.

Robert Recorde e seu sinal de igual.

* A "prática cossike" indica a álgebra: os algebristas do Renascimento italiano se referiam ao desconhecido, que chamamos atualmente de x, de *cosa*, que significa "coisa" em italiano. Como na "cosa nostra", que indica a Máfia. Os "números surdos" são coisas como raízes quadradas.

Estrelas e cortes

Betsy Ross, nascida em 1752, geralmente é considerada a pessoa que costurou a primeira bandeira dos Estados Unidos, na qual as 13 estrelas representavam as 13 colônias fundadoras (na bandeira atual, as colônias são representadas pelas 13 faixas). Os historiadores ainda debatem a veracidade dessa história, pois ela se baseia sobretudo em relatos orais, mas não quero ficar preso a argumentos históricos: veja www.ushistory.org/betsy/.

O importante nesse quebra-cabeça é que as estrelas da bandeira dos Estados Unidos têm cinco pontas. Aparentemente, o projeto original de George Washington usava estrelas de seis pontas, mas Betsy preferiu as de cinco. O comitê fez objeções, dizendo que esse tipo de estrela era muito difícil de fazer. Betsy apanhou um pedaço de papel, dobrou-o e cortou uma estrela de cinco pontas perfeita, com um só corte reto de tesoura. O comitê, completamente impressionado, cedeu.

Como ela fez isso?

Existe algum método semelhante para fazermos uma estrela de seis pontas?

Resposta na p.295

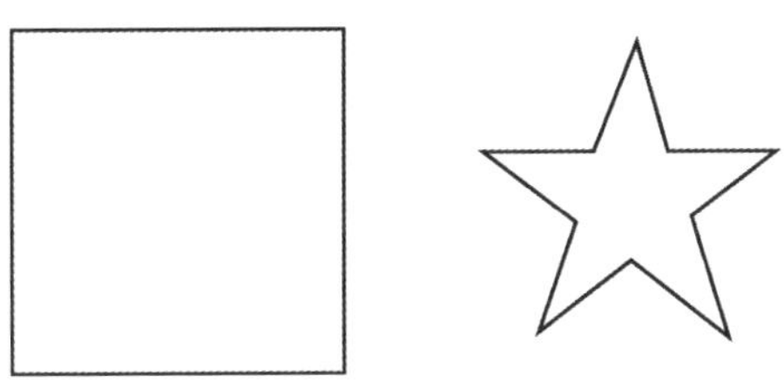

Dobre e corte isto... ...para fazer isto.

Pelos números da Babilônia

As culturas antigas escreviam os números de muitas maneiras diferentes. Os antigos romanos, por exemplo, usavam letras: I para 1, V para 5,

X para 10, C para 100 etc. Nesse tipo de sistema, quanto maior o número, mais letras são necessárias. E a aritmética pode ser complicada: tente multiplicar MCCXIV por CCCIX usando apenas lápis e papel.

Nossa conhecida notação decimal é mais versátil e adequada aos cálculos. Em vez de inventar novos símbolos para números cada vez maiores, ela utiliza um conjunto fixo de símbolos que, nas culturas ocidentais, são 0, 1, 2, 3, 4, 5, 6, 7, 8, 9. Os números maiores podem ser escritos usando-se os mesmos símbolos em posições diferentes. Por exemplo, 525 significa

$$5 \times 100 + 2 \times 10 + 5 \times 1$$

O símbolo "5" no lado direito representa "5"; o mesmo símbolo no lado esquerdo significa "500". Um sistema numérico posicional como este precisa de um símbolo para o zero, caso contrário não poderíamos distinguir entre 12, 102 e 1.020.

Dizemos que nosso sistema numérico é de *base 10* ou *decimal*, pois o valor de um algarismo é multiplicado por 10 sempre que ele é movido uma posição para a esquerda. Não temos nenhum motivo matemático específico para usar o 10: a base 7 ou a base 42 funcionam igualmente bem. Na verdade, qualquer número inteiro (maior que 1) pode ser usado como base, embora bases maiores que 10 demandem novos símbolos para algarismos adicionais.

A civilização maia, que surgiu em 2000 a.C., floresceu na América Central aproximadamente entre 250 e 900 d.C. e depois declinou, usava a base 20. Portanto, para eles, os símbolos 5-2-14 significavam

$$5 \times 20^2 + 2 \times 20 + 14 \times 1,$$

que é 2.054 em nossa notação. Eles usavam um ponto para representar o 1, uma linha horizontal para o 5 e combinavam esses símbolos para obter todos os números de 1 a 19. De 36 a.C. em diante, passaram a empregar uma estranha forma oval para representar o zero. Os maias empilhavam então esses 20 "algarismos" verticalmente para representar algarismos sucessivos na base 20.

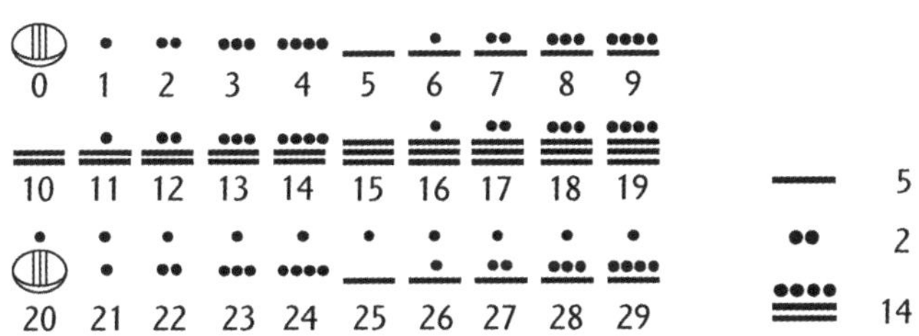

Esquerda: números 0-29 em algarismos maias;
direita: representação maia de $5 \times 20^2 + 2 \times 20 + 14 \times 1$

Muita gente acredita que os maias utilizavam a base 20 porque contavam com os dedos dos pés, além dos dedos das mãos. Uma explicação alternativa me ocorreu enquanto eu escrevia este item. Eles talvez contassem com os dedos das mãos e com os polegares dos pés, de modo que cada polegar representasse um 5. Então, cada ponto é um dedo, cada barra é um dedão do pé, e tudo pode ser feito com duas mãos. Reconheço que não temos três polegares, mas existem maneiras de contornar essa questão com as mãos, e, no caso dos símbolos, não há problema algum. Quanto à forma oval para representar o zero: você não concorda que ela se parece um pouco com um punho fechado? Representaria nenhum dedo e nenhum dedão do pé.

Trata-se de uma especulação livre, mas gosto bastante dela.

Muito antes, cerca de 3100 a.C., os babilônios haviam sido ainda mais ambiciosos, usando a base 60. A Babilônia é quase uma terra de fantasia, com histórias bíblicas sobre a Torre de Babel e Sadraque na fornalha de Nabucodonosor, além de lendas românticas sobre os Jardins Suspensos. Mas a Babilônia era um lugar real, e muitos de seus restos arqueológicos ainda sobrevivem no Iraque. A palavra "babilônio" é usada de forma intercambiável para diversos agrupamentos sociais, que surgiram e desapareceram na área situada entre os rios Tigre e Eufrates, e compartilhavam muitos aspectos culturais.

Sabemos bastante sobre os babilônios porque eles escreviam em tabuletas de argila, das quais mais de um milhão ainda sobrevive, em muitos casos por terem sido guardadas num edifício que pegou fogo, cozendo a argila e deixando-a dura como uma pedra. Os escribas babilônicos usavam palitos curtos com as pontas moldadas para fazer marcas triangulares, conhecidas como cuneiformes, na argila. As tabuletas de argila que sobreviveram trazem de tudo, desde contabilidades domésticas até tabelas astronômicas, e algumas são de 3000 a.C. ou antes.

Os símbolos babilônicos para os numerais passaram a ser utilizados ao redor de 3000 a.C. e empregam dois signos diferentes para o 1 e o 10, combinados em grupos para gerar todos os números inteiros até 59.

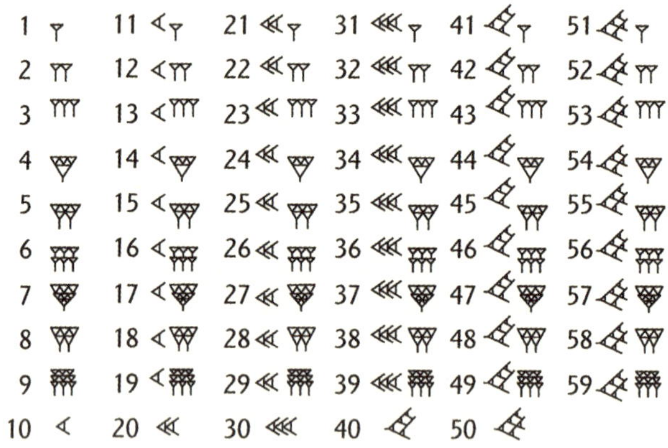

Numerais babilônicos de 1 a 59.

Os 59 grupos atuam como algarismos únicos na notação de base 60, também conhecida como sistema sexagesimal. Para que a minha impressora não fique nervosa, vou fazer como os arqueólogos, escrevendo os numerais babilônicos desta forma:

$$5,38,4 = 5 \times 60 \times 60 + 38 \times 60 + 4 = 20.284 \text{ em notação decimal}$$

Os babilônios não tinham (até o último período de sua civilização) um símbolo que fizesse o papel do nosso zero, portanto havia certo grau de ambiguidade em seu sistema, em geral resolvido pelo contexto no qual o número aparecia. Para obterem maior precisão, eles também tinham um símbolo equivalente à nossa vírgula decimal, uma "vírgula sexagesimal", indicando que os números à sua direita eram múltiplos de

$^1/_{60}$, $^1/_{60} \times {}^1/_{60} = {}^1/_{3600}$ etc. Os arqueólogos representam esse símbolo com um ponto e vírgula (;). Por exemplo,

$$12{,}59;\ 57{,}17 = 12 \times 60 + 59 + \frac{57}{60} + \frac{17}{3600} = 779{,}955$$

em notação decimal (em uma boa aproximação).

Foram encontradas cerca de 2 mil tabuletas astronômicas, principalmente tabelas comuns, previsões de eclipses e coisas assim. Dentre essas, 300 são mais ambiciosas – observações do movimento de Mercúrio, Marte, Júpiter e Saturno, por exemplo. Os babilônios eram excelentes observadores, e seu número para o período orbital de Marte era 12,59;57,17 dias – cerca de 779,955 dias, como acabamos de ver. O número moderno é 779,936 dias.

Em nossa cultura, ainda restam traços da aritmética sexagesimal. Dividimos uma hora em 60 minutos e um minuto em 60 segundos. Na medição angular, também dividimos um grau em 60 minutos e um minuto em 60 segundos – as mesmas palavras, num contexto diferente. Usamos 360 graus para um círculo completo, e 360 = 6 × 60. Em seus trabalhos astronômicos, os babilônios com frequência interpretavam o numeral que geralmente seria multiplicado por 60 × 60 como se, na realidade, fosse multiplicado por 6 × 60. O número 360 talvez tenha sido uma aproximação conveniente para o número de dias de um ano, mas os babilônios sabiam que 365 e um pouquinho era muito mais próximo, e conheciam o tamanho desse pouquinho.

Ninguém sabe exatamente por que os babilônios usavam a base 60. A explicação tradicional é que 60 é o menor número divisível por 1, 2, 3, 4, 5, e 6. Temos inúmeras teorias alternativas, mas com poucas evidências convincentes. O que sabemos é que essa base se originou com os sumérios, que viveram na mesma região e por vezes a controlaram, mas isso não ajuda muito. Para saber mais, bons sites para começar são os seguintes: en.wikipedia.org/wiki/Babylonian_numerals, www.gap-system.org/~history/HistTopics/Babylonian_numerals.html.

Hexágonos mágicos

Você provavelmente já ouviu falar de quadrados mágicos – grades de números que, somados, dão o mesmo total quando lidos na horizontal, vertical ou diagonal. Os hexágonos mágicos são parecidos, mas agora a grade é um favo de mel, e as três direções naturais para lermos os números se encontram a 120° uma da outra. No *Almanaque das curiosidades matemáticas* (p.76), afirmei que só havia dois hexágonos mágicos possíveis, ignorando os que estivessem simetricamente relacionados: um hexágono sem graça, de lado 1, e outro, mais razoável, de lado 3.

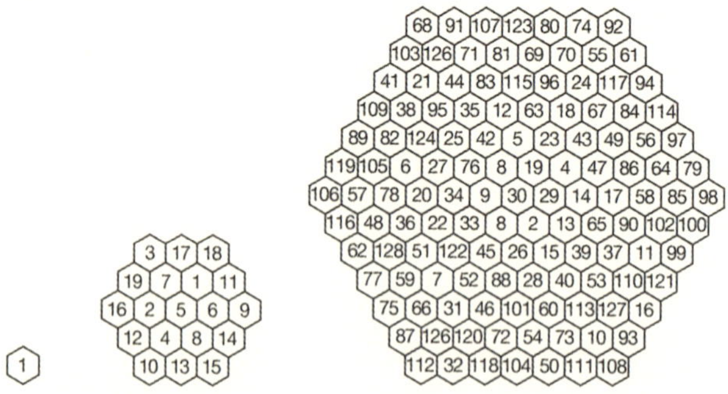

Únicos hexágonos mágicos possíveis, de tamanho 1 e 3, e um hexágono anormal de tamanho 7.

Isso é verdade para hexágonos mágicos "normais", nos quais os números são inteiros consecutivos começando em 1, 2, 3, ... Mas a verdade é que existem mais possibilidades se permitirmos hexágonos "anormais", nos quais os números ainda são consecutivos embora comecem mais adiante, digamos 3, 4, 5, ... O maior hexágono mágico anormal conhecido foi encontrado por Zahray Arsen em 2006. Tem lado 7, os números correm de 2 a 128 e a constante mágica – a soma dos números em qualquer fileira ou linha inclinada – é 635. Arsen também descobriu hexágonos mágicos anormais de tamanho 4 e 5. Veja en.wikipedia.org/wiki/Magic_hexagon.

O problema de Collatz-Syracuse-Ulam

Perguntas simples não precisam ter uma resposta fácil. Eis um exemplo famoso. Você pode explorá-lo com papel e caneta, ou com uma calculadora, embora ele consiga desconsertar até os maiores matemáticos do mundo. Eles acreditam conhecer a resposta, mas ninguém consegue prová-la. Funciona assim.

Pense num número. Agora aplique as seguintes regras repetidamente:

- Se o número for par, divida-o por 2.
- Se o número for ímpar, multiplique-o por 3 e some 1.

O que acontece?

Eu pensei em 11. Este número é ímpar, portanto o próximo número será $3 \times 11 + 1 = 34$. Este número é par, portanto devo dividi-lo por 2 para obter 17. Este é ímpar, levando-me ao 52. Depois disto, os números que se seguem são 26, 13, 40, 20, 10, 5, 16, 8, 4, 2, 1. A partir daqui, chegamos a 4, 2, 1, 4, 2, 1 indefinidamente. Por isso geralmente acrescentamos uma terceira regra:

- Se você chegar a 1, pare.

Em 1937, Lothar Collatz se perguntou se esse procedimento sempre levaria ao número 1, independentemente do número em que começássemos. Mais de 70 anos depois, ainda não sabemos a resposta. O problema tem muitos outros nomes: problema de Syracuse, problema $3n + 1$, problema de Ulam. Costuma ser apresentado como uma conjectura que afirma que a resposta é sim, e a maioria dos matemáticos acredita que a conjectura seja verdadeira.

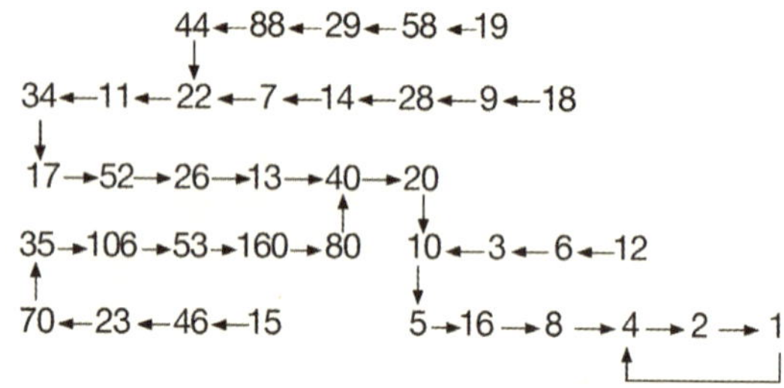

Destinos dos números 1 a 20, e qualquer outro número ao qual eles possam levar.

Um dos motivos da dificuldade do problema ou conjectura de Collatz-Syracuse-Ulam é o fato de os números nem sempre diminuírem à medida que avançamos. A sequência que começa em 15 sobe até 160 antes de finalmente diminuir. O bom e velho 27 realmente *explode*:

27 → 82 → 41 → 124 → 62 → 31 → 94 → 47 → 142 → 71 → 214 → 107 → 322 → 161 → 484 → 242 → 121 → 364 → 182→ 91 → 274 → 137 → 412 → 206 → 103 → 310 → 155 → 466 → 233 → 700 → 350 → 175 → 526 → 263 → 790 → 395 → 1186 → 593 → 1780 → 890 → 445 → 1336 → 668 → 334 → 167 → 502 → 251 → 754 → 377 → 1132 → 566 → 283 → 850 → 425 → 1276 → 638 → 319 → 958 → 479 → 1438 → 719 → 2158 → 1079 → 3238 → 1619 → 4858 → 2429 → 7288 → 3644 → 1822 → 911 → 2734 → 1367 → 4102 → 2051 → 6154 → 3077 → 9232 → 4616 → 2308 → 1154 → 577 → 1732 → 866 → 433 → 1300 → 650 → 325 → 976 → 488 → 244 → 122 → 61 → 184 → 92 → 46 → 23 → 70 → 35 → 106 → 53 → 160 → 80 → 40 → 20 → 10 → 5 → 16 → 8 → 4 → 2 → 1

São necessários 111 passos até chegarmos ao 1. Mas acabamos por chegar, no fim das contas.

Esse tipo de coisa nos faz pensar se haveria algum número em particular para o qual o processo fosse ainda mais explosivo, subindo ao infinito. Claro que os números irão subir e descer bastante. Qualquer número ímpar leva a um aumento, mas o número não pode subir duas vezes em sequência: quando n é ímpar, $3n + 1$ é par, portanto o passo seguinte será a divisão por 2. Mas o resultado nessa etapa ainda é maior que n; de fato, é ½ $(3n+1)$. Entretanto, se este número também for par, obteremos algo menor que n, ou seja, ¼ $(3n+1)$. Portanto, o processo é bastante delicado.

Se nenhum número explodir para o infinito, a outra possibilidade é que talvez exista algum outro ciclo ao qual os números acabem por chegar, em vez de $4 \rightarrow 2 \rightarrow 1$. Foi provado que qualquer ciclo desse tipo deve conter no mínimo 35.400 termos.

Até 100 milhões, o número que leva mais tempo para chegar a 1 é 63.728.127, que requer 949 passos.

Cálculos por computador mostram que qualquer número inicial menor que $19 \times 2^{58} \approx 5.48 \times 10^{18}$ acaba por chegar a 1. O número é impressionantemente elevado, e foi necessário um grande trabalho teórico para se chegar a esse valor – não checamos apenas os números um por um. Mas o exemplo do número de Skewes (veja p.57) mostra que 10^{18} não é tão grande assim quando estamos lidando com essas questões, portanto as evidências geradas por computador não são tão convincentes quanto poderiam parecer. Tudo o que sabemos sobre essa questão conspira para indicar que, se houver um número excepcionalmente elevado que não chegue a 1, deverá ser gigantesco.

Cálculos probabilísticos sugerem que a probabilidade de algum número escapar para o infinito é igual a zero. Entretanto, esses cálculos não são rigorosos, pois os números que encontramos não são de fato aleatórios. Ainda assim, é possível que existam exceções; mesmo que o argumento fosse rigoroso, ele não descartaria a possibilidade de chegarmos a um ciclo diferente.

Se estendermos o processo de modo que possamos começar com zero ou com inteiros negativos, surgem outros quatro ciclos. Todos eles incluem números maiores que −20, portanto você talvez queira procurá-los (veja resposta na p.296). A conjectura então passa a ser: esses cinco ciclos são tudo o que pode ocorrer.

O problema também tem conexões com a dinâmica caótica e com a geometria fractal, que levam a belas ideias e imagens, mas que também não resolvem o problema. Existem muitas informações sobre este problema na internet, por exemplo: en.wikipedia.org/wiki/Collatz_conjecture, mathworld.wolfram.com/CollatzProblem.html, www.numbertheory.org/3x+1/.

O dilema do joalheiro

A joalheria Rattler's prometeu à sra. Jones unir os nove pedaços de sua corrente de ouro para fazer um colar, formando um círculo fechado. Custaria $1 para cortar cada elo e $2 para reuni-lo – um total de $3 por elo. Se eles cortassem um elo ao final de cada peça separada, unindo as peças uma de cada vez, o custo total seria de $27. Entretanto, prometeram fazer o serviço por um custo menor que o de uma corrente nova, que é de $26. Ajude a joalheria Rattler's a evitar o prejuízo – e, mais importante ainda, a fazer com que o custo para a sra. Jones seja o menor possível – encontrando uma maneira melhor de encaixar as peças da corrente.

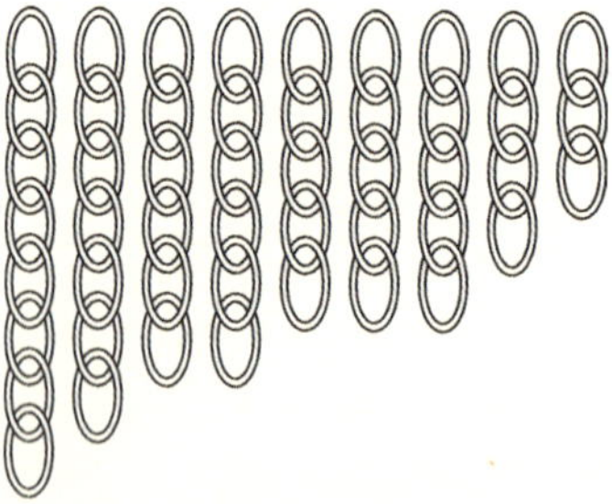

Nove pedaços de corrente.

Resposta na p.296

O que Seamus não sabia

Nosso primeiro gato, que respondia pelo curioso nome de Seamus Android, era possivelmente um dos únicos gatos da Terra que *não* caía sempre em pé. Ele não tinha a menor noção. Descia a escada um degrau de cada vez, de cabeça. Em dado momento, Avril tentou treiná-lo para que caísse de pé, segurando-o de cabeça para baixo em cima de uma grande almofada e depois soltando-o. Ele gostava da brincadeira, mas não fazia nenhum esforço para se virar em pleno ar.

**Ops...
O que eu faço agora?**

Temos uma questão matemática aqui. Existe uma quantidade associada a qualquer corpo em movimento chamada momento angular, que, em termos gerais, é a massa multiplicada pela taxa de giro ao redor de algum eixo. As leis do movimento de Newton implicam que o momento angular de qualquer corpo em movimento se conserva, isto é, não se altera. Então, como é possível que um gato em queda consiga girar o corpo sem tocar em nada?

Resposta na p.296

Por que o pão sempre cai com a manteiga para baixo

O gato não é o único objeto em queda presente nos ditados populares. Também temos o pão. Ele sempre cai com a manteiga para baixo. Se não cair, você deve ter *passado manteiga do lado errado*.

De forma curiosa, esse adágio encerra alguma verdade. Robert Matthews analisou a dinâmica do pão em queda, que tem mesmo uma propensão a cair de modo que a manteiga (ou, no meu caso, a geleia) se esparrame por todo o tapete, estragando o lanche. Isso corrobora a lei de Murphy: qualquer coisa que possa dar errado, dará.

Matthews aplicou alguma mecânica básica para explicar por que o pão tende a cair com a manteiga para baixo. O que ocorre é que as mesas têm a altura exata para que a torrada dê meia volta antes de cair no chão. Isso talvez não seja um acidente, pois a altura da mesa está relacionada à altura dos homens; se fôssemos muito mais altos, a força da gravidade esmagaria nosso crânio quando tropeçássemos. Assim, Matthews liga a trajetória do pão com manteiga a uma característica universal das constantes fundamentais do Universo em relação às formas de vida inteligente. Esse é o exemplo mais convincente que conheço de "ajuste fino cosmológico".

O paradoxo do gato com manteiga

Suponha que combinemos esses dois elementos folclóricos:

- Os gatos sempre caem de pé.
- O pão sempre cai com a manteiga para baixo.

Portanto… o quê? O paradoxo do gato com manteiga toma essas proposições como verdadeiras e pergunta o que aconteceria com o gato, largado de uma altura considerável, em cujas costas estivesse presa firmemente uma fatia de pão com manteiga – com a manteiga do lado oposto ao gato, claro.*

No momento em que escrevo isso, a resposta preferencial é que, à medida que o gato se aproxima do solo, alguma espécie de efeito antigravitacional entra em jogo, e o gato paira sobre o solo girando loucamente.

Entretanto, este argumento tem algumas lacunas lógicas e ignora a mecânica básica. Acabamos de ver que a matemática dos gatos em queda, e do pão em queda, corrobora cientificamente os dois provérbios. Então, o que a matemática diz sobre um gato com manteiga?

* Em termos práticos, talvez seja uma boa ideia colocar no gato um daqueles negócios que os veterinários usam para evitar que os bichos fiquem lambendo as feridas; caso contrário, o gato irá devorar a manteiga e estragar o experimento.

O resultado depende da massa do pão em comparação com a do gato. Se o pão for uma fatia comum, o gato não terá dificuldade em lidar com a pequena quantidade adicional de momento angular gerada pelo pão, e ainda assim cairá de pé. O pão sequer chegará ao solo.

Entretanto, se for algum tipo de pão incrivelmente denso,* cuja massa seja muito maior que a do gato, aplica-se a análise de Matthews, e o pão cairá com a manteiga para baixo, com o gato de ponta-cabeça, sacudindo as patas frenéticas no ar.

O que ocorre com massas intermediárias? A possibilidade mais simples é que exista uma *relação de massa gato-pão crítica* $[G : P]_{crit}$ abaixo da qual o pão vença e acima da qual o gato vença. Mas eu não me surpreenderia se encontrássemos uma faixa de relações de massa nas quais o gato caísse de lado ou, na verdade, apresentasse um comportamento transicional mais complexo. O caos não pode ser descartado, como sabe todo dono de gato.

O cachorro de Lincoln

Abraham Lincoln um dia perguntou: "Quantas patas um cachorro terá se chamarmos seu rabo de pata?"

Sim, quantas?

Discussão na p.298

Os dados de Whodunni

Grumpelina, a bela assistente do Grande Whodunni, colocou uma venda nos olhos do famoso ilusionista. Uma pessoa da plateia jogou então três dados.

* Como o pão anão de Discworld.

– Multiplique o número do primeiro dado por 2 e adicione 5 – disse Whodunni. – Então multiplique o resultado por 5 e some o número do segundo dado. Finalmente, multiplique o resultado por 10 e some o número do terceiro dado.

Enquanto ele falava, Grumpelina anotava os cálculos num quadro-negro virado para a plateia, de modo que Whodunni não conseguisse vê-lo, mesmo que a venda fosse transparente.

– Quanto deu? – perguntou Whodunni.

– Setecentos e sessenta e três – disse Grumpelina.

Whodunni fez estranhos passes no ar.

– Então os dados foram…

Quais? Como ele conseguiu?

Resposta na p.299

Um poliedro flexível

Um poliedro é um sólido cujas faces são polígonos. Sabe-se desde 1813 que um poliedro convexo (que não tenha reentrâncias) é rígido. Não pode ser flexionado sem alterarmos as formas de suas faces. Isso foi provado por Augustin-Louis Cauchy. Por muito tempo, ninguém sabia dizer se um poliedro não convexo também deveria ser rígido, mas em 1977 Robert Connelly descobriu um poliedro flexível com 18 faces. Sua construção foi gradativamente simplificada por vários matemáticos, e Klaus Steffen a aprimorou até chegar a um poliedro flexível com 14 faces triangulares. Sabemos que este é o menor número possível de faces triangulares de um poliedro flexível. Você pode ver como ele se flexiona em: demonstrations.wolfram.com/SteffensFlexiblePolyhedron/ uk.youtube.com/watch?v=OH2kg8zjcqk.

Você pode fazer um poliedro flexível cortando a figura em cartolina fina, dobrando-a e juntando as bordas marcadas com letras iguais. Para isso, basta acrescentar abas ou usar fita adesiva. As linhas escuras mostram dobras em "picos", e as cinza mostram dobras em "vales".

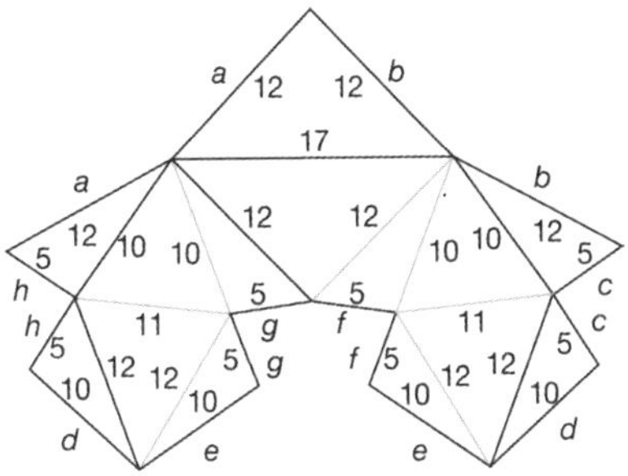

Corte e dobre: as linhas escuras são dobras convexas, as linhas mais claras são dobras côncavas.

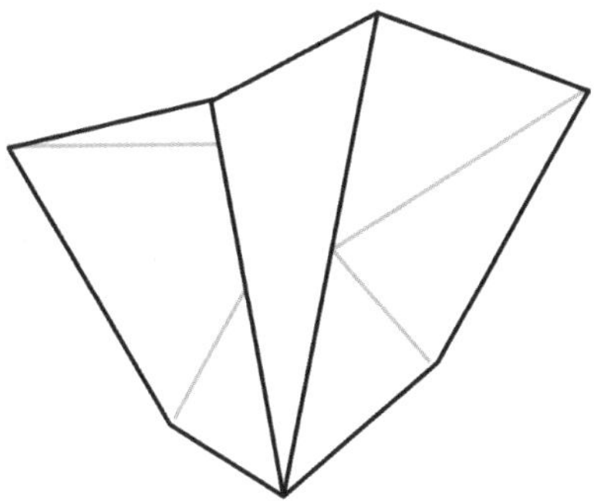

Junte as bordas como indicado para obter o poliedro flexível de Steffen.

Mas, e as sanfonas?

Espere aí – mas não existe um jeito óbvio de fazer um poliedro flexível? O que dizer dos foles usados por ferreiros para soprar ar no fogo? E quanto à sanfona? O instrumento tem uma série de abas flexíveis em zigue-zague. Se substituirmos as duas grandes peças das pontas por caixas planas, como elas praticamente já são, teremos um poliedro. E flexível. Então, o que há de tão especial nisso?

Embora uma sanfona seja um poliedro, e seja flexível, não é um poliedro flexível. Lembre-se de que as formas de suas faces não podem se alterar. Elas começam planas, portanto devem continuar planas, ou seja, não devem se *dobrar*. Nem um pouquinho. Mas quando tocamos uma sanfona e a parte flexível se abre, as faces realmente se dobram. Muito pouco.

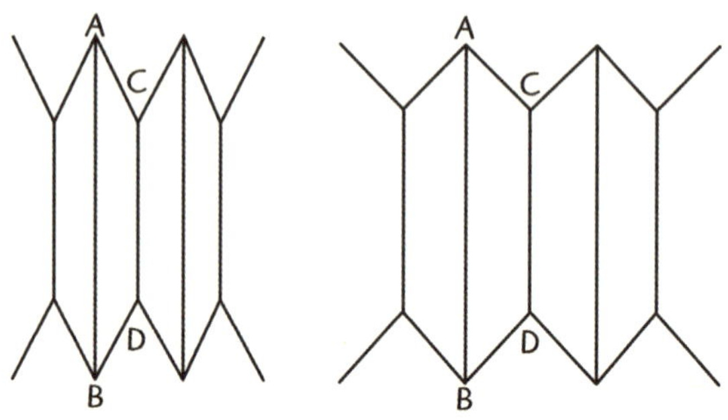

As duas posições de uma sanfona.

Imagine a sanfona parcialmente fechada, como na figura à esquerda, e então aberta, como à direita. Aqui a estamos vendo de lado. Se as faces não se dobrarem nem sofrerem algum outro tipo de distorção, o comprimento da linha AB não poderá se modificar. Pois bem, os lados AC e BD na verdade se inclinam *para longe* de nós, e os estamos vendo de lado. Mas, mesmo assim, como esses comprimentos não se alteram em três dimensões, os pontos C e D da figura à direita têm de estar mais afastados que na figura à esquerda. Porém isso contradiz a manutenção dos comprimentos. Portanto, as faces devem mudar de forma. Na prática, o material do qual as sanfonas são feitas é um pouco elástico, e por isso o instrumento funciona.

A conjectura do fole

Sempre que os matemáticos fazem uma descoberta, eles decidem arriscar um pouco mais a sorte, formulando novas perguntas. Assim, quando os poliedros flexíveis foram descobertos, os matemáticos logo perceberam que talvez houvesse outra razão pela qual as sanfonas não satisfaziam a definição matemática. Dessa forma, realizaram alguns experimentos, fazendo um pequeno buraco num poliedro flexível de cartolina, enchendo-o com fumaça, flexionando-o e observando se a fumaça escapava pelo buraco.

Não escapou. Se fizéssemos isso com uma sanfona, ou com um fole, veríamos o jato de fumaça.

Eles fizeram então alguns cálculos para confirmar o experimento, transformando-o em verdadeira matemática. Os cálculos mostraram que, quando flexionamos algum dos poliedros flexíveis conhecidos, seu volume não se altera. Dennis Sullivan conjecturou que o mesmo ocorreria com todos os poliedros flexíveis, e, em 1997, Robert Connelly, Idzhad Sabitov e Anke Walz provaram que ele estava certo.

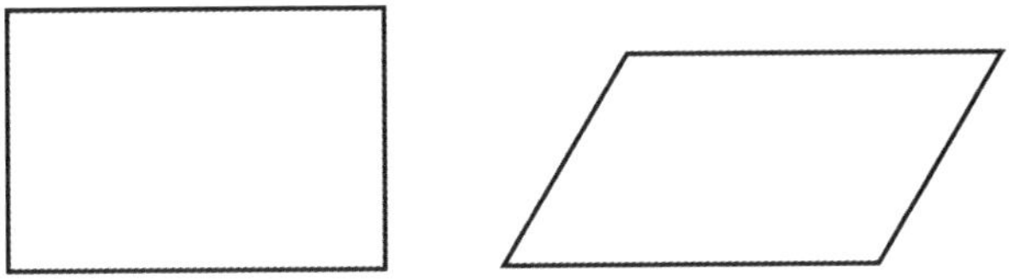

Não funciona com polígonos.

Antes de descrever o que eles fizeram, deixe-me colocar as ideias em contexto. O teorema correspondente em duas dimensões é *falso*. Se tomarmos um retângulo e o flexionarmos de modo a formar um paralelogramo, sua área diminuirá. Portanto, o espaço tridimensional deve ter alguma característica especial que torne um fole matemático impossível. O grupo de Connelly suspeitou que isso talvez estivesse relacionado a uma fórmula para a área do triângulo, creditada a Heron de Alexandria (veja p.299).* A fórmula inclui uma raiz quadrada, mas pode ser rearranjada de modo a gerar uma equação polinomial que relaciona a área do triângulo a seus três lados. Ou seja, os termos da equação são potências das variáveis, multiplicadas por números.

Sabitov se perguntou se haveria uma equação semelhante para *qualquer* poliedro, relacionando seu volume ao tamanho das arestas. Isso parecia muitíssimo improvável: se existisse, como os grandes matemáticos do passado não a descobriram?

Ainda assim, suponhamos que essa fórmula improvável *realmente* exista. Nesse caso, a conjectura do fole é uma consequência imediata.

* Muitos historiadores acreditam que Arquimedes tenha feito a descoberta antes.

À medida que o poliedro é dobrado, o comprimento de suas arestas não se altera – portanto, a fórmula continua exatamente igual. Pois bem, uma equação polinomial pode ter muitas soluções, mas o volume terá de se alterar de forma contínua à medida que o poliedro é flexionado. A única maneira de mudarmos de uma solução da equação para a outra é fazendo um salto, o que não é contínuo. Portanto, o volume não pode mudar.

Tudo muito bem. Mas essa fórmula existe? Temos um caso que existe com certeza: uma fórmula clássica para o volume do tetraedro em função de suas arestas. A questão é que qualquer poliedro pode ser construído a partir de tetraedros, portanto o volume do poliedro é a soma dos volumes de seus pedaços tetraédricos.

Entretanto, isso não é o suficiente. A fórmula resultante inclui as arestas de todas as peças, muitas das quais são retas "diagonais" que cruzam de um vértice do poliedro a outro. Essas retas não são arestas do poliedro, e, pelo que sabemos, seus comprimentos podem mudar quando o poliedro é flexionado. De alguma maneira, a fórmula tem de ser ajustada para nos livrarmos dessas arestas indesejadas.

Um cálculo heroico levou à incrível conclusão de que tal fórmula de fato existe para o octaedro – um sólido com oito faces triangulares. Ela envolve a 16ª potência do volume, e não o quadrado. Em 1996, Sabitov já havia encontrado uma maneira de fazer o mesmo para qualquer poliedro, mas era muito complicada, o que talvez explique por que os grandes matemáticos do passado não a haviam descoberto. Em 1997, no entanto, Connelly, Sabitov e Walz encontraram uma abordagem muito mais simples, e a conjectura do fole se tornou um teorema.

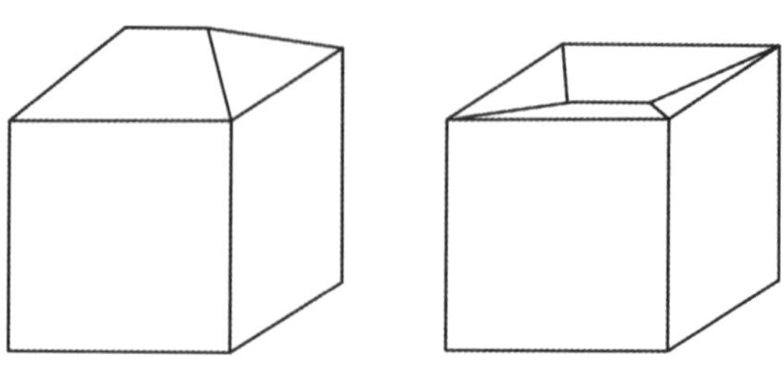

Mesmas arestas, volumes diferentes.

É bom ressaltar que a existência dessa fórmula não implica que o volume de um poliedro seja determinado apenas pelos comprimentos de suas arestas. Uma casa com telhado tem volume menor se virarmos o telhado para dentro. Essas são duas soluções *diferentes* para a mesma equação polinomial, e não causam problemas para a prova da conjectura do fole – não podemos flexionar o telhado para baixo sem dobrar alguma coisa.

Cubos de algarismos

O número 153 é igual à soma dos cubos de seus algarismos:

$$1^3 + 5^3 + 3^3 = 1 + 125 + 27 = 153$$

Existem outros números de três algarismos com a mesma propriedade, excluindo números como 001, com zeros à esquerda. Você consegue encontrá-los?

Resposta na p.299

Nada que interesse muito a um matemático

Em seu aclamado livro *Apologia do matemático*, de 1940, o matemático inglês Godfrey Harold Hardy teve isso a dizer sobre o problema dos cubos de algarismos:

> Trata-se de um fato peculiar, muito adequado a colunas de quebra-cabeças e que provavelmente entreterá os amadores, mas não há nada nele que interesse a um matemático... Um motivo... é a especialidade extrema tanto da enunciação quanto da prova, que não é capaz de gerar nenhuma generalização significativa.

Em seu livro *Perfil do futuro*, de 1962, Arthur C. Clarke enunciou três leis sobre as previsões. A primeira é:

- Quando um cientista ilustre, porém idoso, afirma que algo é possível, é quase certo que ele esteja correto. Quando ele afirma que algo é impossível, é muito provável que esteja errado.

Essa afirmação é conhecida como a primeira lei de Clarke, ou apenas lei de Clarke, e temos boas razões para afirmar que ela se aplica à declaração de Hardy. Para falar a verdade, a ideia que Hardy estava tentando passar é boa, mas podemos ter bastante certeza de que, sempre que alguém cita um exemplo específico para fechar um argumento, isso acaba se revelando má escolha. Em 2007, um trio de matemáticos – Alf van der Poorten, Kurth Thomsen e Mark Weibe – resolveu analisar a declaração de Hardy de uma maneira imaginativa. Eis o que eles descobriram.

Tudo começou com uma "observação adorável" feita pelo teórico dos números Hendrik Lenstra:

$$12^2 + 33^2 = 1.233$$

Esta equação trata de quadrados, e não de cubos, mas indica que o tema talvez guarde alguns segredos. Suponha que a e b sejam números de dois algarismos e que

$$a^2 + b^2 = 100a + b$$

que é o que obtemos quando colocamos os algarismos de a e b em sequência. Então, um pouco de álgebra mostra que

$$(100 - 2a)^2 + (2b - 1)^2 = 10.001$$

Portanto podemos encontrar a e b expressando 10.001 como uma soma de dois quadrados. Eis uma maneira fácil:

$$10.001 = 100^2 + 1^2$$

Mas o número 100 tem três algarismos, e não dois. Entretanto, existe uma maneira menos óbvia:

$$10.001 = 76^2 + 65^2$$

Portanto $100 - 2a = 76$ e $2b - 1 = 65$. Portanto $a = 12$ e $b = 33$, o que leva à observação de Lenstra.

Também temos uma segunda solução oculta, pois poderíamos tomar $2a - 100 = 76$. Agora $a = 88$, e descobrimos que

$$88^2 + 33^2 = 8.833$$

Podemos encontrar exemplos semelhantes expressando números como 1.000.001 ou 100.000.001 como somas de quadrados. Os teóricos dos números conhecem uma técnica geral para isso, baseada nos fatores primos desses números. Depois de muitos detalhes, nos quais não vou entrar aqui, isso leva a coisas como

$$588^2 + 2.353^2 = 5.882.353$$

Tudo isso funciona muito bem, mas e quanto aos cubos? A maior parte dos matemáticos provavelmente opinaria que 153 é um acidente especial. No entanto, observamos que

$$16^3 + 50^3 + 33^3 = 165.033$$
$$166^3 + 500^3 + 333^3 = 166.500.333$$
$$1.666^3 + 5.000^3 + 3.333^3 = 166.650.003.333$$

e um pouco de álgebra prova que esse padrão continua indefinidamente.

Esses fatos dependem da nossa notação de base 10, claro, mas isso abre outras oportunidades: o que acontece em outras bases numéricas?

Hardy estava tentando explicar um ponto válido, sobre o que constitui uma matemática interessante, e tirou do nada o problema dos três algarismos só para dar um exemplo. Se houvesse pensado um pouco mais no assunto, teria percebido que, ainda que esse problema em particular seja especial e trivial, pode motivar uma classe mais geral de quebra-cabeças, cujas soluções levam a uma matemática séria e intrigante.

Qual é a área do ovo de avestruz?

Quem liga para isso, você poderia perguntar, e a resposta é: "Os arqueólogos." Para ser preciso, a equipe arqueológica liderada por Renée Friedman, que investiga o sítio de Nekhen, no Egito Antigo, mais conhecido por seu nome grego, Hieracômpolis.

Hieracômpolis era o principal centro do Egito pré-dinástico, cerca de 5.000 anos atrás, e abrigava o núcleo de culto do deus-falcão Hórus. A região provavelmente foi colonizada pela primeira vez muitos milhares de anos antes. Até pouco tempo, o sítio era visto como uma terra erma e estéril, sem nada de especial, mas, por baixo das areias do deserto, encontram-se os restos de uma antiga cidade, o mais antigo templo egípcio conhecido, uma cervejaria, uma olaria que acabou destruída pelo fogo de sua fornalha próxima e o único funeral conhecido de um elefante do Egito Antigo.

Minha mulher e eu visitamos esse local extraordinário em 2009, sob os auspícios dos "amigos de Nekhen". E ali vimos os ovos de avestruz, cujas cascas quebradas haviam sido escavadas na área conhecida como HK6. Os ovos haviam sido colocados ali, intactos, como "depósitos de fundações" – artefatos postos intencionalmente nas fundações de uma nova edificação. Ao longo dos milênios, os ovos se romperam em numerosos fragmentos. Portanto, a primeira pergunta era "quantos ovos havia ali?". O projeto Humpty-Dumpty – que consistia em remontar os ovos – acabou por se mostrar lento demais. Por isso os arqueólogos se conformaram com uma estimativa: calculariam a área total dos fragmentos de casca e a dividiriam pela área do ovo de avestruz típico.

Fragmentos típicos de um ovo de avestruz de Hieracômpolis.

É aí que entra a matemática. Qual a área de um ovo de avestruz? Ou, então, qual a área de um ovo? Nossos livros citam fórmulas para as áreas de esferas, cilindros, cones e muitas outras formas – mas nenhuma para ovos. Tudo bem, já que os ovos têm muitas formas diferentes, mas o típico ovo de galinha parece bastante com o ovo de avestruz, sendo uma das formas mais comumente encontradas de ovos.

Um aspecto prático dos ovos é que (fazendo uma boa aproximação, uma frase que você deverá ligar a toda afirmação que eu fizer daqui por diante) eles são superfícies de revolução. Podemos reproduzi-los fazendo alguma curva específica girar ao redor de um eixo. A curva é uma fatia do ovo em seu eixo mais longo e tem a esperada forma "oval". A oval matemática mais conhecida é a elipse – um círculo espichado uniformemente em uma direção. Mas os ovos não são elipses, pois uma das pontas é mais arredondada que a outra. Existem curvas matemáticas em forma de ovo mais extravagantes, como as ovais de Descartes, mas elas não parecem nos ajudar.

Se fizermos uma elipse girar ao redor de seu eixo, obteremos um elipsoide de revolução. Elipsoides mais gerais não têm seções transversais circulares, sendo em essência esferas que foram esticadas ou amassadas em três direções mutuamente perpendiculares. Arthur Muir, encarregado dos ovos de Hieracômpolis, percebeu que o ovo tem a forma de dois semielipsoides unidos. Se conseguirmos encontrar a área de um elipsoide, podemos dividi-la por 2 e depois somar as áreas das duas peças.

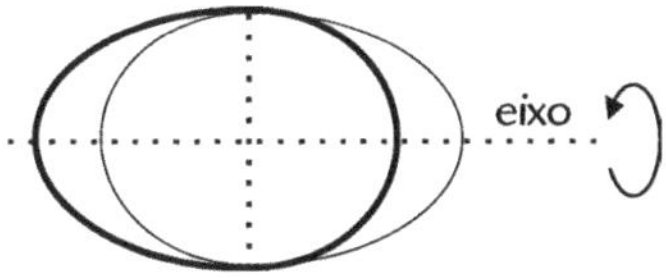

Como formar um ovo a partir de dois elipsoides.

Existe uma fórmula para a área do elipsoide, mas ela envolve valores esotéricos chamados funções elípticas. Por um golpe de sorte, a propensão do avestruz para botar superfícies de revolução, uma consequência da geometria tubular de seu aparato botador, vem em auxílio de arqueólogos e matemáticos. Existe uma fórmula relativamente simples para a área de um elipsoide de revolução:

$$A = 2\neq\left(c^2 + ac\frac{\text{arcsen}e}{e}\right)$$

onde

A = área

a = metade do eixo longo

c = metade do eixo curto

e = excentricidade, que é igual a $\sqrt{1 - c^2 / a^2}$

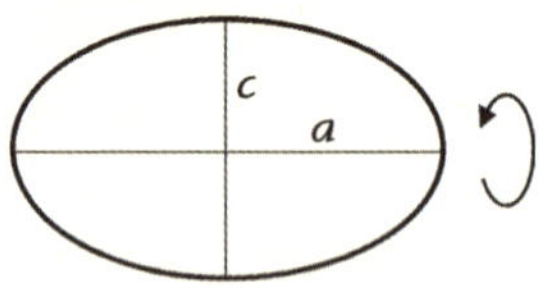

Como girar a elipse.

Juntando tudo isso, e usando medições de ovos de avestruz modernos e ovos antigos intactos, chegou-se ao número médio de 570cm^2 por ovo. O valor parecia bastante elevado, mas experimentos com um ovo moderno o confirmaram. Os cálculos indicaram então que ao menos seis ovos haviam sido depositados na Estrutura 07, a maior concentração de ovos de avestruz em qualquer depósito pré-dinástico.

Nunca se sabe quando a matemática poderá ser útil.

Para conhecer os detalhes arqueológicos, veja www.archaeology.org/interactive/hierakonpolis/field07/6.html.

Ordem no caos

Muitos quebra-cabeças, na verdade a maioria deles, levam a ideias matemáticas mais sérias assim que começamos a fazer perguntas mais gerais. Existe uma classe de quebra-cabeças com palavras nos quais temos de começar com uma palavra e transformá-la em outra de tal modo que somente uma letra seja trocada em cada passo, e que cada passo seja uma palavra válida.* As duas palavras devem ter o mesmo número de

* Não parece haver um consenso quanto ao nome destes quebra-cabeças. "Troque-uma-letra-de-cada-vez" é um nome comum, mas não é conciso nem imaginativo.

letras, é claro. Para evitar confusões, *não* é permitido reordenar as letras. Portanto, CATS pode se transformar legitimamente em BATS, mas não podemos passar de CATS a CAST num só passo. No entanto, podemos usar mais passos: CATS-CARS-CART-CAST.

Eis aqui dois desafios para você:

- Transforme SHIP em DOCK.
- Transforme ORDER em CHAOS.

Embora esses quebra-cabeças envolvam palavras, com todos os acidentes e irregularidades da história linguística, eles levam a questões matemáticas importantes e instigadoras. Mas vou postergá-las até a sessão de Respostas, assim posso discutir estes dois exemplos sem entregar nada por enquanto.*

Resposta na p.300

Grandes números

Os grandes números certamente têm seu fascínio. No Egito Antigo, o hieróglifo que representava o "milhão" mostra um homem com os braços bem abertos – muitas vezes comparado a um pescador indicando o tamanho "daquele que escapou", embora seja frequentemente encontrado como parte de uma representação simbólica da eternidade, com as duas mãos segurando bastões que representam o tempo. Na Antiguidade, um milhão era bastante coisa. Os aritméticos hindus reconheciam a existência de números muito maiores, assim como Arquimedes em *O arenário*, no qual ele estima quantos grãos de areia existem na Terra e demonstra que o número é finito.

* Para preservar o conteúdo do original, optou-se por deixar as palavras deste quebra-cabeça em inglês. No entanto, você pode criar seus próprios jogos com palavras em português. Por exemplo, tente transformar GATO em LEÃO. (N.T.)

O milhão que escapou...

Na matemática e na ciência, a maneira habitual de representarmos os grandes números é usando potências de 10:

10^2 = 100 (centena)
10^3 = 1.000 (milhar)
10^6 = 1.000.000 (milhão)
10^9 = 1.000.000.000 (bilhão)
10^{12} = 1.000.000.000.000 (trilhão)

Houve uma época em que o bilhão inglês era igual a 10^{12}, mas hoje esse uso já foi praticamente abandonado em todo o mundo – talvez porque um bilhão se tornou um valor comum nas transações financeiras, e precisamos de um nome fácil para ele. O obsoleto "*milliard*" não soa tão bem. Nesta época de colapso de bancos, trilhões de libras ou dólares começam a entrar nas manchetes. Os bilhões estão fora de moda.

Na matemática, surgem números muito maiores. E por boas razões, pois são necessários para expressar descobertas importantes. Dois exemplos relativamente conhecidos são:

10^{100} = 10.000, ... ,000 (googol)

com cem zeros, e

10^{googol} = 1.000, ... ,000 (googolplex)

que é igual a 1 seguido de 1 googol de zeros. Não tente escrevê-lo dessa maneira: o Universo não irá durar tanto tempo e você não conseguirá encontrar uma folha de papel grande o suficiente. Esses dois nomes foram inventados em 1938 por Milton Sirotta, sobrinho do matemático norte-americano Edward Kasner, durante uma discussão informal sobre grandes números (*Almanaque das curiosidades matemáticas,* p.223). O nome oficial do googol é dez duotrigintilhões no sistema americano e 10 mil sexdecilhões no obsoleto sistema inglês. O nome do site de buscas na internet Google™ deriva de googol.

Kasner apresentou o googol ao mundo em seu livro *Matemática e imaginação*, escrito com James Newman, e eles nos contam que um grupo de crianças de um jardim de infância calculou que o número de gotas de água que caem sobre Nova York em um século é muito menor que um googol. Eles comparam isso com a alegação (numa "publicação científica muito ilustre") de que o número de flocos de neve necessários para formar uma era glacial é de um milhão elevado à bilionésima potência. Isto é $10^{9000000000}$, e poderíamos escrevê-lo de maneira bem apertada se cobríssemos todas as páginas de todos os livros de todas as grandes bibliotecas do mundo com letra pequena – de modo que todos os símbolos menos um fossem o algarismo 0. Uma estimativa mais razoável é 10^{30}. Isso ilustra a ideia de que é fácil nos confundirmos com os grandes números, mesmo quando dispomos de uma notação sistemática.

Tudo se torna completamente insignificante quando comparado com o número de Skewes, que é o magnífico

$$10^{10^{10^{34}}}$$

Quando consideramos essas potências repetidas, a regra é começar pelo alto e vir descendo. Forme a 34ª potência de 10, então eleve 10 a *essa* potência e finalmente eleve 10 à potência resultante. Stanley Skewes, um matemático sul-africano, deparou-se com esse número em seu trabalho sobre os números primos. Especificamente, existe uma estimativa bastante conhecida para o número de primos $\pi(x)$ menor ou igual a qualquer número x dado, gerado pela integral logarítmica

$$\mathrm{Li}(x) = \int_0^x \frac{\mathrm{d}t}{\log t}$$

Em todos os casos em que $\pi(x)$ pode ser computado exatamente, seu valor é menor que $\mathrm{Li}(x)$, e os matemáticos se perguntavam se isso sempre seria verdade. Skewes provou que não, apresentando o argumento indireto de que tal conjectura deve ser falsa para algum x menor que esse numero gigantesco, desde que a chamada hipótese de Riemann seja verdadeira (*Almanaque das curiosidades matemáticas*, p.225).

Para evitar complicações tipográficas, e em programas de computador, as potências a^b costumam ser escritas como a^b. Agora o número de Skewes se torna

10^10^10^34

Em 1995, Skewes apresentou um segundo número, o correspondente sem presumirmos a veracidade da hipótese de Riemann, que é

10^10^10^963

Tudo isso é de interesse sobretudo histórico, pois já sabemos que, sem presumirmos a veracidade da hipótese de Riemann, $\pi(x)$ é maior que $\mathrm{Li}(x)$ para algum $x < 1{,}397 \times 10^{316}$. O que ainda é bem grande.

Em nosso livro *The Science of Discworld III: Darwin's Watch*, Terry Pratchett, Jack Cohen e eu sugerimos uma forma simples de dar nomes a números realmente grandes, inspirada no modo como o googol se torna o googolplex. Se "umpty" é qualquer número,* então "umptyplex" significará 10^{umpty}, que é 1 seguido de umpty zeros. Portanto 2plex é uma centena, 6plex é um milhão, 9plex é um bilhão. Um googol é 100plex ou 2plexplex, e um googolplex é 100plexplex ou 2plexplexplex. O número de Skewes é 34plexplexplex.

Decidimos sugerir esses nomes para falar de alguns dos grandes números que aparecem na física moderna, sem assustar todo mundo. Por exemplo, existem cerca de 118plex prótons no Universo conhecido. O físico Max Tegmark defendeu a ideia de que o Universo se repete muitas e muitas vezes (incluindo todas as variações possíveis) se nos afastarmos o suficiente, e estima que deve haver uma cópia perfeita de você a não mais de 118plexplex metros de distância. E a teoria das cordas, que é a melhor tentativa conhecida de unificar a teoria da relatividade e a teoria quântica, é atormentada pela existência de 500plex variantes da teoria, o que torna difícil decidir qual delas está correta, se é que alguma está.

* É o número preferido do Tesoureiro da Universidade do Invisível, que é doido de pedra.

Mas quando estamos falando de grandes números, isso ainda é uma ninharia. Na minha tese de doutorado, de 1969, num ramo muito esotérico e abstrato da álgebra, provei que toda álgebra de Lie com uma determinada propriedade que depende de um inteiro n tem outra propriedade,* bem mais desejável, na qual n é substituído por 5plexplexplex ... plex com n plexes. Eu tinha forte suspeita de que isso poderia ser substituído por $2n$ ou então $n + 1$, mas até onde sei, ninguém conseguiu provar ou refutar esse fato, e de qualquer forma acabei por mudar minha linha de pesquisa. Essa história ilustra uma ideia importante: o motivo habitual para encontrarmos números gigantes na matemática é o uso de algum processo recursivo numa prova, e isso provavelmente leva a uma estimativa muito exagerada.

Na matemática ortodoxa, o papel desempenhado por nosso "plex" em geral é assumido pela função exponencial $\exp x = e^x$, e 2plexplexplex virará algo como exp exp exp 2. Entretanto, nesse caso, 10 é substituído por e, portanto essa afirmação é uma completa mentira. No entanto, não é difícil complicar a questão para torná-la correta, tendo em conta que $e = 10^{0,43}$, ou algo próximo disso. Os teoremas sobre potências repetidas muitas vezes são reformulados em termos de logaritmos repetidos, como $\log \log \log x$ (veja a sessão sobre logaritmos na p.202). Por exemplo, sabemos que todo número inteiro positivo, com um número finito de exceções, é uma soma de no máximo

$$n \log n + n \log \log n$$

n-ésimas potências perfeitas – bem, ignorando um possível erro que é menor que n. Num feito ainda mais espetacular, Carl Pomerance provou que o número de pares de números amigos (p.121) até um valor x é de no máximo

* A primeira propriedade é "toda subálgebra é um subideal n-ascendente", e a segunda é "nilpotente de classe n". Por exemplo, se toda subálgebra é um subideal de 4-ascendente, então a álgebra será nilpotente de classe 5plexplexplexplex, que é maior que o número de Skewes porque 5plex é muito maior que 34.

$$x\exp(-c\sqrt{\log\log\log x \log\log\log\log x})$$

para alguma constante c.

Foram criados muitos sistemas para representar os grandes números, com nomes como notação de Steinhaus-Moser, notação de setas verticais de Knuth e notação das setas encadeadas de Conway. O tópico é muito maior do que você poderia imaginar, o que é perfeitamente apropriado, e pode-se aprender muito mais a respeito em en.wikipedia.org/wiki/Skewes'_number, en.wikipedia.org/wiki/Large_numbers.

O matemático afogado

O que me faz lembrar (talvez infelizmente):

P: Que barulho um matemático faz quando está se afogando?

R: log log log log log log log …

Piratas matemáticos

A pirataria não é a primeira coisa que nos vem à mente quando pensamos em matemática. Claro que o auge da atividade dos piratas, ou de sua versão apoiada pelo Estado, os corsários, também foi a era de ouro da matemática da navegação. Os navegadores desenhavam diagramas geométricos em mapas, usando compassos e transferidores, e determinavam a altura do Sol com sextantes, seguindo tabelas matemáticas para calcular a latitude dos navios. Mas a conexão que estou buscando aqui não é essa, e sim uma curiosa série de ligações históricas entre matemáticos e piratas, centrada num dos maiores matemáticos de todos os tempos: Leonhard Euler, suíço que trabalhou na Alemanha e na Rússia. Ele viveu entre 1707 e 1783 e produziu mais avanços na matemática que qualquer outra pessoa na história. Essas ligações foram descobertas por Ed Sandifer e publicadas em seu maravilhoso site "How Euler Did It": www.maa.org/news/howeulerdidit.html.

Euler promoveu grandes avanços na mecânica, entre eles muitas aplicações do princípio da mínima ação, creditado a Pierre-Louis Moreau de Maupertuis, um influente matemático, escritor e filósofo francês. Maupertuis associou uma quantidade chamada "ação" ao movimento de qualquer sistema mecânico, observando que o movimento real do sistema minimiza a ação, em comparação com todos os movimentos alternativos. Quando uma pedra rola por um barranco, por exemplo, a ação total é menor do que se a pedra houvesse começado a rolar ladeira acima por algum tempo, ou se corresse de lado, ou o que seja. Maupertuis era presidente da Academia de Ciências de Berlim durante o período que Euler estava na cidade, e o conhecia bem. Seu pai, René Moreau, havia juntado a fortuna da família na década de 1690 atacando navios britânicos com uma licença de corsário cedida pelo rei da França, conquistando o acesso à aristocracia pelo casamento.

Maupertuis usando roupas lapãs em sua expedição de 1736 à Lapônia, que provou que a Terra era ligeiramente achatada nos polos.

Euler escreveu extensamente sobre navios,* analisando em especial sua estabilidade, uma bela aplicação da hidrostática. Seu trabalho não era apenas teórico: exerceu bastante influência na construção naval russa. Em 1773 ele publicou *Théorie complette de la construction et de la manoeuvre des vaisseaux mise à la portée de ceux qui s'appliquent à la navigation*. Em 1776, Henry Watson traduziu o livro para o inglês como *Theory of the Construction and Properties of Vessels, with Practical Conclusions for the Management of Ships, Made Easy to Navigators* (Teoria da construção e das propriedades dos navios, com conclusões práticas sobre a manobra de embarcações, facilitada para navegantes). O preeminente Watson contribuía de forma regular para o *Ladies' Diary*, que trazia muitos jogos e problemas matemáticos, e tinha muitos leitores de ambos os sexos. Ele contraiu um empréstimo sufi-

---

* Euler escreveu extensamente sobre quase tudo que tivesse uma remota conexão com a matemática.

ciente para construir três navios baseados nos trabalhos de Euler e se candidatou a uma licença de corsário junto ao rei da Inglaterra, para atuar próximo às Filipinas. Como o rei lhe negou a licença, Watson usou os navios para transportar mercadorias. Pouco depois, perdeu 100 mil libras (o equivalente a algo em torno de 15 a 20 milhões de libras em valores atuais) num projeto para modernizar as docas de Calcutá para a Companhia das Índias Orientais. A Companhia deixou o projeto falir e depois o comprou a preço de banana. A caminho da Inglaterra para processar a Companhia, Watson contraiu uma febre e morreu.

Sir Kenelm Digby era um cortesão e diplomata no reinado de Carlos I da Inglaterra. Suas ligações com Euler passam por Fermat, que enviou um problema geométrico a Digby em 1658. A carta se perdeu, mas Digby enviou uma cópia a John Wallis, e esta sobreviveu. Euler, que fazia um esforço sistemático para ler tudo que Fermat escrevera, ouviu falar do problema e o resolveu. Digby tem uma história curiosa. Seu pai, Everard Digby, foi executado em 1606 por envolvimento na Conspiração da Pólvora, uma tentativa de assassinato do rei Jaime I e sua família. Ele lidava com alquimia, e foi um dos fundadores da Royal Society. Em 1627-28, Digby liderou uma expedição de corsários ao Mediterrâneo. Ali, tomou navios espanhóis, flamengos e holandeses, e atacou alguns navios franceses e venezianos ancorados perto do porto amigo de Iskanderun, na Turquia. Ele encheu dois navios com o butim e retornou à Inglaterra. No entanto, Digby também dificultava a vida dos navios mercantes ingleses, por atrair represálias.

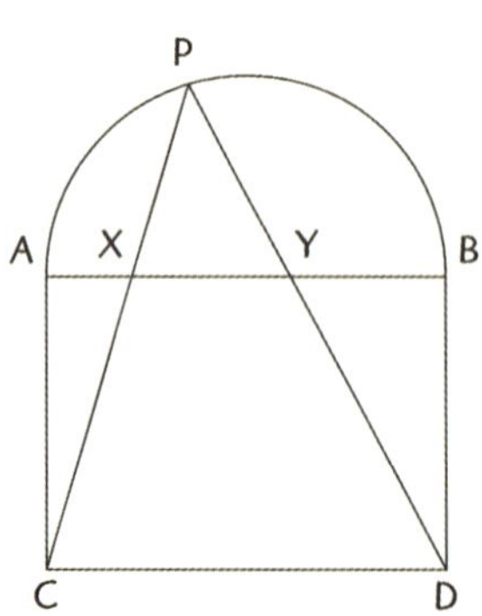

O problema de Fermat: desenhe um retângulo no qual AB é $\sqrt{2}$ vezes AC, faça uma semicircunferência no topo e escolha qualquer ponto P no semicírculo. Construa X e Y conforme indicado. Prove que $AY^2 + BX^2 = AB^2$.

Sandifer também menciona uma ligação muito frágil, por intermédio de Catarina II, a Grande, que já havia empregado Euler como Matemático da Corte, com John Paul Jones, o "Pai da Marinha Americana". Jones foi acusado de pirataria pelos holandeses, supostamente por ter atacado navios sob "bandeira desconhecida", mas a acusação foi retirada depois que a bandeira dos Estados Unidos foi registrada junto às autoridades competentes.

O teorema da bola cabeluda

Um importante teorema da topologia diz que não é possível pentear de maneira uniforme uma bola cabeluda.* Sua prova foi apresentada em 1912 por Luitzen Brouwer.

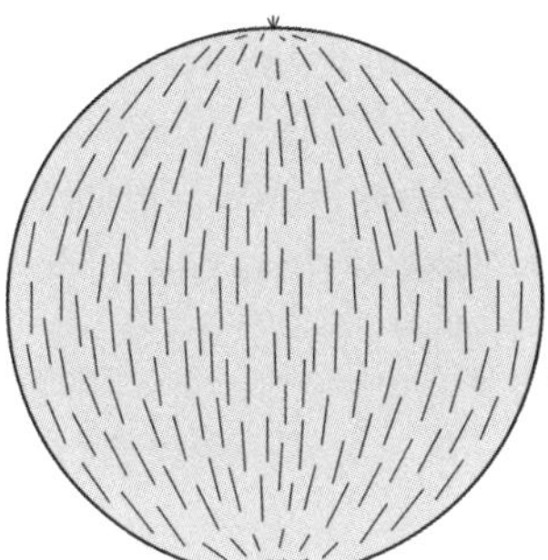

Tentativa fracassada de pentear uniformemente uma bola cabeluda. Nos polos norte e sul, os cabelos apontariam para cima, o que não é permitido.

Entre as consequências desse teorema está o fato de que, em qualquer instante, a velocidade horizontal do vento em algum ponto da Terra deve ser igual a zero. Tendo em mente que os ventos típicos são diferentes de zero, esse ponto quase sempre estará isolado, e muitas vezes estará cercado por um ciclone. Portanto, em qualquer instante deve haver

* Se isso não soa muito matemático, o teorema pode ser enunciado de maneira mais técnica: qualquer campo vetorial uniforme numa esfera possui uma singularidade. Espero ter ajudado.

ao menos um ciclone em algum ponto da atmosfera terrestre, por razões puramente topológicas.

O teorema também ajuda a explicar por que reatores de fusão experimentais utilizam câmaras magnéticas toroidais ("tokamaks") para conter o plasma superaquecido. *É possível* pentear uniformemente um toro (ou rosquinha) peludo. A física não se resume a isso, claro.

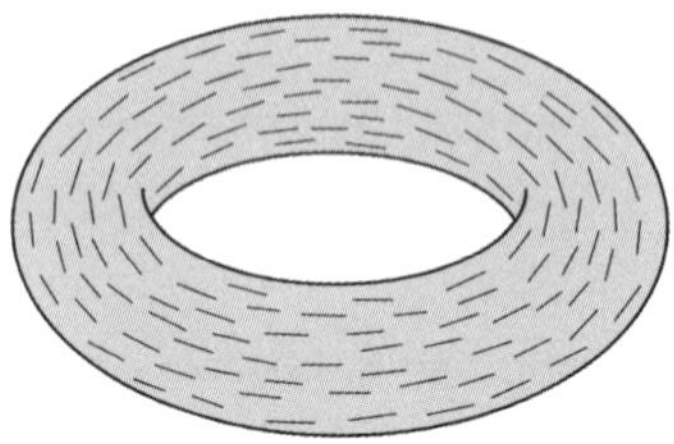

Como pentear uniformemente uma rosquinha.

Anos atrás, um de meus colegas matemáticos explicou esse teorema a um amigo seu, tendo a insensatez de comentar que ele se aplicava ao cachorro da família. O cão passou a se chamar "bola peluda" desse momento em diante.

A figura mostra uma esfera penteada com dois "tufos" – dois lugares em que os pelos não estão deitados. O teorema diz que não pode haver *zero* pontos como esse, mas será que pode haver apenas um?

Resposta na p.303

Vira-vira de xícaras

Este jogo começa com um truque simples, usando três xícaras, e é divertido por si mesmo, mas também sugere outras perguntas que trazem respostas surpreendentes.

Existe um método ancestral para ganharmos dinheiro num bar – para isso, precisamos de três xícaras e uma vítima incauta (que deve estar moderadamente embriagada, de modo a aumentar sua ingenuidade). O trapaceiro coloca três xícaras (ou copos) viradas para cima sobre o balcão:

Ele vira a xícara do meio

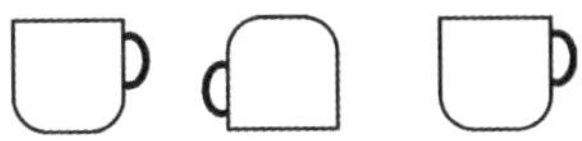

e explica que irá virar todas as três de cabeça para baixo usando exatamente três jogadas, invertendo em cada jogada exatamente *duas* xícaras. Elas não precisam estar adjacentes. Quaisquer duas xícaras servem. (Naturalmente, isto pode ser feito em apenas uma jogada – invertendo as duas xícaras das pontas –, mas a exigência de utilizar três jogadas faz parte da tramoia.)

As três jogadas são:

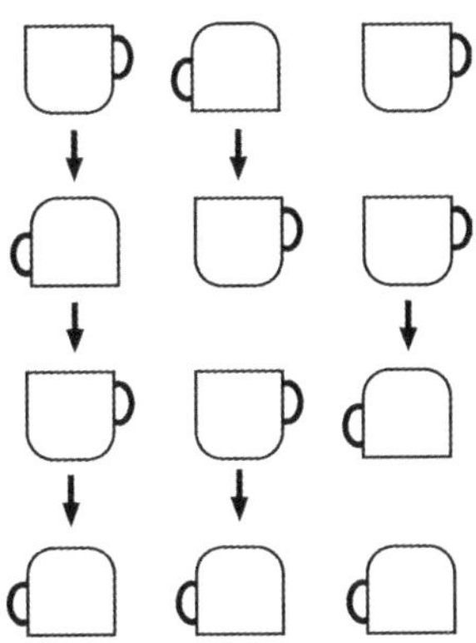

Agora o trapaceiro começa a enrolar a vítima. Ele vira casualmente a xícara do meio de modo a ficar com

e convida a vítima a repetir o truque, fazendo uma pequena aposta para tornar as coisas mais interessantes.

De modo estranho, as xícaras insistem em se comportar mal, apesar dos esforços da vítima. O que ela se mostra incapaz de perceber é que a posição inicial foi alterada de maneira sub-reptícia, e mesmo que note a mudança, talvez não esteja ciente de suas consequências devastadoras. A paridade (ímpar/par) do conjunto de xícaras viradas para cima foi alterada de par para ímpar. Mas cada jogada *preserva* essa paridade. O número de xícaras viradas para cima muda de −2, 2 ou 0 em cada jogada, portanto os números pares continuam pares, e os números ímpares continuam ímpares. A posição inicial tinha uma paridade par, e o mesmo vale para a posição final desejada. Mas a segunda posição inicial tem paridade ímpar. Isso torna a posição final desejada inacessível – não apenas em três, como em qualquer outro número de jogadas.

Esse truque deplorável (por favor, *não* tente isso em casa, num bar ou em qualquer outra parte – e, se tentar, deixe-me fora dessa) mostra que a inversão de xícaras pode ser complicada, mas também engana a vítima por fazê-la procurar uma solução em três jogadas quando o problema original pode ser resolvido com uma só.

A questão pode ser generalizada, com uma pequena diferença em relação ao cenário que encontramos no bar. O jogo resultante utiliza os mesmos princípios, mas é mais arrumado. Vou apresentar duas variações do problema.

Jogo das xícaras 1

Suponha que você começou com 11 xícaras, todas viradas para baixo. A regra é que você deve fazer uma série de jogadas, virando exatamente 4 xícaras em cada uma delas. As xícaras não precisam estar adjacentes. O objetivo é fazer com que as 11 xícaras terminem viradas para cima. Você consegue fazer isso? Se conseguir, qual é o menor número de jogadas necessárias para resolver o problema?

Jogo das xícaras 2

O mesmo problema, mas começando com 12 xícaras, todas viradas para baixo. Agora a regra é que cada jogada deve inverter exatamente 5 xícaras. Mais uma vez, elas não precisam estar adjacentes. Você deve terminar com todas as 12 xícaras viradas para cima. Você consegue fazer isso? Se consegue, qual é o número mínimo de jogadas necessárias?

Resposta na p.303

Códigos secretos*

As mensagens em código são tão velhas quanto a escrita, mas os primeiros códigos eram muito fáceis de quebrar. Por exemplo, a mensagem

QJHT EP OPU IBWF XJOHT

pode ser decodificada como

PIGS DO NOT HAVE WINGS,

simplesmente trocando-se cada letra pela sua anterior no alfabeto. Se um código trocar todas as letras do alfabeto, correndo-as certo número de posições, teremos apenas 25 possibilidades a pesquisar. Acredita-se que Júlio César tenha usado esse tipo de código em suas campanhas militares, correndo 3 posições para cada letra. Esse método tem a vantagem de que as mensagens podem ser facilmente codificadas (colocadas em código) e decodificadas (revelando-se o texto original a partir da mensagem em código). Sua principal desvantagem é que você não precisa ser muito inteligente para quebrar o código.

Claro que não precisamos manter o alfabeto em ordem (cíclica); podemos embaralhá-lo, colocando-o numa ordem aleatória, por meio de uma *cifra de substituição*. Tanto o emissor quanto o receptor da mensagem devem conhecer a ordem embaralhada, que sem dúvida terão anotada em algum lugar, o que é potencialmente inseguro. Ou então deverão lembrar de uma "chave" tal como DANGER! FLYING PIGS, que faz com que eles gravem a ordem

* Optamos aqui por manter os exemplos em inglês. Para conhecer as fequências típicas das letras em português e criar seu próprio código, ver p.305. (N.T.)

DANGERFLYIPSBCHJKMOQTUVWXZ,

que começa com as letras da chave, ignorando as letras duplicadas, e termina com todas as outras em ordem alfabética. Ou então em ordem alfabética inversa, se calhar de muitas letras permanecerem inalteradas.

As cifras de substituição são fáceis de quebrar se a pessoa que está tentando decifrá-las tiver acesso a uma quantidade razoável de mensagens em código, pois em qualquer língua algumas letras aparecem com mais frequência que outras. Calculando a frequência de ocorrência de cada letra – a proporção de vezes que aparece em relação ao número total de letras –, podemos fazer uma estimativa razoável do texto original, e então corrigi-la procurando palavras que quase fazem sentido, mas não inteiramente.

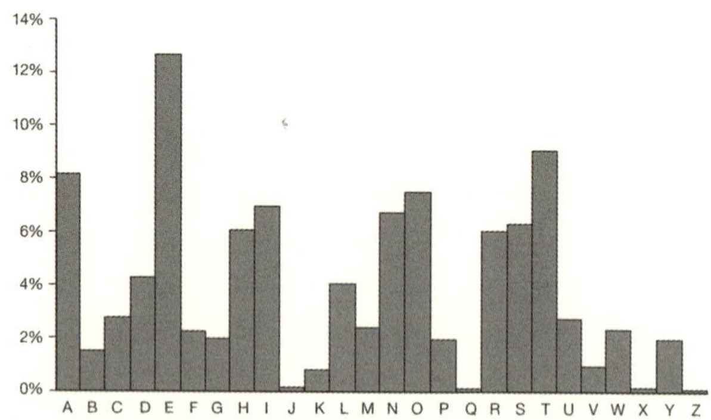

Frequências típicas das letras no inglês escrito.

Por exemplo, na maior parte dos textos em inglês, a letra mais comum é E, seguida por T, A, O, I, N etc. Naturalmente, textos de fontes diferentes podem ter frequências distintas, mas só precisamos de um esboço para nos guiarmos. Suponha que já saibamos que, nas mensagens cifradas, as letras mais frequentes são Z, B, M, X, Q, L. Nossa primeira tentativa sobre a mensagem cifrada

UXCY RQ LQB KMFZ AXLCY

consistiria em substituir as letras ZBMXQL pelas letras correspondentes ETAOIN. O resultado (substituindo as letras desconhecidas por *) é

*O** *I NIT *A*E *ON**

Isso não parece muito promissor até percebermos que NIT é uma palavra com pouca probabilidade de aparecer, enquanto NOT é bastante plausível. Assim, talvez X e Q estejam em posições trocadas, e ETAION corresponda a ZBMQXL. Agora decodificamos a mensagem como

*I** *O NOT *A*E *IN**

A segunda palavra não pode ser TO nem NO, porque T e N já foram usadas, mas poderia muito bem ser DO. Agora sabemos que a letra R codifica o D, e assim continuamos o processo. Se supusermos que o par CY, usado duas vezes, deva ser GS, temos

*IGS DO NOT *A*E *INGS,

e o código fica bastante evidente.

O que funcionava (provavelmente mal) para Júlio César não serve para as comunicações seguras em tempos mais recentes. Depois da invenção da semáfora, do telégrafo e do rádio, as mensagens não precisaram mais ser carregadas por um portador humano ou por um pombo, e os códigos seguros passaram a ser cruciais para operações militares e comerciais. As disciplinas da criptografia (a codificação de mensagens) e da criptoanálise (sua decodificação sem o conhecimento prévio do código) ganharam muita importância. Hoje, quase todos os países têm grandes projetos nas duas áreas.

As duas atividades estão claramente ligadas: para quebrar um código precisamos de uma grande amostra de mensagens e de algum entendimento sobre o tipo de código que talvez tenha sido utilizado. As frequências de letras, por exemplo, não ajudam muito se o método usado não for uma cifra de substituição – e não será. Cada procedimento de codificação de mensagens gera métodos especializados para tentar decifrá-lo.

Para questões de alta segurança, o método criptográfico tradicional é conhecido como *one-time pad*, ou chave de uso único. Nele, o emissor e o receptor da mensagem em código possuem um "caderno" ("*pad*") contendo "chaves", que são sequências de números aleatórios.

Uma dessas sequências é usada para alguma mensagem, e depois ela é destruída. Os números nessa página são combinados com as letras da mensagem original seguindo uma regra matemática simples. Por exemplo, os números sucessivos da sequência podem indicar a que distância do alfabeto cada letra correspondente deverá ser deslocada. Assim, por exemplo, se a chave contiver os números

5 7 14 22 1 7 16

e o texto original for

PIGS FLY

então a mensagem codificada seria

UPUO GSO

(P avança 5 posições, I avança 7 posições e assim por diante). Estou ignorando o tratamento dos espaços, que na prática deveriam ser encarados como "letras" adicionais.

A chave de uso único foi inventada em 1917, e já se provou que qualquer código perfeitamente seguro deve utilizar chaves que, de alguma maneira, sejam equivalentes a chaves de uso único. Embora essas chaves sejam seguras contra qualquer sistema de criptoanálise, elas não são perfeitamente seguras, pois poderiam ser descobertas.

Originalmente, o "caderno" era um objeto físico – um bloco de papel. Para reduzir o risco de ser descoberto, com frequência era impresso numa fonte muito pequena, que era lida usando-se uma lupa. As páginas eram feitas de um material inflamável, para que pudessem ser destruídas com facilidade. Hoje, o "caderno" pode ser um arquivo de computador.

Quando 2 + 2 = 0

Como aquecimento para os métodos criptográficos mais modernos, precisamos entender um tipo curioso de aritmética que remonta a Carl Friedrich Gauss. Chama-se aritmética modular e é amplamente utilizada na teoria dos números.

Escolha algum número, digamos 4, que será chamado de módulo. Trabalhe apenas com os números inteiros 0, 1, 2, 3... que se encontrem entre 0 (inclusive) e o módulo (exclusive). Para somar dois números, faça-o da maneira habitual, mas se a soma for maior ou igual a 4 (o módulo), subtraia um múltiplo de 4 para reduzir o total a um valor de 0 a 3. Faça o mesmo para a multiplicação. Portanto, por exemplo,

$3 + 3 = 6$, subtraia 4 (o módulo), ficando com 2
$3 \times 3 = 9$, subtraia 8 (duas vezes o módulo), ficando com 1

Podemos montar tabelas de adição e multiplicação:

+	**0**	**1**	**2**	**3**
0	0	1	2	3
1	1	2	3	0
2	2	3	0	1
3	3	0	1	2

×	**0**	**1**	**2**	**3**
0	0	0	0	0
1	0	1	2	3
2	0	2	0	2
3	0	3	2	1

Aqui, os números em negrito mostram quais números são utilizados nas operações, e o número na fileira e coluna correspondente é o resultado. Por exemplo, para calcular 3 + 2, procure o resultado na fileira 3, coluna 2 da tabela que tem um + no canto superior esquerdo. O resultado é 1, portanto $3 + 2 = 1$.

Bem, você talvez não aprove uma aritmética na qual $3 + 2 = 1$, mas ela se mostra vital para qualquer problema no qual o que realmente importa é o *resto* depois da divisão por 4. Por exemplo, se girarmos algum objeto quatro vezes em ângulos retos, ele acabará exatamente na posição em que começou. Portanto, se o girarmos três vezes em ângulos retos e depois mais duas vezes, o efeito é o mesmo que se o girarmos apenas *uma* vez num ângulo reto (sim, o resultado também é igual a cinco giros em ângulos retos, mas somente 0, 1, 2, 3 giros são necessários para cobrir todas as possibilidades, por isso muitas vezes faz sentido nos mantermos nessa faixa). Portanto,

3 ângulos retos + 2 ângulos retos = 1 ângulo reto

e 3 + 2 = 1 não é um resultado tão absurdo nesse contexto. O mesmo vale para 2 + 2 = 0, que seria o resultado do cálculo nesse contexto. Se girarmos um objeto duas vezes em ângulos retos, e depois outras duas vezes, voltaremos exatamente ao ponto inicial – uma rotação de zero ângulos retos.

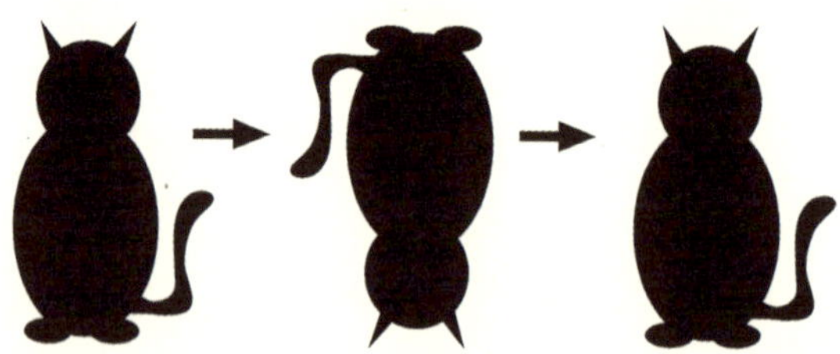

Dois ângulos retos mais dois ângulos retos é igual a zero ângulos retos.

A diversão começa quando descobrimos que podemos usar qualquer número inteiro positivo como módulo – não só o 4. As mesmas ideias ainda funcionam, e agora são gerais o suficiente para se tornarem úteis. Em qualquer processo que repita o mesmo comportamento muitas e muitas vezes, por exemplo, a análise por meio dessa aritmética poderá ser útil.

Quando o módulo é 12, obtemos o que se costuma chamar de aritmética do relógio, pois, num relógio convencional, o ponteiro das horas volta à mesma posição depois de 12 horas, portanto os múltiplos de 12 têm o mesmo efeito que zero.

Essas variantes curiosas da aritmética surgem sempre que alguns elementos se encaixam como parte de um ciclo que come o próprio rabo, recomeçando. De fato, elas obedecem a todas as leis habituais da álgebra, tais como

$$a + b = b + a, ab = ba, \qquad a(b + c) = ab + ac$$

e assim por diante. No entanto, existem algumas peculiaridades no que diz respeito à divisão. Por exemplo, quando trabalhamos no módulo 4, a fração ½ não faz sentido. Se fizesse, seria qualquer número que, multiplicado por 2, desse 1. Mas os únicos múltiplos de 2 são 0 e 2 – o número 1 jamais aparece.

Podemos provar que a divisão faz sentido sempre que o módulo for *primo*, embora ainda não possamos dividir por 0. Por exemplo, se o módulo for 5, as duas tabelas acima se tornarão

+	**0**	**1**	**2**	**3**	**4**
0	0	1	2	3	4
1	1	2	3	4	0
2	2	3	4	0	1
3	3	4	0	1	2
4	4	0	1	2	3

×	**0**	**1**	**2**	**3**	**4**
0	0	0	0	0	0
1	0	1	2	3	4
2	0	2	4	1	3
3	0	3	1	4	2
4	0	4	3	2	1

Todos os números aparecem em todas as fileiras da tabela de multiplicação, exceto na fileira 0, e agora podemos dizer coisas como

$$\frac{3}{2} = 4$$

porque

$$2 \times 4 = 3$$

Novamente, as regras habituais da divisão também funcionam nesses casos.

Quando existe qualquer risco de confusão, os matemáticos escrevem essas equações da seguinte forma:

$$2 \times 4 \equiv 3 \pmod{5},$$

com um símbolo especial ≡ substituindo o sinal de igual e um lembrete do módulo em questão, para deixar claro que eles não pensem realmente que $2 \times 4 = 3$. Mas muitas vezes nem se preocupam com isso.

Códigos secretos revelados ao público

A aritmética modular foi a chave (sem trocadilhos) para um avanço notável na criptografia: um sistema criptográfico de chave pública. Todos os códigos dependem de chaves secretas, e o maior perigo é que um bisbilhoteiro descubra qual é a chave. Se o inimigo conseguir uma cópia de sua chave de uso único, talvez pelas ações de um espião, você estará em grandes apuros.

Ou talvez não. O pressuposto tácito neste caso é que, uma vez que alguém conheça a chave, poderá decodificar a mensagem com facilidade. Afinal, isso é o que o destinatário da mensagem deve fazer, portanto não faz muito sentido dificultar o processo. Entretanto, em 1977, Ron Rivest, Adi Shamir e Leonard Adleman descobriram que a questão não é tão direta. Na verdade, podemos tornar pública a chave usada para codificar a mensagem sem que ninguém consiga deduzir o procedimento inverso para decodificá-la. No entanto, o receptor legítimo consegue decodificar a mensagem usando uma chave diferente e relacionada – que é mantida em segredo.

Métodos como este se baseiam num fato matemático curioso: reverter um cálculo, retrocedendo da resposta para a pergunta, às vezes pode ser muito mais difícil que fazer o cálculo em si – mesmo quando o processo é reversível em princípio.* Se for o caso, o fato de conhecer-

* Esses procedimentos muitas vezes são comparados a alçapões, pois é fácil entrar e difícil sair. Sinto-me inclinado a compará-los às portinholas para animais. Nossa gata Harlequin sabe como sair pela portinhola, empurrando-a, mas na maior parte das vezes ela imagina que a maneira de entrar é invertendo o procedimento, e fica

mos o procedimento em questão não nos permite saber como desfazê-lo. Mas esse fato em si não tem utilidade, a menos que exista algum atalho secreto que permita ao destinatário desfazer o procedimento de codificação com facilidade. E é aqui que entra em jogo a aritmética modular, a bizarra invenção de Gauss, na qual 2 + 2 pode ser 0.

O sistema criptográfico RSA, cujo nome é formado pelas iniciais de seus inventores já citados, baseia-se num teorema provado por Euler, que generaliza um teorema mais simples descoberto e provado por Pierre de Fermat. A versão mais simples é chamada "pequeno teorema de Fermat", para distingui-lo de seu "último (ou 'grande') teorema" (*Almanaque das curiosidades matemáticas*, p.58). Ele afirma que, se estivermos trabalhando com um módulo primo p, então $a^{p-1} \equiv 1$ para qualquer número a. Por exemplo, com módulo 5, teríamos que $1^4 \equiv 1$, $2^4 \equiv 1$, $3^4 \equiv 1$, $4^4 \equiv 1$. E isso efetivamente ocorre. Por exemplo,

$$3^4 \equiv 3 \times 3 \times 3 \times 3 \equiv 81 \equiv 1 \pmod 5$$

porque $81 - 1 = 80$, que é divisível por 5. O mesmo vale para os outros números.*

Para utilizar a criptografia RSA, começamos representando as mensagens por números. Por exemplo, cada bloco de 100 letras, espaços e outros caracteres seria representando por um número de 200 algarismos, em que cada par sucessivo de algarismos codifica caracteres de acordo com a regra A = 01, B = 02, … , Z = 26, [espaço] = 27, ? = 28 e assim por diante. Dessa forma, a mensagem se transforma numa série de números de 100 algarismos cada. Seja N um desses números. Nossa tarefa é codificá-lo, o que fazemos usando uma receita matemática na aritmética modular.

---

sentada do lado de fora tentando puxar a portinhola para abri-la. Eu não me surpreenderia se ela levasse a questão ao seu extremo lógico e tentasse entrar de costas. Ela esquece o atalho secreto, e nós ficamos deitados na cama, ouvindo a barulheira e pensando: "Harley! Empurre!"

* Fermat provou esse teorema muito antes de Gauss inventar a aritmética modular, mas não a partir desse ponto de vista.

Vou começar com um exemplo, usando números muito menores que os usados na prática.

Alice usa dois números especiais, 77 e 13, que podem ser revelados publicamente. Suponha que sua mensagem seja $N = 20$. Neste caso, ela calcula 20^{13} (mod 77), que é 69, e envia esse número a Bob.

Bob conhece um número secreto 37, que inverte o que Alice fez com o 13. Ele decodifica a mensagem de Alice elevando-a a essa potência (mod. 77):

$$69^{37} \equiv 20 \pmod{77}$$

Isso funciona para qualquer mensagem enviada por Alice, porque

$$(N^{13})^{37} \equiv N \pmod{77}$$

De onde vêm esses números?

A escolha de Alice, 77, é o produto de dois primos, 7×11. O teorema de Euler se aplica ao número $(7 - 1) \times (11 - 1)$, que é 60. Ele nos diz que existe algum número d tal que $13^d \equiv 1 \pmod{60}$, e então $(N^{13})^d \equiv N \pmod{77}$ para qualquer mensagem N. Como Bob – e somente Bob – sabe, $d = 37$.

Para que o método se torne prático, substituímos 7 e 11 por números primos muito maiores – que tipicamente têm algo em torno de 100 algarismos (veja a nota da p.305). A chave de codificação (neste caso, 13) e a chave de decodificação (neste caso, 37) podem ser calculadas a partir desses dois números primos. Somente a chave de codificação e o produto de dois números primos, um número de 200 algarismos, precisam ser revelados ao público. Apenas Bob deve conhecer a chave de decodificação.

Para isso, precisamos encontrar números primos realmente grandes, o que pode ser mais fácil do que esperávamos: existem maneiras eficientes de testarmos se um número é primo sem procurarmos seus fatores. E, naturalmente, temos de usar um computador para fazer os cálculos. Observe o efeito alçapão: Alice não precisa saber como decodificar as mensagens, apenas como codificá-las. Os matemáticos em geral acreditam, embora ainda não possam provar, que calcular os fatores primos de um número muito grande seja dificílimo – tão difícil que, na prática, isso não pode ser feito, por maior e mais rápido que seja nosso computador. *Encontrar* grandes números primos é muito mais fácil, assim como multiplicá-los.

Claro que no meu exemplo, que utiliza números pequenos demais para terem alguma utilidade, é fácil encontrar a chave de decodificação 37. Alice poderia calculá-la, assim como qualquer bisbilhoteiro. Mas se utilizarmos números primos de 100 algarismos, parece impossível calcular a chave de decodificação sabendo-se apenas o produto dos dois números primos. Por outro lado, se conhecermos os números primos, é relativamente simples encontrarmos a chave de decodificação. E é isso o que torna esse sistema possível, em primeiro lugar.

Sistemas como o RSA são muito adequados para a internet, em que cada usuário precisa "saber" como enviar uma mensagem criptografada (como um número de cartão de crédito). O método para criptografar essa mensagem deve estar armazenado no computador do usuário – portanto, um programador habilidoso poderia encontrá-lo. Mas somente o banco precisa conhecer a chave de decodificação. Assim, até que os criminosos descubram maneiras eficientes de calcular os fatores primos de grandes números, nosso dinheiro estará a salvo. Presumindo que esteja a salvo nas mãos dos bancos, o que de repente se tornou questionável.

Em aplicações práticas, é preciso tomar algumas precauções, e o método não é tão simples assim. Veja, por exemplo: en.wikipedia.org/wiki/RSA.

Também vale a pena ressaltar que, na prática, o RSA é utilizado sobretudo para enviar versões criptografadas de *chaves* para outros sistemas criptográficos mais simples, que podem então ser usados para enviar mensagens, em vez de usar o RSA para enviar as mensagens em si. O RSA utiliza um tempo computacional um pouco grande demais para ser usado como rotina no envio de mensagens.

Essa história tem um adendo histórico curioso. Em 1973, o mesmo método foi inventado por Clifford Cocks, matemático que trabalhava na Inteligência Britânica. Mas foi considerado pouco prático na época. Como seu trabalho foi classificado como ultrassecreto, até 1997 ninguém sabia que ele havia se adiantado ao sistema RSA.

Mágica no calendário

– Minha bela assistente – declarou o Grande Whodunni – irá me entregar agora um calendário perfeitamente comum.

Grumpelina abriu um sorriso meigo e seguiu a instrução. De fato era um calendário comum, com sete colunas por mês, encabeçadas pelos dias de domingo a sábado, com os números dos dias escritos em ordem.

Whodunni chamou então um voluntário da plateia enquanto Grumpelina o vendava (isto é, vendava Whodunni).

– Quero que você escolha qualquer mês do calendário e então desenhe um quadrado de 3 × 3 ao redor de nove datas. Não inclua nenhum espaço em branco. Vou pedir que você me diga a menor dessas datas, e então lhe direi *instantaneamente* o valor da soma dos nove números.

O voluntário obedeceu, e, assim, escolheu um quadrado de datas nas quais o menor número era 11. Assim que ele disse este número ao mágico, Whodunni respondeu "171".

O método de Whodunni funciona para qualquer quadrado de 3 × 3. Como ele consegue?

Resposta na p.306

10	11	12	13	14
17	18	19	20	21
24	25	26	27	28

A escolha do voluntário.

Gatos matemáticos

Conta-se* que Isaac Newton tinha uma gata. Ele fez um buraco na parte baixa da porta de seu escritório para que a bichana pudesse entrar e sair. Portanto, devemos acrescentar à lista de descobertas de Newton a invenção da portinhola para animais, a não ser pelo fato de que sua versão não tinha portinhola. De qualquer forma, a gata teve filhotes. Por isso, Newton cortou um buraco menor na porta, ao lado do buraco maior.

Não sei se Lewis Carroll – pseudônimo do matemático Charles Lutwidge Dodgson – tinha um gato, mas ele criou um dos bichanos mais memoráveis da ficção: o Gato de Cheshire, que desaparecia lentamente até só restar o sorriso. Cheshire não é uma raça de gatos: é um condado inglês que produzia – e ainda produz – queijo. Carroll possivelmente se referia ao *British shorthair*, uma raça de gato que aparecia nos rótulos do queijo de Cheshire.

O Gato de Cheshire.

* Esta é a fórmula clássica para "alguém me contou, mas não tenho como apresentar a mais remota referência".

O problema 79 do Papiro de Rhind egípcio (p.89-91) traz o cálculo

casas	7
gatos	49
ratos	343
sementes de trigo	2.401
hekat	16.807 (um *hekat* é uma medida de volume)
TOTAL	19.607

onde cada número é 7 vezes o anterior. O escriba nos dá o atalho:

$$2.801 \times 7 = 19.607$$

Note que 2.801 = 1 + 7 + 49 + 343 + 2.401. Esses números são as primeiras potências de 7. Veja bem, não faço ideia de por que o escriba acharia razoável somar itens tão diversos.

Mais sobre crescimento exponencial: a Humane Association comentou que se dois gatos e seus filhotes acasalarem durante 10 anos, de modo que cada gato tenha duas ninhadas de três gatinhos sobreviventes por ano, a população de gatos crescerá desta forma:

12 66 382 2.201 12.680 73.041 420.715
2.423.316 13.968.290 80.399.780

Nos anos 1960, o matemático russo Vladimir Arnold estudou uma transformação (outra palavra para "função") do toro sobre si mesmo, definido por

$$(x, y) \rightarrow (2x + y, x + y) \pmod 1$$

onde x e y se encontram entre 0 (inclusive) e 1 (exclusive), e (mod 1) significa que tudo o que ocorre antes da vírgula decimal (a parte inteira) é ignorado. Portanto 17,443 (mod 1) = 0,443, por exemplo. A dinâmica desse mapa é caótica (*Almanaque das curiosidades matemáticas*, p.186); além disso, o mapa "conserva a área", ou seja, as áreas não se alteram quando ele é aplicado. Dessa forma, o mapa serviu como um modelo simples para mapas mais complicados com conservação de área que surgem naturalmente na mecânica.

Este mapa logo passou a ser conhecido como "o gato de Arnold", pois o matemático ilustrou seu efeito desenhando um gato no toro, mostrando como ele se distorce quando o mapa é aplicado. O mesmo é feito com a imagem de um gato real em: upload.wikimedia.org/wikipedia/commons/a/a6/Arnold_cat.png, www.nbi.dk/CATS/PICS/cat_arnold.gif.

O autor, Theoni Pappas, escreveu um livro infantil, *Adventures of Penrose the Mathematical Cat*, supostamente uma homenagem ao físico Roger Penrose.

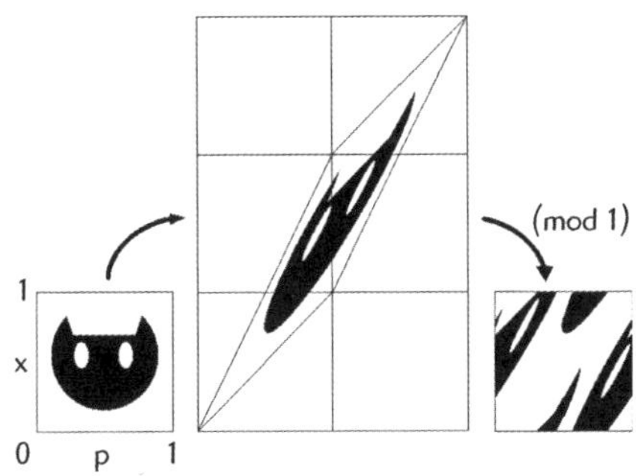

O gato de Arnold.

No livro *Mathematicians in Love*, de Rudy Rucker, dois estudantes de pós-graduação em matemática provam um teorema que caracteriza todos os sistemas dinâmicos em termos de objetos de *O Gatola na cartola,* o famoso livro do dr. Seuss.*

Em seu trabalho de pesquisa de 1964, *Categorias abelianas*, Peter Freyd incluiu a entrada "kittygoria" (*kitty* = gatinho, em inglês) no índice remissivo. A página em questão se refere a uma "pequena categoria".

Existe um matemático chamado Nicholas Katz – isso conta?

Hmm... Felix Hausdorff?

* Certa vez, quando eu estava dando palestras em Oregon, fiquei no Sylvia Beach Hotel, cujos quartos têm temas literários: o quarto Oscar Wilde, o quarto Agatha Christie. O meu era o quarto dr. Seuss, que trazia um Gatola na cartola de cinco metros pintado numa parede.

A regra do onze

Existe uma velha forma de testar a divisibilidade por 11, poucas vezes ensinada nestes tempos de calculadoras eletrônicas. Suponha, por exemplo, que o número seja 4.375.327. Forme as duas adições

$$4 + 7 + 3 + 7 = 21, \qquad 3 + 5 + 2 = 10$$

tomando algarismos alternados do número (**4**3**7**5**3**2**7**). Calcule a diferença, 21 − 10 = 11. Se essa diferença for exatamente divisível por 11, o número original também o será, e vice-versa. (O número 0 é exatamente divisível por 11, por ser igual a 11 × 0.) Nesse caso a diferença é justamente 11, que é divisível por 11, portanto o teste nos diz que 4.375.327 é divisível por 11. De fato, esse número é igual a 11 × 397.757. Por sinal, os zeros iniciais não fazem diferença, pois acrescentam 0 a qualquer cálculo em que apareçam.

Eis aqui dois problemas e uma pergunta; os problemas são mais fáceis se você usar esse teste.

- Encontre o maior número que utilize os algarismos 0 a 9 exatamente uma vez cada e que seja divisível por 11 sem deixar resto.
- Encontre o menor número assim, sem começar em 0.
- Já que estamos falando disso: qual o menor número inteiro positivo múltiplo de 11 para o qual o teste não gera uma diferença de zero?

Resposta na p.307

Multiplicação de algarismos

A matriz quadrada

1	9	2
3	8	4
5	7	6

utiliza os nove algarismos 1-9. A segunda fileira, 384, é o dobro da primeira, 192, e a terceira, 576, é o triplo da primeira.

Existem outras maneiras de se obter isso. Você consegue encontrá-las?

Resposta na p.308

Conhecimentos comuns

Existe todo um gênero de quebra-cabeças baseados nas propriedades contraintuitivas dos "conhecimentos comuns" – coisas tornadas públicas, que todos sabem, e além disso todos sabem que todos sabem, e também sabem que todos sabem que todos sabem... Um caso tradicional diz respeito aos curiosos hábitos da ordem dos monges glaberinos,* que são bastante desconhecidos, porém muito educados.

Quando digo "hábitos" não estou falando da roupa, evidentemente.

Os irmãos Agostinho, Benedito e Cirilo estão dormindo em sua cela quando o noviço Jocoso entra escondido e pinta uma mancha azul na cabeça raspada de cada um deles. Ao acordarem, cada monge vê a mancha na cabeça dos outros. Acontece que as regras do mosteiro são claras: para os monges, é indelicado dizer qualquer coisa que envergonhe outro membro da ordem, mas também é indelicado revelar qualquer coisa embaraçosa sobre *si mesmo*. A indelicadeza não é permitida em hipótese alguma. Por isso os monges não dizem nada, e seu comportamento não dá qualquer indicação do que possam ter visto.

Cada monge se pergunta vagamente se também estará com a mancha, mas não tem coragem de perguntar, e não há espelhos na alcova nem qualquer espécie de superfície de reflexão. Por isso as coisas ficam assim até que o abade entra, franze o rosto e lhes informa (evitando assim o constrangimento *direto*) que "pelo menos um de vocês tem uma mancha azul na cabeça".

* Descubra o que significa *glaber* em latim.

Claro, os três monges sabem disso. Então, essa informação faz alguma diferença para eles?

Se você nunca viu esse quebra-cabeça antes, é bom começar com uma versão mais simples, com apenas dois monges, Agostinho e Benedito. Ambos veem a mancha na cabeça do outro, mas não fazem ideia do que poderá haver em sua própria cabeça. Depois da declaração pública do abade, Agostinho começa a pensar: "*Eu* sei que Benedito tem uma mancha, mas *ele* não sabe, pois não consegue ver o topo da própria cabeça. Santo Deus, será que *eu* tenho uma mancha? Hmmm... suponhamos que eu *não* tenha uma mancha. Então Benedito verá que eu não tenho, portanto logo deduzirá, com base no comentário do abade, que *ele* deve ter uma mancha. Mas ele não mostrou sinal algum de constrangimento. Minha nossa, então *eu* devo ter uma mancha." Benedito chega a conclusão semelhante.

Sem o comentário do abade essas deduções não funcionam, embora o abade não lhes diga nada – aparentemente – que eles já não saibam. Exceto uma coisa... cada monge sabia que ao menos um monge (o outro) tinha uma mancha, mas não sabiam que o *outro* sabia que ao menos um monge tinha uma mancha.

Entendeu? Muito bem – e o que acontece com três monges? Mais uma vez, todos eles conseguem deduzir que estão manchados, mas somente depois da declaração do abade (veja respostas na p.308). O mesmo vale se houver quatro, cinco ou mais monges, se todos tiverem manchas na cabeça. De fato, suponha que há 100 monges. Todos estão manchados, todos ignoram esse fato e todos são lógicos incrivelmente rápidos. Para evitar questões temporais, suponha que o abade tenha uma campainha.

– A cada dez segundos – diz ele –, vou tocar essa campainha. Isso lhes dará tempo para realizar a lógica necessária. Logo depois do toque, todos os monges que conseguirem deduzir logicamente que têm uma mancha na cabeça devem levantar a mão.

Ele espera dez minutos, tocando a campainha de tempos em tempos, mas nada acontece.

– Ah, sim, esqueci – afirma. – Tenho mais uma informação a dar. Pelo menos um de vocês tem uma mancha.

Agora nada acontece por 99 toques, e então todos os 100 monges levantam as mãos ao mesmo tempo, no 100º toque.

Por quê? O monge número 100 vê que todos os outros 99 têm manchas. "Se eu não estiver manchado", pensa ele, "então todos os outros 99 sabem disso. Isso me retira do cálculo. Portanto eles estarão fazendo qualquer série de deduções necessárias para 99 monges, pois eu não estou manchado. Se a minha lógica para 99 monges estiver correta, todos eles deverão levantar as mãos depois de 99 toques. Ele espera até o toque 99, e nada acontece. "Ah, então meu pressuposto está errado, e eu devo ter uma mancha." No toque número 100, o monge levanta a mão. Os outros 99 fazem o mesmo.

Ah, sim... Mas talvez o monge número 100 estivesse errado quanto à lógica para os 99 monges. Então tudo se desfaz. Entretanto, a lógica para 99 monges (com o pressuposto hipotético de que o monge 100 não está manchado) é a mesma. Agora o monge número 99 espera que os outros 98 levantem as mãos no 98º toque, *a menos que* o monge 99 esteja manchado. E assim por diante, até chegarmos a um único monge hipotético. Ele não vê manchas em parte alguma, fica surpreso ao descobrir que alguém tem uma mancha, deduz imediatamente que deve ser *ele* (você não precisaria ser um especialista em lógica para isso) e levanta a mão depois do primeiro toque.

Como a lógica para um monge está correta, a lógica para dois monges também está, e o mesmo para três monges... Até chegarmos à lógica para 100 monges. Assim, esse quebra-cabeça é um exemplo marcante do princípio da indução matemática. Ele diz que se alguma propriedade dos números inteiros for válida para o número 1, e sua validade para qualquer número dado implicar sua validade para o número seguinte, não importando que números sejam esses, então a propriedade deverá ser válida para *todos* os números.

Essa era a história habitual, mas a questão não fica por aí. Até agora presumi que todos os monges tivessem manchas. No entanto, raciocínio muito semelhante mostra que essa condição não é essencial. Suponha, por exemplo, que 76 de um total de 100 monges tenham manchas. Então, se todos forem lógicos, nada acontece até logo antes do 76º toque, quando todos os monges com manchas levantam as mãos ao mesmo tempo, mas nenhum dos outros o faz.

À primeira vista é difícil entender como eles poderiam resolver o problema. O truque está na sincronização de suas deduções pela campainha e na aplicação do conhecimento comum. Comece tentando com dois ou três monges, com diferentes números de manchas, ou então cole as respostas da p.308.

O problema da cebola em conserva

Três viajantes cansados entraram numa estalagem, tarde da noite, e pediram ao dono que preparasse alguma comida.

– Só tenho cebolas em conserva – resmungou o dono.

Os viajantes responderam que cebolas em conserva estava ótimo, obrigado, já que a alternativa era não comer nada. O dono da estalagem sumiu e depois voltou com um vidro de cebolas em conserva. A essa altura, todos os viajantes tinham caído no sono, por isso ele largou o vidro na mesa e foi para a cama, deixando que os hóspedes se virassem sozinhos.

O primeiro viajante acordou. Como não queria se entupir de comida e não sabia quanto todos os outros já teriam comido, tirou a tampa do vidro, jogou fora uma cebola que parecia estragada, comeu um terço das cebolas restantes, recolocou a tampa e voltou a dormir.

O segundo viajante acordou. Como não queria se entupir de comida e não sabia quanto todos os outros já teriam comido, tirou a tampa do frasco, jogou fora duas cebolas que pareciam estragadas, comeu um terço das cebolas restantes, recolocou a tampa e voltou a dormir.

O terceiro viajante acordou. Como não queria se entupir de comida e não sabia quanto todos os outros já teriam comido, tirou a tampa do vidro, jogou fora três cebolas que pareciam estragadas, comeu um terço das cebolas restantes, recolocou a tampa e voltou a dormir.

Nesse momento, o dono da estalagem voltou e levou o vidro, que continha agora seis cebolas em conserva.

Quantas havia no começo?

Resposta na p.309

Adivinhe a carta

O Grande Whodunni tem um estoque ilimitado de truques matemáticos com cartas. Este aqui lhe permite identificar uma carta específica, escolhida dentre 27 cartas retiradas de um baralho comum.

Whodunni embaralha as 27 cartas e abre-as sobre a mesa, de modo que sua vítima possa ver todas elas.

– Escolha uma carta mentalmente e lembre-se dela – diz o mágico. – Vire de costas, anote a carta num pedaço de papel e guarde-o neste envelope para que possamos conferir sua escolha no final.

Agora Whodunni dá as 27 cartas, viradas para cima, separando-as em três montes de 9 cartas cada um, e pede à vítima que diga em qual monte está a carta.

Ele então apanha os montes, empilha-os sem embaralhar e dá novamente as cartas, separando-as em três montes e fazendo a mesma pergunta.

Finalmente, ele apanha os três montes, empilha-os sem embaralhar e dá de novo as cartas, separando-as em três montes e fazendo a mesma pergunta pela terceira vez.

A seguir, ele identifica a carta escolhida.

Como o truque funciona?

Resposta na p.310

E agora com o baralho completo

Whodunni consegue fazer ainda melhor. Dando as cartas apenas duas vezes, ele consegue identificar uma carta escolhida dentre as 52 cartas de um baralho inteiro.

Ele primeiro dá as cartas em 13 montes de 4, perguntando em qual fileira está a carta escolhida.

O mágico distribui então as cartas na mesma ordem e divide-as novamente em 4 fileiras de 13 cartas, perguntando mais uma vez em que fileira a carta está.

Depois disso, ele indica a carta escolhida.

Como esse truque funciona?

Resposta na p.310

Frações egípcias

Os números naturais servem perfeitamente para a adição e a multiplicação, mas a subtração causa problemas, porque, por exemplo, 6 – 7 não funciona em números naturais. Por isso foram inventados os números negativos. Os números naturais e seus simétricos negativos são chamados números inteiros.

Da mesma forma, o problema de dividir um número pelo outro, como 6 ÷ 7,* requer a invenção de frações como $^6/_4$. O número de cima (neste caso, 6) é o *numerador*, o de baixo (neste caso, 7) é o *denominador*.

Historicamente, as diferentes culturas lidaram com as frações de maneiras distintas. Os antigos egípcios tratavam as frações de forma bastante incomum; na verdade, eles tinham *três* abordagens incomuns.

Em primeiro lugar, usavam hieróglifos especiais para $^2/_3$ e $^3/_4$.

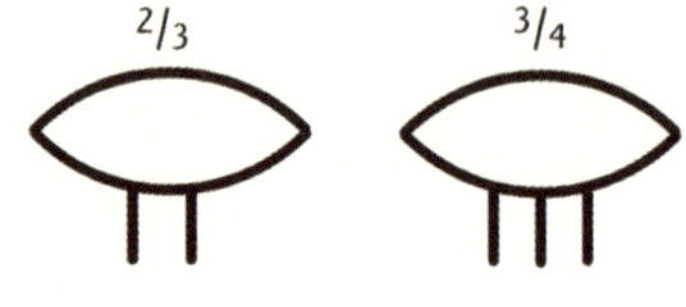

Hieróglifos que representam $^2/_3$ e $^3/_4$.

Em segundo lugar, eles usavam várias porções do Olho de Hórus, ou "Udyat" para representar o 1 dividido pelas seis primeiras potências de 2.

* Esta é a única vez que o antiquado símbolo da "divisão" ÷ aparecerá neste livro. Ops.

Olho de Hórus (esquerda), e os hieróglifos para as frações criados a partir dele (direita).

Finalmente, os egípcios bolaram símbolos para frações com a forma "um sobre alguma coisa", isto é, ½, ⅓, ¼, ⅕ etc. Hoje chamamos isso de frações unitárias. A fração unitária $1/n$ era representada colocando-se um hieróglifo em forma de almofada (que em geral representava a letra R) sobre os símbolos que representavam *n*.

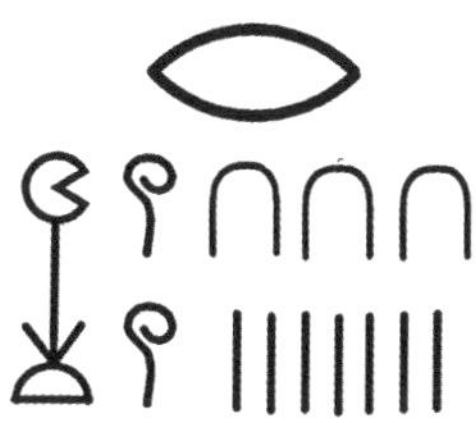

Hieróglifos para 1/1.237 (na prática, os egípcios não teriam usado números tão grandes numa fração unitária).

Entretanto, esse método só servia para certas frações especiais, e 6 dividido por 7 ainda causava problemas. Por isso os egípcios expressavam todas as outras frações como somas de frações unitárias *diferentes*, por exemplo

$$\frac{2}{3} = \frac{1}{2} + \frac{1}{6}$$

e

$$\frac{6}{7} = \frac{1}{2} + \frac{1}{3} + \frac{1}{42}$$

Ainda não está claro por que eles não gostavam de escrever ⅔ como ⅓ + ⅓, mas o fato é que não gostavam.

É estranho fazer aritmética com frações unitárias, mas ainda assim é possível. Nosso método é muito diferente: nós "colocamos as duas frações sobre um denominador comum" (p.325) desta forma:

$$\frac{2}{3} + \frac{6}{7} = \frac{2 \times 7 + 6 \times 3}{3 \times 7} = \frac{14 + 18}{21} = \frac{32}{21} = 1\frac{11}{21}$$

Podemos ver que o resultado é aproximadamente 1 ½, o que não é tão evidente quando usamos as frações egípcias.

Ainda assim, os egípcios faziam coisas incríveis com seu simbolismo. A fonte mais importante que temos para conhecer seu trabalho é o papiro matemático de Rhind, que se encontra hoje no Museu Britânico. Alexander Rhind comprou o papiro em Luxor, em 1858; parece ter sido descoberto em escavações não autorizadas próximo ao Ramesseum.

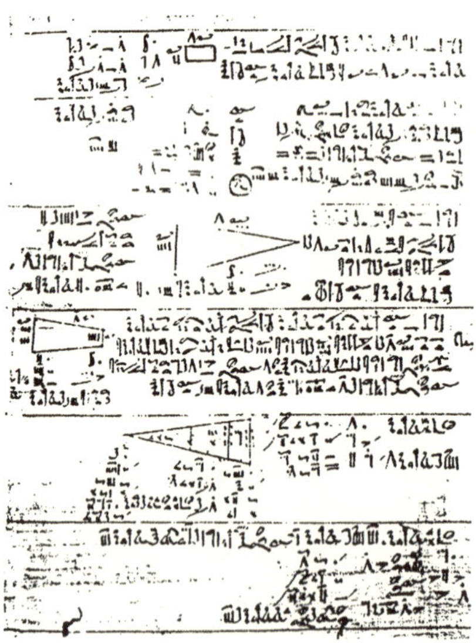

Parte do papiro matemático de Rhind.

O papiro é de aproximadamente 1650 a.C., no segundo período intermediário. O escriba Amósis o copiou de um texto anterior, da época do faraó Amenemhat III, da 12ª dinastia, dois séculos antes, mas o texto original se perdeu. O papiro mede 33cm por 5m, e ainda hoje os pesquisadores não compreendem tudo o que está escrito nele. Contudo, uma seção admirável, que ocupa cerca de um terço de um dos lados, trata de representações de números com a forma $^2/_n$ por meio de frações unitárias, onde n é ímpar e vai de 3 a 101.

Os resultados de Amósis podem ser resumidos numa tabela. Para simplificar a notação e melhorar a legibilidade, uma entrada como

17 12 51 68

significa que

$$\frac{2}{17} = \frac{1}{12} + \frac{1}{51} + \frac{1}{68}$$

A tabela é impressionante, mas também levanta uma série de perguntas. Quem quer que tenha encontrado essas representações, como foi que as descobriu? Por que os escribas as preferiam em particular?

Como expressar $^2/_n$, para n ímpar, como uma soma de no máximo quatro frações unitárias.

n	**$^2/_n$ em frações unitárias**				**n**	**$^2/_n$ em frações unitárias**			
3	hieróglifo especial				53	30	318	795	
5	3	15			55	30	330		
7	4	28			57	38	114		
9	6	18			59	36	236	531	
11	6	66			61	40	244	488	610
13	8	52	104		63	42	126		
15	10	30			65	39	135		
17	12	51	68		67	40	335	536	
19	12	76	114		69	46	138		
21	14	42			71	40	568	710	
3	12	276			73	60	219	292	365
25	15	75			75	50	150		
27	18	54			77	44	308		
29	24	58	174	232	79	60	237	316	790

n	$2/n$ em frações unitárias				n	$2/n$ em frações unitárias			
31	20	124	155		81	54	162		
33	22	66			83	60	332	415	498
35	30	42			85	51	255		
37	24	111	296		87	58	174		
39	26	78			89	60	356	534	890
41	24	246	328		91	70	130		
43	42	86	129	301	93	62	186		
45	30	90			95	60	380	570	
47	30	141	470		97	56	679	776	
49	28	196			99	66	198		
51	34	102			101	101	202	303	606

Em 1967, a pedido de Richard Gillings, C.L. Hamblin programou um computador eletrônico primitivo na Universidade de Sidney para que listasse todas as maneiras possíveis de representar as frações $2/n$ da tabela de Amósis como somas de frações unitárias. Os resultados levaram Gillings a argumentar que:

- os egípcios preferiam números pequenos;
- eles preferiam somas entre duas frações unitárias a somas com três, e somas com três frações unitárias a somas com quatro;
- eles geralmente preferiam que o primeiro número fosse o menor possível, mas não quando isso fazia com que o último fosse grande demais;
- eles preferiam números pares mesmo quando isso levava a números maiores ou a mais números.

Por exemplo, o computador encontrou que

$$\frac{2}{37} = \frac{1}{19} + \frac{1}{703}$$

mas ambos números são ímpares, e 703 é grande. Os escribas preferiam

$$\frac{2}{37} = \frac{1}{24} + \frac{1}{111} + \frac{1}{296}$$

com dois números pares e nada muito grande. Gillings discute extensamente o tema em seu livro *Matemática no tempo dos faraós*. O livro não é exatamente novo, e o estudo histórico da matemática egípcia já avançou, mas ele ainda tem muitas coisas interessantes a dizer.

O algoritmo guloso

As frações egípcias ficaram obsoletas para o uso na aritmética prática, mas ainda estão muito vivas na matemática, e podemos aprender muito sobre frações modernas quando refletimos sobre as egípcias. Em primeiro lugar, não é óbvio que toda fração menor que 1 *tenha* uma "representação egípcia" – como uma soma de frações unitárias diferentes –, mas isso é verdade. Leonardo de Pisa, o famoso "Fibonacci" (*Almanaque das curiosidades matemáticas*, p.107), provou este fato em 1202, demonstrando que isso pode ser feito pelo uso do que atualmente é conhecido como "algoritmo guloso". Um *algoritmo* é um método de cálculo específico que sempre gera uma resposta, como um programa de computador.

O algoritmo guloso começa encontrando a maior fração unitária menor ou igual à fração que queremos representar – isso é o que o torna guloso. Subtraia essa fração da fração original. Agora repita o procedimento, procurando a maior fração unitária *diferente* da que usamos na primeira vez, porém menor que o que resta. Siga em frente.

Incrivelmente, este método acaba por chegar a uma fração unitária e então para.

Vamos experimentar o algoritmo guloso com a fração $6/7$.

- Encontre a maior fração unitária menor ou igual a $6/7$. Esta fração é $1/2$.
- Calcule a diferença $6/7 - 1/2 = 5/14$.
- Encontre a maior fração unitária diferente de $1/2$ que seja menor ou igual a $5/14$. Esta fração é $1/3$.

- Calcule a diferença: $\frac{5}{14} - \frac{1}{3} = \frac{1}{42}$.
- Encontre a maior fração unitária diferente de $\frac{1}{2}$ e $\frac{1}{3}$ que seja menor ou igual a $\frac{1}{42}$. Esta fração é o próprio $\frac{1}{42}$, portanto o algoritmo termina.

Juntando as peças, temos que

$$\frac{6}{7} = \frac{1}{2} + \frac{1}{3} + \frac{1}{42}$$

que é a representação egípcia que procurávamos.

O algoritmo guloso nem sempre gera a *mais simples* das representações egípcias. Por exemplo, quando aplicado a $\frac{5}{121}$ o algoritmo gera

$$\frac{5}{121} = \frac{1}{25} + \frac{1}{757} + \frac{1}{763{,}309} + \frac{1}{873{,}960{,}180{,}913} + \frac{1}{1{,}527{,}612{,}795{,}642{,}093{,}418{,}846{,}225}$$

deixando passar uma resposta mais simples:

$$\frac{5}{121} = \frac{1}{33} + \frac{1}{121} + \frac{1}{363}$$

A conjectura de Erdös-Straus afirma que toda fração da forma $\frac{4}{n}$ pode ser representada por meio de três frações unitárias:

$$\frac{4}{n} = \frac{1}{x} + \frac{1}{y} + \frac{1}{z}$$

Isso é verdade para todos $n < 10^{14}$. As exceções, se existirem, devem ser muito poucas, mas não há nenhuma prova ou refutação.

O algoritmo guloso tem algumas variações interessantes que você pode experimentar. Sugiro usar frações com numeradores e denominadores pequenos para evitar monstros como o que acabamos de ver. Em primeiro lugar, tente utilizar a condição extra de que toda fração utilizada deve ter um número *par* como denominador. De modo surpreendente, o algoritmo guloso ainda funciona – foi provado que toda fração menor que 1 é uma soma de frações unitárias com denominadores pares diferentes.

Agora experimente denominadores *ímpares*. Experimentos por computador sugerem que o algoritmo também funciona nesse caso. Por exemplo,

$$\frac{4}{23} = \frac{1}{7} + \frac{1}{33} + \frac{1}{1{,}329} + \frac{1}{2{,}553{,}659}$$

Mas até agora ninguém encontrou uma prova disso. Até onde sabemos, talvez exista uma fração peculiar para a qual o algoritmo guloso com denominadores ímpares se estende eternamente.

Isso sim é ser *realmente* guloso.

Até agora só falamos muito superficialmente da matemática das frações egípcias. Para saber mais, veja: en.wikipedia.org/wiki/Egyptian_fraction.

Como mover uma mesa

William Feller era um teórico da probabilidade na Universidade de Princeton. Um dia, ele e sua mulher quiseram mover uma mesa grande, de um cômodo da casa para outro; porém, por mais que tentassem, não conseguiam fazê-la passar pela porta. Eles empurraram, puxaram, inclinaram a mesa de lado e tentaram tudo que puderam, mas a mesa simplesmente não passava.

Por fim, Feller foi ao seu escritório e produziu uma prova matemática de que a mesa jamais poderia passar pela porta.

Enquanto fazia isso, sua mulher passou a mesa pela porta.

William Feller

Retangulando o quadrado

Forme cinco retângulos escolhendo seus lados na lista 1, 2, 3, 4, 5, 6, 7, 8, 9, 10, mas cada número só pode figurar uma vez. Depois encaixe os retângulos, sem sobreposições, para formar um quadrado de 11 × 11.

Resposta na p.310

Newton, por Byron

When Newton saw an apple fall, he found
A mode of proving that earth turn'd round
In a most natural whirl, called gravitation;
And this is the sole mortal who could grapple
*Since Adam, with a fall or with an apple.**

Isaac Newton George Gordon Byron

O X marca o lugar

– Ventos me levem e tubarões me mordam! – declarou Roger Barba-Ruiva, o capitão pirata. – O que temos, aqui, meus caros? Acredito ser um mapa do tesouro, aaargh, pois vejo aqui claramente um X.

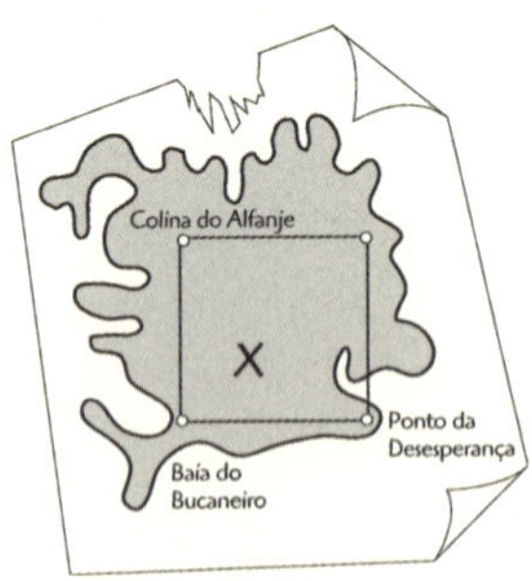

Olha aqui o meu tesouro, marujos! Aaargh!

* Quando Newton viu uma maçã cair, encontrou /Um modo de provar que a Terra girava /Num remoinho muito natural, chamado gravitação. /E este foi o único mortal capaz de lidar, /Desde Adão, com uma queda ou uma maçã. (N.T.)

– Eu conheço essa ilha – disse o contramestre. – É onde abandonamos aquele porco covarde, o almirante Ponsonby-Ffynche, e sua tripulação quando abordamos o *Vanglorioso*. Era o recife do Morto. Não tinha nem uma gota de água na ilha, tomara que seus ossos tenham embranquecido no sol escaldante.

– Zarpemos para o recife do Morto! – ordenou Barba-Ruiva. Enquanto a tripulação hasteava as velas, ele olhou ao redor para se assegurar de que ninguém estava olhando e virou o mapa. No verso, em letras escritas com sangue, havia instruções sobre como localizar o butim.

> Quatro pedras formam um grande quadrado, cujos lados medem 140 perchas náuticas.
> Das pedras situadas no Ponto da Desesperança, na baía do Bucaneiro e na colina do Alfanje, meça números inteiros exatos de perchas náuticas até o local marcado com o X.
> Do Ponto da Deses...
> Da baía do Bucaneiro: 99 perch...
> Da pedra mais próxima ao tesouro, a colina do Alf...

O resto estava rasgado. Roger soltou um horrível xingamento pirata, pois ele era um pirata horrível e sabia como soltar os xingamentos horríveis que os piratas horríveis soltam.

– Eu juro – jurou – que vou cavar a ilha inteira se for preciso, aaargh!

Pois ele sabia que os piratas jamais colocam o X no local certo nos mapas, porque os outros poderiam encontrar o butim com muita facilidade.

– Se eu ao menos tivesse prestado mais atenção às aulas de matemática da escola – suspirou Roger. – Pois assim, pelas calças de Belzebu, eu saberia a que distância o X deve estar das pedras.*

Quais são as três distâncias?

---

* Ele também teria percebido que bastava cavar no arco de uma circunferência centrada na baía do Bucaneiro e com raio de 99 perchas náuticas.

Dica: este desafio é difícil. Para facilitar as coisas, você talvez queira saber que se 7 dividir uma soma de dois quadrados inteiros, $u^2 + v^2$, então 7 dividirá tanto u quanto v. Ainda assim...

Resposta na p.310

O que vem a ser a antimatéria?

Harold P. Furth era um físico americano nascido na Austrália que trabalhava com fusão nuclear e temas relacionados. Em 2001 ele escreveu um pequeno poema, "Perigos da vida moderna", que começa assim:

Well up above the tropostrata
There is a region stark and stellar
Where, on a streak of anti-matter
*Lived Dr. Edward Anti-Teller.**

Edward Teller foi o coinventor da bomba de hidrogênio; ele adquiriu uma enorme influência política e serviu como inspiração para o personagem dr. Strangelove, no filme *Doutor Fantástico*. O poema continua contando que um dia um visitante da Terra apareceu, e o humano se aproximou do anti-humano:

... their right hands
*Clasped, and the rest was gamma rays.***

Qualquer pessoa que tenha assistido a *Jornada nas estrelas* na infância sabe que a antimatéria é uma espécie de "imagem em espelho" da matéria comum, e quando as duas entram em contato elas se aniquilam numa gigantesca explosão de fótons ("raios gama"), partículas de luz.

---

* Bem além dos tropostratos /Há uma região árida e estrelada /Onde, numa faixa de antimatéria, /Vivia o dr. Edward Anti-Teller. (N.T.)

** Suas mãos direitas /Se tocaram, e só sobraram raios gama. (N.T.)

A massa combinada dos dois tipos de matéria é liberada na forma de energia. Graças à famosa fórmula de Einstein, $E = mc^2$, uma pequena massa m se transforma numa enorme quantidade de energia E, pois a velocidade da luz c é muito grande, portanto c^2 é ainda maior.

Pôr as mãos em matéria comum não é grande problema; tem bastante dela por aí. Se também conseguíssemos adquirir (*não* pondo as mãos em) ao menos uma pequena quantidade de antimatéria, teríamos uma fonte compacta de energia quase ilimitada. Pelo visto, os criadores de *Jornada nas estrelas* sempre estiveram muito cientes desse potencial. Basta encontrarmos ou produzirmos antimatéria e armazená-la em algum lugar onde ela não entre em contato com matéria comum, como um reservatório magnético. Funciona muito bem em *Jornada nas Estrelas*, mas a tecnologia atual é muito primitiva perto do que estará disponível para os capitães de naves espaciais no século XXII.*

Nas teorias atuais da física de partículas, muito bem corroboradas por experimentos, todo tipo de partícula subatômica carregada tem uma antipartícula associada, com a mesma massa, mas com carga elétrica oposta, e se as duas um dia se encontrarem... *bang!* Muito bem, este livro não trata de física, mas essa área da física em particular surgiu

* Ou antes disso. A dobra espacial foi inventada em 2063 por Zefram Cochrane, de Alfa de Centauro, mas a primeira versão utilizava plasma de fusão como fonte de energia. No século XXII e nos primeiros episódios da série *Jornada nas estrelas*, a dobra espacial era movida por uma variedade gravimétrica de deslocamento de campo (ou núcleo de dobra) que utilizava antimatéria para criar energia. Em 1994, no nosso próprio Universo, Miguel Alcubierre descobriu uma "dobra espacial" que não entra em conflito com a relatividade, e ainda assim permite viagens a velocidade maior que a da luz. O truque é o mantra, muito repetido na ficção científica, de que "embora exista um limite para a velocidade na qual a matéria pode viajar pelo espaço, não existe um limite para a velocidade na qual o espaço pode viajar pelo espaço". Alcubierre encontrou uma solução para as equações de Einstein para a gravidade na qual o espaço à frente da espaçonave se contrai, enquanto o espaço atrás dela se expande. A espaçonave surfa essa onda, carregada por uma bolha de dobra espacial inteiramente normal, em relação à qual a nave se mantém estacionária. Infelizmente, para construir uma dobra de Alcubierre é necessária uma grande quantidade de matéria negativa, e nós não temos nenhuma.

como efeito colateral inesperado de um cálculo matemático. Às vezes um pouco de matemática, quando levada a sério, pode dar início a uma revolução científica.

Em 1928, um jovem cientista chamado Paul Dirac tentava reconciliar as ideias modernas da mecânica quântica com as ideias ligeiramente menos modernas da relatividade. Ele se concentrou no elétron, uma das partículas que formam os átomos, e acabou por chegar a uma equação que, além de descrever as propriedades quânticas dessa partícula, também era consistente com a teoria especial da relatividade de Einstein. Isso, devemos acrescentar, não foi nada fácil. A equação de Dirac foi um grande acontecimento na física, sendo uma descoberta que lhe valeu o Prêmio Nobel em 1933. Para todos os fanáticos por equações por aí: vocês poderão encontrá-la na p.313.

Dirac começou com a equação habitual da mecânica quântica para o elétron, que o representa como uma onda; a dificuldade estava em ajustar essa equação de modo que respeitasse as exigências da relatividade especial. Para fazer isso, Dirac seguiu seu aclamado faro para a beleza matemática, buscando uma equação que tratasse a energia e o momento linear nas mesmas condições. Certa noite, sentado em frente à lareira, em Cambridge, e meditando sobre seu problema, ele pensou numa maneira inteligente de reescrever o "operador de onda" – uma característica fundamental da equação tradicional – como o quadrado de algo mais simples. Essa etapa levou depressa a algumas questões técnicas bastante familiares, e ele logo deu de cara com a equação desejada.

Mas havia um porém. Essa reformulação introduzia novas soluções para sua equação que não resolviam a versão original. Isso sempre ocorre quando elevamos uma equação ao quadrado; por exemplo, $x = 2$ se torna $x^2 = 4$ quando a elevamos à segunda potência, e agora existe uma outra solução, $x = -2$. Fisicamente, uma solução da equação de Dirac tem energia cinética positiva,* enquanto a outra tem energia cinética negativa. A primeira solução cumpre todas as exigências para o elétron –

* Este é o tipo de energia que as coisas adquirem ao se moverem, e na mecânica clássica ela é igual à metade da massa vezes o quadrado da velocidade.

mas, e quanto ao segundo tipo? À primeira vista, a energia cinética negativa não fazia nenhum sentido.

Na relatividade clássica (isto é, não quântica), essas coisas também acontecem, mas podem ser evitadas. Uma partícula nunca pode passar de um estado de energia positiva para outro de energia negativa, porque o sistema deve se modificar continuamente. Por isso os estados de energia negativa podem ser descartados. Mas, na teoria quântica, as partículas podem "saltar" de modo descontínuo de um estado para outro completamente diferente. Portanto, o elétron poderia, em princípio, saltar de um estado de energia positiva, fisicamente razoável, para um desses desconcertantes estados de energia negativa.

Dirac decidiu que deveria permitir a existência dessas soluções intrigantes. Mas o que elas representavam?

O elétron, como todas as partículas subatômicas, se caracteriza por diversas quantidades físicas, como massa, spin e carga elétrica. A partícula descrita pela equação de Dirac tem todas as propriedades corretas para um elétron; em particular, seu spin é ½, e sua carga é −1, em unidades adequadas. Resolvendo os detalhes, Dirac notou que as soluções curiosas eram exatamente iguais aos elétrons, com o mesmo spin e a mesma massa, mas sua carga era +1, o exato oposto. Dirac havia seguido seu faro matemático e, na verdade, previra uma nova partícula.

Ironicamente, ele não chegou a fazê-lo, em parte por pensar que a "nova" partícula fosse o conhecido próton, que tem carga positiva. Acontece que um próton é 1.860 vezes mais pesado que um elétron, enquanto a solução para a equação de Dirac com energia negativa deveria ter a mesma massa que o elétron. Mas ele acreditava que a discrepância fosse causada por alguma assimetria no eletromagnetismo, por isso intitulou seu artigo como "Uma teoria dos elétrons e prótons". Foi uma oportunidade perdida, pois em 1932, Carl D. Anderson identificou uma partícula que tinha a massa do elétron, mas com carga positiva, num experimento que usava uma câmara de nuvens para detectar raios cósmicos. Ele chamou o recém-chegado de *pósitron*. Quando lhe perguntaram por que não havia previsto a existência dessa nova partícula, Dirac respondeu: "Pura covardia!"

Nem todas as dificuldades desapareceram com a descoberta dos pósitrons. Os pósitrons individuais não possuem energia cinética negativa, portanto Dirac sugeriu que sua equação na verdade se aplicava a um "mar" de elétrons com energia negativa, que ocupam quase todos os estados de energia negativa disponíveis. "Um estado de energia negativa não ocupado", escreveu, "aparecerá agora como algo com energia positiva, pois, para fazê-lo desaparecer, ... teríamos que somá-lo a um elétron com energia negativa." E acrescentou que um vácuo quântico fornece justamente esse mar de partículas. Nada disso é satisfatório de todo, mesmo quando reformulado nos termos da teoria quântica de campos. Mas a equação de Dirac se aplica apenas a uma partícula isolada, portanto não descreve as interações, que é onde surgem as discrepâncias físicas. Portanto os físicos aceitam com tranquilidade a equação de Dirac desde que sua interpretação seja adequadamente restrita.

As consequências dessas descobertas são colossais. Hoje, os físicos de partículas veem a existência da antimatéria como uma simetria bela e profunda nas leis fundamentais da natureza, chamada conjugação de cargas. Cada partícula corresponde a uma antipartícula, que difere sobretudo por ter a carga oposta. Uma partícula sem carga, como o fóton, pode ser sua própria antipartícula.* Se uma partícula e sua antipartícula colidirem, aniquilam uma a outra numa explosão de fótons.

O big bang deve ter criado quantidades iguais de partículas e antipartículas, portanto nosso Universo deve conter quantidades iguais de cada tipo de matéria – sem contar os fótons. Se a matéria e a antimatéria estivessem perfeitamente misturadas, iriam colidir, portanto hoje só existiriam fótons. Entretanto, nosso Universo não é assim; existe bastante matéria além dos fótons, e toda ela parece ser matéria comum. Isso é um grande enigma, chamado assimetria bariônica. Até agora não foi encontrada nenhuma resposta satisfatória para esse dilema. Contudo, o que acontece é que a simetria da conjugação de cargas não é tão exata, e bastaria apenas um bilhão mais uma partículas de matéria para

* No entanto, as partículas sem carga nem sempre são iguais a suas antipartículas. O nêutron, uma partícula sem carga, é formado por quarks, que individualmente têm carga diferente de zero. O antinêutron é formado pelos antiquarks correspondentes, portanto, o nêutron e o antinêutron são diferentes.

cada bilhão de partículas de antimatéria para formar o que vemos hoje. Ou, então, pode haver outras regiões do Universo onde a antimatéria é predominante, embora isso pareça bastante improvável. Ou talvez os viajantes do tempo do futuro distante tenham roubado uma partícula de antimatéria de cada bilhão e uma do Universo primitivo para alimentar suas máquinas do tempo.

A antimatéria, porém, certamente *existe*, pois podemos produzi-la. Átomos de anti-hidrogênio, formados por um pósitron que circunda um antipróton, foram criados pela primeira vez em 1995 no acelerador de partículas do Cern, em Genebra. Até agora não foi produzido nenhum antiátomo mais pesado, embora já se tenha produzido o núcleo do antideutério (um átomo sem seu pósitron em órbita). A forma mais comum de antimatéria encontrada em experimentos de laboratório é o pósitron, que pode ser gerado por certos átomos radioativos que sofrem decaimento beta+. Nesse caso, um próton se transforma num nêutron, um pósitron e um neutrino. Entre esses átomos estão o carbono-11, o potássio-40, o nitrogênio-13 e outros.

A íntegra do poema de Furth se encontra em: www.cs.rice.edu/ssiyer/minstrels/poems/795.html.

Para saber mais sobre a física da antimatéria, veja: en.wikipedia.org/wiki/Antimatter, livefromcern.web.cern.ch/livefromcern/antimatter.

Para saber mais sobre a propulsão de Alcubierre e tópicos relacionados, veja: en.wikipedia.org/wiki/Alcubierre_drive, hyperspace.wikia.com/wiki/Alcubierre_drive.

Como enxergar dentro das coisas

A antimatéria não é apenas um capricho de físicos metidos a besta. Os pósitrons têm um uso importante na medicina, nas máquinas de PET (sigla tomografia por emissão de pósitrons, em inglês). Esse exame é usado muitas vezes em combinação com a TAC (tomografia axial computadorizada), em geral abreviada para TC. Ambas se baseiam em técnicas matemáticas inventadas há muito tempo, sem qualquer razão prática em particular. Tais ideias, claro, precisaram ser melhoradas e ajustadas para dar conta de várias questões práticas – por exemplo, manter a exposição do paciente aos raios X o mais baixa possível, o que reduz a quantidade de dados que podem ser coletados.

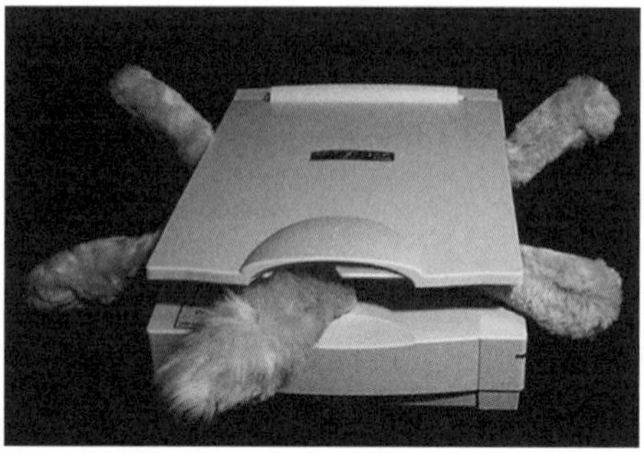

Não, assim não.

Essa tecnologia remonta aos tempos do surgimento da radiografia; a matemática em questão foi desenvolvida por Johann Radon, nascido em 1887, na Boêmia, que na época formava parte do Império Austro-Húngaro e hoje integra a República Tcheca. Entre suas descobertas está a transformada de Radon.

Johann Radon em 1920.

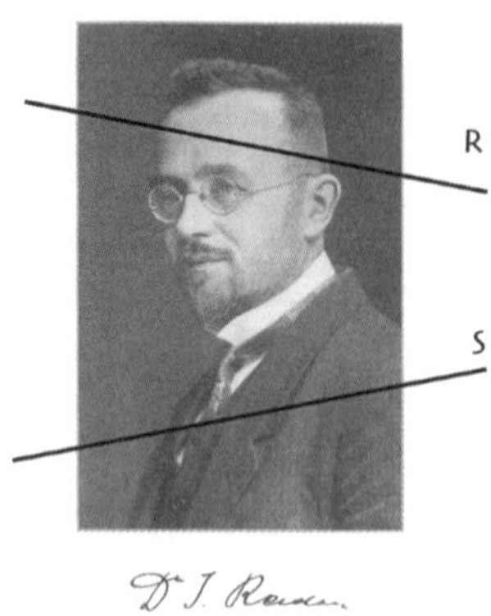

Como transformá-lo.

A matéria-prima para a transformada de Radon é uma "função" f definida em todos os pontos x do plano. Isso significa que f define alguma regra que, para qualquer escolha dada de x, leva a um número $f(x)$ específico. Por exemplo, instruções como "forme o quadrado de x", caso em que $f(x) = x^2$, e assim por diante. A transformada torna f uma função relacionada F definida em *retas* do plano. O valor $F(R)$ de F para alguma reta R pode ser visto como a média de $f(x)$, à medida que x corre ao longo da reta.

Isso não é extremamente intuitivo (exceto para profissionais), por isso vou reformular a questão em termos de algo que, nesta era de computadores, talvez soe mais familiar. Considere uma imagem em "preto e branco", como essa foto de Radon. Podemos associar um número a cada tom de cinza da imagem. Assim, se 0 = branco e 1 = preto, então ½ seria o cinza obtido ao misturarmos quantidades iguais de preto e branco, e assim por diante. Esses números determinam uma "escala de cinza": quanto maior o número, mais escuro o tom de cinza. Assim, os pontos na gola de Radon são 0, a maior parte de seu rosto é próximo de 0,25, seu terno é 0,5 ou mais, e algumas das sombras são próximas de 1.

Podemos associar uma função f à foto. Para isso, seja x qualquer ponto na foto e $f(x)$ o número do tom de cinza nesse ponto. Por exemplo, f(ponto na gola) = 0, f(ponto no rosto) = 0,25 e assim por diante. A função é definida em todos os pontos do plano (dentro das margens da foto). Também podemos reconstruir a foto a partir da função – de fato, a imagem é armazenada no computador dessa maneira, deixando de lado certos detalhes técnicos.

Para definir a transformada de Radon F, tome qualquer reta no plano – digamos, a reta R da foto de Randon. Seja $F(R)$ o valor médio da escala de cinza da foto ao longo da reta R. Nesse caso, R corta o rosto de Radon, e a média é (digamos) 0,38. Portanto $F(R) = 0{,}38$. A reta S tem muito mais pontos escuros em seu trajeto, portanto pode ser que $F(S) = 0{,}72$. Temos que fazer este procedimento em todas as retas possíveis, não apenas nessas duas: existe uma fórmula para a resposta nos termos de uma integral.

Começar com uma função e calcular sua transformada de Radon é bastante direto, embora um pouco confuso. No entanto, calcular a função a partir da transformada de Radon não é algo tão evidente. O principal achado de Radon foi descobrir que isso era possível, e ele apresentou outra fórmula para o cálculo. Isso implica que, se conhecermos apenas a média do valor na escala de cinza ao longo de todas as retas existentes na foto, podemos descobrir como é a cara de Radon.

O que tudo isso tem a ver com a tomografia computadorizada?

Suponha que um médico consiga pegar uma "fatia" do seu corpo, ao longo de um plano, e produzir uma imagem em escala de cinza dos tecidos cortados por essa fatia. Os órgãos densos apareceriam num tom cinza escuro, os menos densos num tom cinza claro, e assim por diante. Seria exatamente como cortar alguma espécie de "radiografia tridimensional" com um plano. E a imagem diria ao médico de modo exato, onde estão os tecidos do corpo em relação a essa fatia.

Por infelicidade, não existe nenhuma máquina de raios X que consiga obter esse tipo de imagem *diretamente*. O que podemos fazer é passar um raio X – que é, essencialmente uma linha reta – através do corpo e medir a intensidade da radiação ao sair pelo outro lado. Essa força está relacionada à densidade média do tecido – o valor médio em escala de cinza da fatia hipotética – observado ao longo dessa reta. Quanto maior a densidade média do tecido, mais fracos serão os raios que saem pelo outro lado. Assim, se emitirmos um raio ao longo de cada reta possível no plano da fatia, conseguiremos calcular a transformada de Radon da função escala de cinza naquela fatia. Então a fórmula de Radon nos daria a própria função escala de cinza, e isso seria uma representação direta da imagem criada pela fatia plana. Isto é, a aparência dessa fatia no espaço real. Portanto, trata-se de um meio de enxergarmos o interior de objetos sólidos.

Na prática não podemos medir a transformada de Radon ao longo de *todas* as retas, mas podemos medi-la ao longo de um número suficiente de retas que permita reconstruir uma aproximação útil da imagem (muitos dos ajustes estão ligados a essa perda de precisão). E isso, deixando de lado alguns detalhes técnicos no valor de uns poucos milhões de dólares,* é o que uma máquina de TC faz. Você fica deitado

* A empresa pioneira no desenvolvimento da máquina de TC foi a EMI, uma gravadora. Suspeita-se que os milhões de dólares tenham vindo da venda de discos dos Beatles.

dentro de uma máquina que tira imagens de raios X de uma série de ângulos próximos num plano que corta seu corpo. Um computador utiliza versões ajustadas da fórmula de Radon, ou métodos correlatos, para calcular a imagem transversal correspondente. A máquina faz mais uma coisa: move seu corpo cerca de 1mm e repete o procedimento numa fatia paralela. E depois em outra, e outra... construindo assim uma imagem tridimensional de seu corpo.

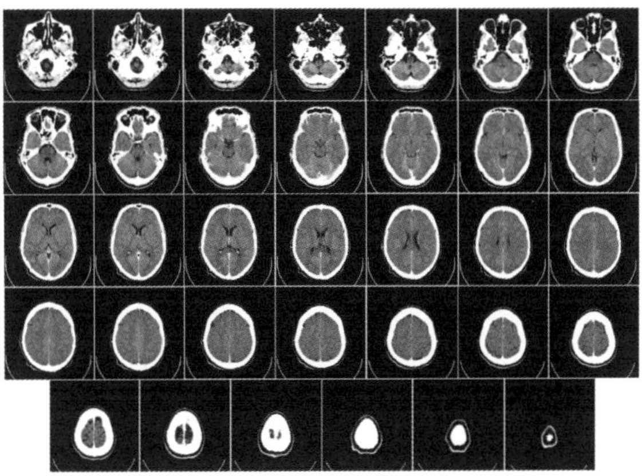

Cortes de uma cabeça humana, feitos por tomografia computadorizada.

A tomografia por emissão de pósitrons utiliza tecnologia semelhante, sendo muitas vezes realizada pela mesma máquina, mas com pósitrons, em vez de raios X. O paciente recebe uma dose de uma versão levemente radioativa de um açúcar encontrado de hábito no organismo, em geral a fluordesoxiglicose. O grau de concentração desse açúcar varia conforme o tecido do corpo. À medida que o elemento radiativo sofre decaimento, vai emitindo pósitrons, e quanto mais açúcar houver em algum local, mais pósitrons serão emitidos por aquela região. O escâner capta os pósitrons e mede quanta atividade existe ao longo de cada reta. O resto é bastante parecido com a TC.

Se você algum dia precisar realizar um exame médico como esse, talvez valha a pena ter em mente que ele é possibilitado por algumas equações rabiscadas por um físico matemático e uma fórmula descoberta quase um século atrás por um matemático puro interessado numa questão técnica sobre transformadas integrais.

Matemáticos meditam sobre a matemática

A matemática é escrita para os matemáticos. Nicolau Copérnico

A matemática é o juiz supremo. Suas decisões não têm apelação. Não podemos mudar as regras do jogo; não podemos nos certificar de que o jogo é justo. Tobias Dantzig

Comigo, tudo se transforma em matemática. René Descartes

A matemática pode ser comparada a uma grande rocha cuja composição interior desejamos examinar. Os matemáticos mais velhos se portam como lapidadores perseverantes que tentam demolir lentamente a rocha pelo exterior, com um martelo e um cinzel. Os matemáticos mais modernos parecem mineradores hábeis que procuram veios vulneráveis, perfuram esses locais estratégicos e então explodem a rocha em pedaços, colocando cargas internas nos lugares certos. Howard W. Eves

O grande livro da natureza foi escrito com símbolos matemáticos. Galileu Galilei

A matemática é a rainha das ciências. Carl Friedrich Gauss

A matemática é uma linguagem. Josiah Willard Gibbs

A matemática é um esporte intelectual interessante, mas não devemos permitir que dificulte a obtenção de informações razoáveis sobre processos físicos. Richard W. Hamming

A matemática pura, de modo geral, é claramente mais útil que a aplicada. Pois nada é mais útil que a técnica, e a técnica matemática é ensinada sobretudo pela matemática pura. Godfrey Harold Hardy

Um dos grandes mal-entendidos sobre a matemática que perpetramos em nossas salas de aula é que o professor sempre parece saber a resposta para qualquer problema que esteja sendo discutido. Isso dá ao estudante a ideia de que, em alguma parte, há um livro com todas as respostas certas para todas as questões interessantes, e que os professores conhecem essas respostas. E se conseguirmos pôr as mãos nesse livro, tudo estará resolvido. Isso se distancia inteiramente da verdadeira natureza da matemática. LEON HENKIN

A matemática é um jogo com regras simples e marcas sem sentido num pedaço de papel. DAVID HILBERT

A matemática é a ciência do que é claro por si próprio. CARL GUSTAV JACOB JACOBI

A matemática é uma ciência que utiliza palavras fáceis para ideias difíceis. EDWARD KASNER e JAMES NEWMAN

O principal objetivo de todas as investigações sobre o mundo exterior deve ser descobrir a ordem racional e harmônica nele imposta por Deus, e que Ele revelou para nós na linguagem da matemática. JOHANNES KEPLER

Na matemática não compreendemos as coisas. Apenas nos acostumamos a elas. JOHN VON NEUMANN

A matemática é a ciência que chega a conclusões necessárias. BENJAMIN PEIRCE

A matemática é a arte de dar o mesmo nome a coisas diferentes. HENRI POINCARÉ

Muitas vezes ouvimos dizer que a matemática consiste essencialmente em "provar teoremas". O trabalho de um escritor por acaso é apenas "escrever frases"? GIAN-CARLO ROTA

A matemática pode ser definida como a disciplina em que nunca sabemos do que estamos falando, nem se o que estamos falando é verdadeiro. BERTRAND RUSSEL

A matemática é a ciência da forma significativa. LYNN ARTHUR STEEN

A matemática não é um livro confinado numa capa e preso entre fechos de bronze, bastando apenas paciência para que possamos vasculhar seu conteúdo; não é uma mina, cujos tesouros talvez demoremos muito a possuir, mas que preencherá apenas um número limitado de veios e filões; não é um solo, cuja fertilidade possa ser exaurida pela produção de sucessivas colheitas; não é um continente nem um oceano, cuja área possa ser mapeada e cujo contorno, definido: ela é tão ilimitada quanto esse espaço, estreito demais para suas aspirações; suas possibilidades são tão infinitas quanto os mundos que se amontoam e multiplicam eternamente sob o olhar do astrônomo. JAMES JOSEPH SYLVESTER

A matemática transfigura o encontro fortuito dos átomos, transformando-o no ornamento criado pelo dedo de Deus. HERBERT WESTREN TURNBULL

Em muitos casos, a matemática é uma fuga da realidade. O matemático encontra seu nicho monástico e sua felicidade em investigações que estão desconectadas das questões externas. STANISLAW ULAM

Deus existe pois a matemática é consistente, e o demônio existe pois não podemos provar isso. ANDRE WEIL

A matemática, como ciência, começou quando alguém, provavelmente um grego, provou proposições sobre "qualquer" coisa ou sobre "algumas" coisas, sem especificações sobre coisas em particular. ALFRED NORTH WHITEHEAD

A filosofia é um jogo com objetivos e sem regras. A matemática é um jogo com regras e sem objetivos. ANÔNIMO

As ovelhas de Wittgenstein

Esta história é contada por John Edensor Littlewood, professor de análise matemática em Cambridge, em seu adorável livrinho *A Mathematician's Miscellany*:

> Professor da escola: "Suponha que x seja o número de ovelhas no problema."
> Aluno: "Mas, professor, suponha que x não seja o número de ovelhas."

Littlewood conta que perguntou ao filósofo Ludwig Wittgenstein, também de Cambridge, se aquela seria uma piada filosófica profunda, e ele respondeu que sim.

A Torre de Pizza

Começo de tarde na pizzaria do Gerônimo, e os negócios andavam devagar. Angelina, uma das funcionárias, divertia-se empilhando caixas de pizza uma sobre a outra na borda da mesa. A construção parecia bastante precária, como Luigi comentou.

– Estou tentando ver até onde consigo chegar com a pilha sem que as caixas caiam – explicou Angelina. – Descobri que, usando só três caixas, quase consigo fazer com que a caixa de cima fique fora da linha da mesa.

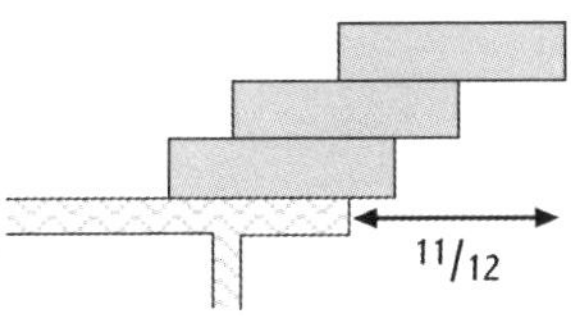

Se as caixas têm 1 unidade de comprimento, a de cima sobressai 11/12 de unidade.

– Como você descobriu isso? – perguntou Luigi.

– Bom, coloquei a de cima sobre a segunda de modo que seu centro ficasse alinhado perfeitamente à borda. Portanto, estava sobressaindo $\frac{1}{2}$ de unidade. Então ficou evidente que o centro de massa das duas caixas superiores estava no meio, portanto as coloquei com o centro de massa exatamente sobre a borda da terceira caixa. Se você fizer os cálculos, vai ver que ela sobressai outro $\frac{1}{4}$ de unidade. Então coloquei as três de modo que seu centro de massa combinado estivesse exatamente sobre a borda da mesa, e isso calhou de ser mais $\frac{1}{6}$ de unidade sobressalente.

– E $\frac{1}{2} + \frac{1}{4} + \frac{1}{6} = \frac{11}{12}$ – disse Luigi. – Você está certa, a pilha realmente sobressai quase 1 unidade.

Os leitores alertas irão perceber que Angelina e Luigi estão presumindo que as caixas são idênticas e uniformes, isto é, que sua massa se distribui de maneira regular. As caixas de pizza verdadeiras, cheias ou vazias, não são assim, maș, nesse problema, vamos fingir que são.

– O que acontece se acrescentarmos mais caixas? – perguntou Luigi.

– Acho que o padrão continua. Eu posso substituir a mesa por uma quarta caixa, e então correr a pilha até que esteja prestes a despencar, acrescentando mais $1/8$ sobressalentes. Nesse caso, a caixa de cima sobressai *de verdade* sobre a borda da mesa: o sobressalente é de $25/24$. E com ainda mais caixas, eu poderia continuar fazendo o mesmo, somando $1/10$, e assim por diante.

– Então você está dizendo – observou Luigi – que com n caixas podemos ter um sobressalente de

$$\frac{1}{2} + \frac{1}{4} + \frac{1}{6} + \frac{1}{8} + \ldots + \frac{1}{2n}$$

unidades. O que eu reconheço instantaneamente como $1/2 H_n$, onde H_n é o n-ésimo número harmônico:

$$H_n = 1 + \frac{1}{2} + \frac{1}{3} + \frac{1}{4} + \ldots + \frac{1}{n}$$

não é isso?

Angelina concordou que era. Assim como você.

Este é um problema antigo e famoso, e o maior sobressalente que podemos obter com n caixas usando este método realmente é $1/2 H_n$, portanto Angelina e Luigi estão certos. Você poderá encontrar os detalhes do problema muito bem trabalhados em várias outras fontes, e eu as incluiria aqui, se não fosse por um detalhe: essa resposta tradicional só é válida com o pressuposto adicional de que só há uma caixa em cada andar. E isso traz uma pergunta muito interessante: o que acontece sem esse pressuposto?

Em 1955, R. Sutton percebeu que, mesmo com apenas três caixas, podemos melhorar a construção de Angelina: um sobressalente de 1, em vez de $11/12$. Com quatro caixas, o maior sobressalente possível é

$$\frac{15 - 4\sqrt{2}}{8} = 1.16789$$

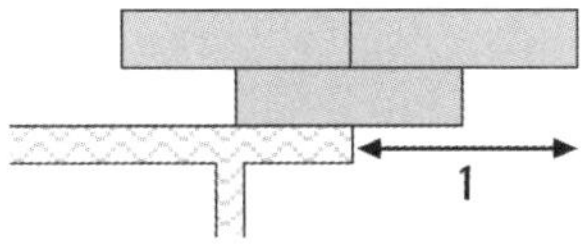

Sutton descobriu como fazer com que a caixa de cima sobressaia 1 unidade com três caixas.

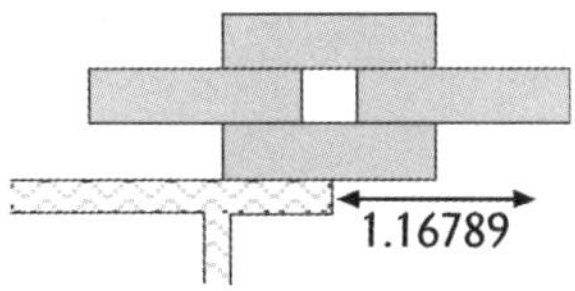

Com quatro caixas, o maior sobressalente é alcançado deixando-se um espaço na segunda camada.

O que acontece com *n* caixas, se usarmos quantas quisermos em cada andar? (Existe uma questão ainda mais geral, em que as caixas podem ser inclinadas, mas vamos nos ater às camadas, como numa parede de tijolos.)

Você talvez queira tentar resolver esse problema antes de continuar a leitura. Qual é o maior sobressalente possível com 5 ou 6 caixas?

Resposta na p.314

Para evitar mal-entendidos, deixe-me esclarecer as condições. Todas as caixas são idênticas e uniformes e estão concebidas como retângulos exatos, com todos os pressupostos habituais da geometria euclidiana. O problema é apresentado no plano, pois no espaço tridimensional também poderíamos girar as caixas sem violar a condição das "camadas". O arranjo deve estar em equilíbrio: isto é, se calcularmos todas as forças que atuam em qualquer caixa, elas deverão se anular. As caixas devem estar dispostas em camadas, mas você pode deixar espaços. Mais uma condição importante: você não precisa ser capaz de construir a pilha acrescentando uma caixa de cada vez. As etapas intermediárias podem despencar se deixadas sem apoio. Apenas o arranjo final deve estar em equilíbrio. (Esta condição de equilíbrio, na verdade, não é extremamente intuitiva; ela pode ser transformada em equações e verificada por computador. Quando não há muitas caixas, entretanto, deve ser intuitiva o bastante para que você possa resolver o problema.)

As respostas para 4, 5 e 6 caixas foram calculadas por J.F. Hall em 2005. Na verdade, ele propôs alguns padrões gerais e sugeriu que esses padrões sempre deveriam maximizar o sobressalente. Entretanto, em 2009, Mike Paterson e Uri Zwick mostraram que as pilhas de Hall maximizam o sobressalente apenas para 19 caixas ou menos (veja a referência na p.314). É extremamente complicado encontrar arranjos com muitas caixas, mas esses autores propuseram alguns arranjos quase ideais para até 100 caixas.

Uma pergunta muito interessante é: com que rapidez o maior sobressalente possível pode crescer à medida que o número n de caixas aumenta? Para a solução clássica com "uma caixa por camada", a resposta é $\frac{1}{2}H_n$. Não parece haver uma fórmula simples para encontrarmos este número, mas o logaritmo natural $\log n$ é uma excelente aproximação de H_n. Assim, o tamanho "assintótico" do maior sobressalente possível é $\frac{1}{2}\log n$.

Paterson e Zwick provaram que, quando as camadas podem conter muitas caixas, o sobressalente máximo é aproximadamente proporcional à raiz cúbica de n. Mais precisamente, existem constantes c e C para as quais o sobressalente máximo sempre se encontra entre $c\sqrt[3]{n}$ e $C\sqrt[3]{n}$. Os autores apresentaram arranjos explícitos com um sobressalente de no mínimo

$$\sqrt[3]{\frac{3}{16}}\sqrt[3]{n} - \frac{1}{4} = 0.572357\sqrt[3]{n} - \frac{1}{4}$$

unidades, usando o que chamaram de "pilhas parabólicas". A figura mostra uma dessas pilhas, com 111 caixas e um sobressalente de exatamente 3 unidades (a fórmula aproximada gera apenas 2,50069 em vez de 3 quando $n = 111$, mas ainda gera o melhor sobressalente conhecido para qualquer n elevado).

No início de 2009, Peter Winkler, Yuval Peres e Mikkel Thorup se juntaram ao time e levaram a questão adiante. Eles provaram que o valor máximo de C é 6: o sobressalente nunca pode ser maior que $6\sqrt[3]{n}$. Sua prova usa a teoria probabilística do "passeio aleatório", no qual uma pessoa dá um passo para a frente ou para trás conforme probabilidades especificadas. Cada novo tijolo distribui as forças atuantes de uma maneira semelhante à distribuição das probabilidades com a progressão de um passeio aleatório.

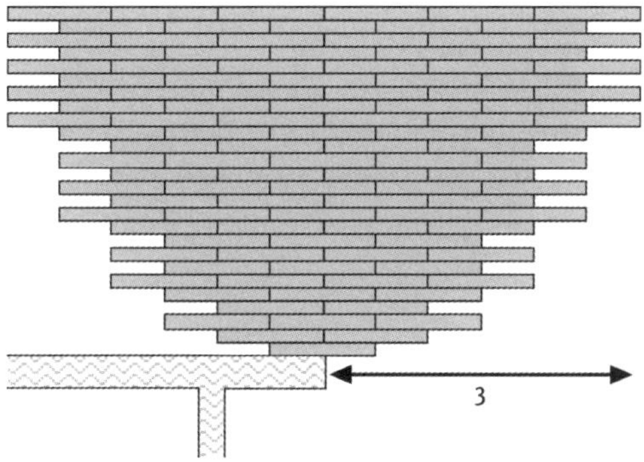

Uma pilha parabólica com 111 caixas e sobressalente 3.

A Trattoria do Pizzágoras

Alvin, Brenda e Casimir foram à Trattoria do Pizzágoras e compraram três de suas famosas pizzas, que são perfeitamente circulares. Eles compraram uma minipizza de 6cm de diâmetro, uma midipizza de 8cm e uma maxipizza de 10cm de diâmetro, pois eram as únicas que restavam.

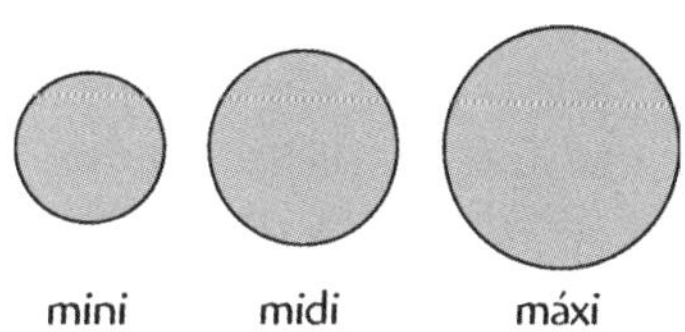

Três pizzas.

Eles poderiam ter ficado cada um com uma pizza, mas preferiram dividi-las de maneira justa. Pois bem, como todo mundo sabe, as famosas pizzas de Pizzágoras são formadas por uma camada plana de massa, de espessura uniforme, com uma camada de queijo sobre ela. A espessura da massa e do queijo é igual em todas as pizzas. Portanto, "justo" significa, "com área igual" quando vistas de cima, como na figura.

O grupo decidiu que seria complicado dividir as pizzas de maneira justa, resolvendo simplesmente dividir cada pizza separadamente em três pedaços, quando Desdêmona apareceu dizendo que também queria um pedaço justo para ela. Felizmente, eles ainda não haviam começado a cortar as pizzas. Depois de pensarem um pouco, descobriram que agora poderiam dividir as pizzas com mais facilidade, cortando duas delas em dois pedaços cada uma e deixando a terceira pizza inteira. Como?

Resposta na p.314

Moldura de ouros

A tentativa de Innumeratus de construir uma moldura mágica.

Innumeratus havia pegado as cartas que vão do ás ao 10 de ouros de um baralho e as ordenava numa moldura retangular.

– Olhe! – gritou para Mathophila. – Montei as cartas de modo que o número total de ouros em cada lado da moldura seja igual!

Mathophila havia aprendido a desconfiar desse tipo de declaração, e logo assinalou que os valores em questão eram 19 (em cima), 20 (à esquerda), 22 (à direita) e 16 (embaixo).

– Bem, então arrumei as cartas de modo que o número total de ouros de cada lado da moldura seja *diferente*.

Mathophila concordou com isso, mas achou que era um jogo bastante bobo. Ela gostava muito mais da primeira versão.

Você consegue resolver a versão original? As cartas podem ser giradas em ângulos retos se você quiser.

Resposta na p.315

Ordem de despejo

Este é um quebra-cabeça tradicional, que remonta ao matemático italiano renascentista Tartaglia, nascido em 1500, mas suas soluções têm características sistemáticas que passaram despercebidas até 1939 e que serão discutidas na seção de respostas. Existem muitos quebra-cabeças semelhantes.

Temos três jarras que comportam respectivamente 3, 5 e 8 litros de água. A jarra de 8 litros está cheia, as outras duas estão vazias. Sua tarefa é dividir a água em duas partes, cada uma com 4 litros, passando a água de uma jarra para a outra. Não é permitido estimar de olho as quantidades, portanto você só pode parar de verter a água quando uma das jarras em questão estiver completamente cheia ou vazia.

Divida a água em duas partes iguais.

Resposta na p.315

Esfera chifruda de Alexandre

Se desenharmos no plano uma curva fechada que não cruze a si mesma, parece bastante óbvio que ela deverá dividir o plano em duas regiões: uma dentro da curva, a outra fora. Mas as curvas matemáticas podem ser muito tortuosas, e essa afirmação óbvia acabou por se mostrar de difícil comprovação. Camille Jordan apresentou uma tentativa de prova, que se estendia por mais de 80 páginas, num livro publicado em vários volumes, entre 1882 e 1887, mas descobriu-se que estava incompleta. Oswald Veblen encontrou a primeira prova correta deste "teorema da curva de Jordan" em 1905. Em 2005, uma equipe de matemáticos desenvolveu uma prova que pudesse ser verificada por computador – e a verificaram. A prova tinha 6.500 linhas de extensão.

Uma curva fechada, com o interior sombreado.

Uma característica topológica mais sutil dessa curva fechada é que as regiões dentro e fora da curva são topologicamente equivalentes às regiões dentro e fora de uma circunferência comum. Isso também pode parecer óbvio, mas, por incrível que pareça, a afirmação correspondente em três dimensões, que também parece óbvia, é falsa. Isto é: existe uma superfície no espaço que é topologicamente equivalente a uma esfera comum, mas cujo exterior *não* é topologicamente equivalente ao exterior de uma esfera comum! Tal superfície foi descoberta por James Waddell Alexander em 1924, sendo chamada esfera chifruda de Alexandre. É como uma esfera da qual brotou um par de chifres, que se dividem repetidamente e se entrelaçam.

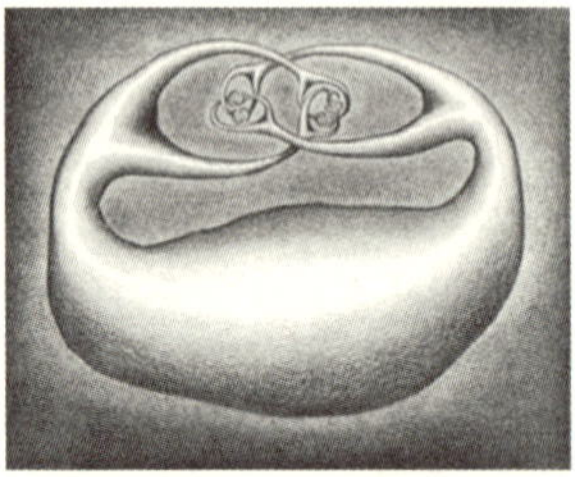

A esfera chifruda de Alexandre.

Meali Mente e os avatares sagrados

O intrépido aventureiro e caçador de tesouros Colorado Smith, que não é *nem um pouco* parecido com um arqueólogo de verdade, esquivou-se de uma chuva de flechas para checar um rústico mapa esboçado no velho caderno de seu pai.

– O santuário sagrado de Meali Mente, a deusa da comida e do sono – leu ele – é formado por 64 almofadas sagradas idênticas, estofadas com penas de avestruz, dispostas num arranjo de 8 × 8. Os cinco avatares sagrados de Meali Mente, representados por bonecos empalhados, devem ser colocados sobre as almofadas de modo a "vigiarem" todas as outras almofadas: isto é, todas as almofadas devem estar na mesma linha que uma almofada ocupada por um avatar. Essa linha pode ser horizontal, vertical ou diagonal, e "diagonal" significa "inclinada em 45°".

– Cuidado! – gritou sua ajudante Brunnhilde, refugiando-se atrás de um grande altar de pedra.

– Se eu fosse você, não faria isso – disse Smith, puxando-a meio segundo antes que as colunas de apoio explodissem em nuvens de poeira, e o altar de pedra de 10 toneladas desabasse no chão. – Pois bem, segundo o caderno do papai, a deusa deve se reclinar num colchão, cercada por seus avatares sagrados. Temos de deixar um espaço para o colchão sagrado, que é quadrado. Humm... *isso* talvez funcione.

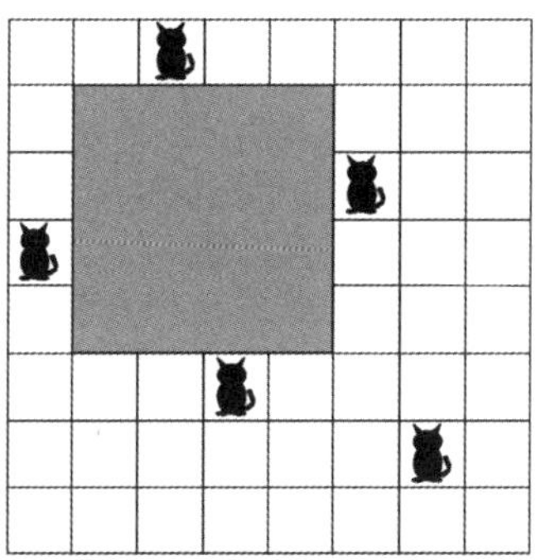

Será esta a maneira de dispor os cinco avatares sagrados e o colchão de Meali Mente?

– Está parecendo muito fácil – disse Brunnhilde. – O que *mais* devemos fazer?

Smith removeu calmamente um mortífero escorpião-camicase do cabelo de Brunnhilde, esperando que ela não percebesse.

– Ah, temos que dispor os avatares de modo a abrir o maior espaço possível para um colchão quadrado. Tendo em mente que eles devem vigiar todas as almofadas. Duvido que consigamos achar uma resposta melhor que a minha figura.

– Mas esses sacerdotes ancestrais eram bem sorrateiros – disse Brunnhilde. Ela tentou não dar ouvidos aos gritos aterrorizantes que se aproximavam e colocou a cabeça para funcionar. Se eles conseguissem resolver o enigma do colchão sagrado, poderiam passar ao enigma dos camundongos em conserva, e então restariam apenas outros 17 enigmas entre eles e a Sala dos Tesouros. – O colchão precisa estar posicionado com os lados paralelos aos das almofadas? Não pode estar *inclinado*?

– Não vejo nada que proíba isso nas 999 páginas do *Livro da nona vida* – respondeu Smith. – A única restrição é que o colchão não pode se sobrepor a nenhuma almofada sobre a qual esteja pousado um dos avatares sagrados. As margens do colchão e das almofadas podem se tocar, mas não pode haver uma verdadeira sobreposição.

Como podemos encaixar o maior colchão possível sem quebrarmos as regras sagradas?

Resposta na p.317

Perfeita, abundante e amigavelmente deficiente

Se n é um número inteiro, então a soma de seus divisores, incluindo o próprio n, é denotada por $\sigma(n)$. Assim, por exemplo,

$$\sigma(24) = 1 + 2 + 3 + 4 + 6 + 8 + 12 + 24 = 60$$

A soma dos divisores é a base para uma diversão muito antiga, a busca de números perfeitos. Um número é *abundante* se for menor que a soma de seus divisores "próprios" – aqueles que excluem o próprio número. Um número é *deficiente* se for maior que essa soma, e *perfeito* se for igual a ela. Em termos da soma de divisores, essas condições se tornam

$$\sigma(v) > 2v \qquad \sigma(v) < 2v \qquad \sigma(v) = 2v$$

Neste caso, vemos $2n$ em vez de n, porque $\sigma(n)$ inclui o divisor n assim como todos os outros. Isso é feito para que a bela fórmula $\sigma(mn) = \sigma(m)\,\sigma(n)$ continue válida quando m e n não têm nenhum fator comum maior que 1.

Muitos números são deficientes; por exemplo, 10 tem como divisores próprios os números 1, 2, 5, que somam 8. Os números abundantes são mais raros: os divisores próprios de 12 são 1, 2, 3, 4, 6, que somam 16. Os números perfeitos são muito raros; os primeiros são:

$$6 = 1 + 2 + 3$$
$$28 = 1 + 2 + 4 + 7 + 14,$$

seguidos por 496 e 8.128. Euclides descobriu um padrão nesses números perfeitos: ele provou que sempre que $2^p - 1$ for um número primo, o número $2^{p-1}(2^p - 1)$ será perfeito. Muito mais tarde, Euler provou que todo número perfeito *par* deve possuir essa forma. Os números primos com a forma $2^p - 1$ são chamados primos de Mersenne (*Almanaque das curiosidades matemáticas*, p.160).

Ninguém sabe se existe algum número perfeito ímpar; no entanto, Carl Pomerance apresentou um argumento não rigoroso, porém plausível, segundo o qual eles não existem. Há uma prova sólida de que, se existir um número perfeito impar, ele deverá ser maior que 10^{300}, tendo ao menos 75 fatores primos. Seu maior fator primo deverá ser maior que 10^8.

Um passatempo relacionado a este e também antigo consiste em encontrar pares de números *amigos* – cada um igual à soma dos divisores próprios do outro. Isto é,

$$m = \sigma(n) - n$$
$$n = \sigma(m) - m$$

portanto $\sigma(n) = \sigma(m) = m + n$. Por exemplo, os divisores próprios de 220 são 1, 2, 4, 5, 10, 11, 20, 22, 44, 55, 110, que somam 284; os divisores próprios de 284 são 1, 2, 4, 71, 142, que somam 220. Os seguintes pares de números amigos são (1184, 1210), (2620, 2924), (5020, 5564) e (6232, 6368).

Em todos os exemplos conhecidos, os números de um par amigo são ambos pares ou ambos ímpares. Todo par conhecido compartilha ao menos um fator comum; não sabemos se pode existir um par de números amigos sem nenhum fator comum. Se existir, seu produto será de no mínimo 10^{67}.

Um número inteiro é multiperfeito se dividir exatamente a soma de seus divisores; a *multiplicidade* é o quociente. Nesse caso, não faz diferença se incluímos ou não o número em si, a não ser pelo fato de que a multiplicidade é reduzida em 1 se não o fizermos. Mas o número normalmente é incluído. Quando o fazemos, os números perfeitos comuns têm multiplicidade 2, os números triperfeitos têm multiplicidade 3 etc. O menor número triperfeito é 120, como Robert Recorde já sabia em 1557: a soma de seus divisores é

$$1 + 2 + 3 + 4 + 5 + 6 + 8 + 10 + 12 + 15 + 20 + 24 + 30 + 40 + 60 + 120 = 360 = 3 \times 120$$

Segue uma lista com mais alguns números multiperfeitos. Muitos outros são conhecidos (os pontos entre os números significam "multiplicado por")

Número	Descobridor	Data
Triperfeito		
$2^3 \cdot 3 \cdot 5$	Robert Recorde	1557
$2^5 \cdot 3 \cdot 7$	Pierre de Fermat	1636
$2^9 \cdot 3 \cdot 11 \cdot 31$	André Jumeau de Sainte-Croix	1638
$2^8 \cdot 5 \cdot 7 \cdot 19 \cdot 37 \cdot 73$	Marin Mersenne	1638
Tetraperfeito		
$2^5 \cdot 3^3 \cdot 5 \cdot 7$	René Descartes	1638
$2^3 \cdot 3^2 \cdot 5 \cdot 7 \cdot 13$	René Descartes	1638
$2^9 \cdot 3^3 \cdot 5 \cdot 11 \cdot 31$	René Descartes	1638
$2^8 \cdot 3 \cdot 5 \cdot 7 \cdot 19 \cdot 37 \cdot 73$	Édouard Lucas	1891
Pentaperfeito		
$2^7 \cdot 3^4 \cdot 5 \cdot 7 \cdot 11^2 \cdot 17 \cdot 19$	René Descartes	1638
$2^{10} \cdot 3^5 \cdot 5 . 7^2 \cdot 13 \cdot 19 \cdot 23 \cdot 89$	Bernard Frénicle de Bessy	1638
Hexaperfeito		
$2^{23} \cdot 3^7 \cdot 5^3 \cdot 7^4 \cdot 11^3 \cdot 13^3 \cdot 17^2 \cdot 31 \cdot 41 \cdot 61 \cdot 241 \cdot 307 \cdot 467 . 2801$	Pierre de Fermat	1643
$2^{27} \cdot 3^5 \cdot 5^3 \cdot 7 \cdot 11 \cdot 13^2 \cdot 19 \cdot 29 \cdot 31 \cdot 41 \cdot 43 \cdot 61 \cdot 113 \cdot 127$	Pierre de Fermat	1643
Heptaperfeito		
$2^{46}(2^{47} - 1) \cdot 19^2 \cdot 127 \cdot 3^{15} \cdot 5^3 \cdot 7^5 \cdot 11 \cdot 13 \cdot 17 \cdot 23 \cdot 31 \cdot 37 \cdot 41 \cdot 43 \cdot 61 \cdot 89 \cdot 97 \cdot 193 \cdot 442151$	Allan Cunningham	1902

Tiro ao alvo

Robin Hood e o frei Tuck estava praticando tiro ao alvo. O alvo era uma série de anéis concêntricos, colocados entre círculos sucessivos com raios 1, 2, 3, 4, 5 (o círculo mais interno conta como um anel).

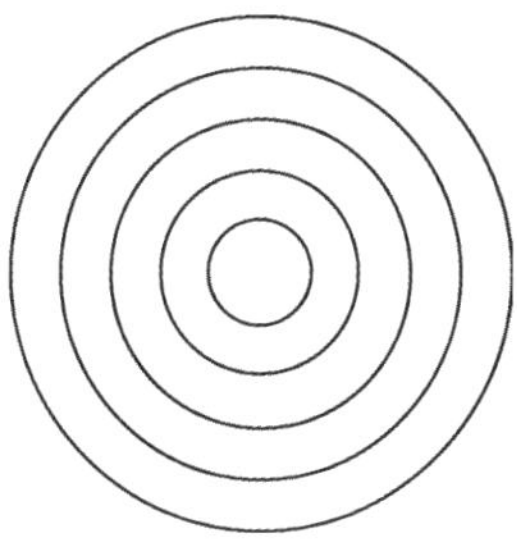

O alvo.

O frei Tuck e Robin atiraram então várias flechas.

– Todas as suas flechas estão mais perto do centro que as minhas – disse Tuck, pesaroso.

– É por isso que sou o líder desse bando de foras da lei – comentou Robin.

Mas vejamos a coisa pelo lado positivo – respondeu Tuck. – A área total dos anéis que eu acertei é igual à área total dos anéis que você acertou. Portanto, os dois temos a mesma precisão, certo?

Naturalmente Robin apontou a falácia... Mas:

Que anéis os dois arqueiros acertaram?

(Um anel pode ser acertado mais de uma vez, embora só conte uma vez no cálculo da área.)

Valendo um ponto extra: qual o menor número de anéis para o qual esta pergunta tem duas ou mais respostas diferentes?

Valendo mais um ponto extra: se os anéis de cada um dos dois arqueiros forem adjacentes – de modo que não existam anéis ilesos entre dois anéis que tenham sido acertados –, qual o menor número de anéis para o qual esta pergunta tem duas ou mais respostas diferentes?

Resposta na p.318

É só uma fase que estou passando

Ao longo do mês lunar, as fases da Lua correm da nova à cheia e de volta à nova, passando por várias formas intermediárias conhecidas como "crescente", "quarto minguante", "gibosa" etc.

Os dois "quartos" são chamados assim porque ocorrem a um quarto e três quartos do caminho durante o mês lunar, começando na Lua nova. Nesses momentos, a área da parte visível é igual à metade da face da Lua, e não a um quarto. No entanto, há dois momentos durante o ciclo em que a área visível da Lua é exatamente igual a um quarto da área do disco lunar.

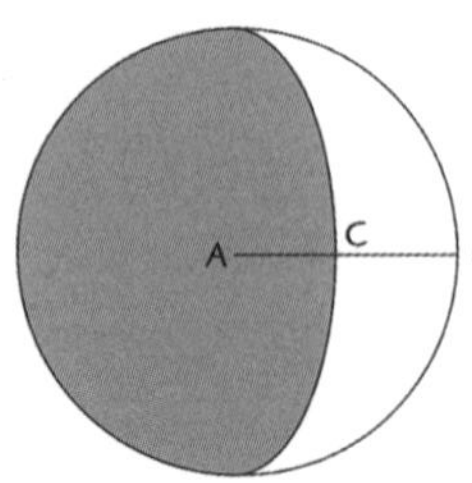

Em que momento a área do minguante é igual a um quarto da área do disco?

- Quando isto ocorre, a largura CB do crescente lunar equivale a qual fração do raio AB?
- Em que frações de um ciclo completo, começando na Lua nova, ocorrem esses crescentes especiais?

Para simplificar a geometria, suponha que a Lua é uma esfera e que as órbitas tanto da Lua (ao redor da Terra) como da Terra (ao redor do Sol) são círculos colocados sobre o mesmo plano, e que os dois corpos se movem a uma velocidade constante. Assim, a duração de um mês lunar também será constante. Presuma também que o Sol está tão distante que seus raios são todos paralelos, e que a Lua está distante o suficiente para que sua imagem, vista da Terra, seja obtida por uma projeção paralela – como se cada ponto da Lua fosse transferido para uma tela ao longo de uma reta que se encontra com a tela em ângulos retos (entretanto, temos que substituir a Lua real por outra muito menor, caso contrário sua imagem "no" olho teria 3.474 quilômetros de largura).

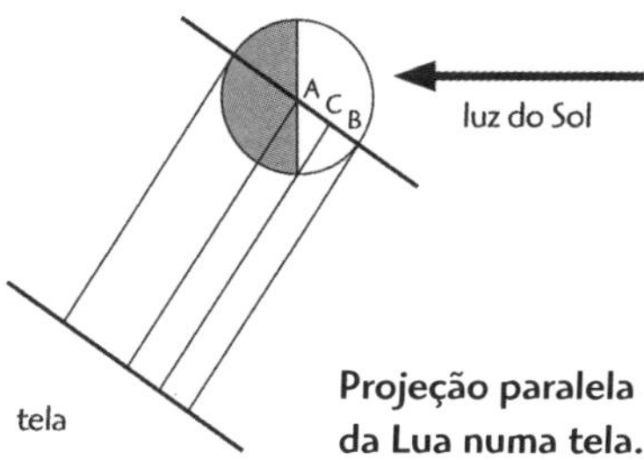

Projeção paralela das características da Lua numa tela.

Nenhuma dessas suposições é verdadeira, mas são boas aproximações, e a geometria fica muito mais difícil sem elas.

Resposta na p.319

Técnicas de prova

- *Prova por contradição*: "Este teorema contradiz um resultado bem conhecido encontrado por Isaac Newton."
- *Prova por metacontradição*: "Provamos que existe uma prova. Para fazer isso, presuma que não exista uma prova..."
- *Prova por postergação*: "Vamos provar isso na semana que vem."
- *Prova por postergação cíclica*: "Como provamos na semana passada..."
- *Prova por postergação indefinida*: "Como falei na semana passada, vamos provar isso na semana que vem."

- *Prova por intimidação*: "Como qualquer idiota pode ver, a prova é obviamente trivial."
- *Prova por intimidação postergada*: "Desculpe, professor, o senhor tem certeza disso?" Professor sai durante meia hora. Volta. "Tenho."
- *Prova por gesticulação*: "Autoexplicativa!" Mais eficaz em seminários e conferências.
- *Prova por gesticulação vigorosa*: Mais cansativa, porém mais eficaz.
- *Prova por citação hiperotimista*: "Como Pitágoras provou, a soma de dois cubos nunca é igual a um cubo."
- *Prova por convicção pessoal*: "Tenho a crença profunda de que o conjunto pseudo-Mandelbrot quaterniônico é localmente desconexo."
- *Prova por falta de imaginação*: "Não consigo imaginar nenhum motivo pelo qual seja falsa, portanto, deve ser verdadeira."
- *Prova por referência futura*: "Minha prova de que o conjunto pseudo-Mandelbrot quaterniônico é localmente desconexo aparecerá num artigo vindouro." Com frequência não tão vindouro quanto parecia quando a referência foi feita.
- *Prova por exemplo*: "Provamos o caso $n = 2$, então seja $2 = n$."
- *Prova por omissão*: "Os outros 142 casos são análogos."
- *Prova por terceirização*: "Os detalhes ficam por conta do leitor."
- *Enunciado por terceirização*: "A formulação do teorema correto fica por conta do leitor."
- *Prova por notação ilegível*: "Se você estudar as próximas 500 páginas de fórmulas incrivelmente densas em seis alfabetos, verá por que ela tem de ser verdadeira."
- *Prova por autoridade*: "Encontrei o Milnor na lanchonete e ele disse que achava muito provável que seja localmente desconexo."
- *Prova por comunicação pessoal*: "O conjunto pseudo-Mandelbrot quarteniônico é localmente desconexo (Milnor, comunicação pessoal)."
- *Prova por autoridade vaga*: "Sabe-se bem que o conjunto pseudo-Mandelbrot quarteniônico é localmente desconexo."
- *Prova por aposta provocativa*: "Se o conjunto pseudo-Mandelbrot quarteniônico não for localmente desconexo, vou pular da ponte de Londres usando uma fantasia de gorila."
- *Prova por alusão erudita*: "A conectividade local do conjunto pseudo-Mandelbrot quarteniônico decorre da adaptação dos métodos de Cheese-

burger e Fritas às quase variedades não compactas de infinitas dimensões sobre anéis de divisão de característica maior que 11."

- *Prova por redução ao problema errado*: "Para vermos que o conjunto pseudo-Mandelbrot quarteniônico é localmente desconexo, basta reduzi-lo ao Teorema de Pitágoras."
- *Prova por referência inacessível*: "Uma prova de que o conjunto pseudo-Mandelbrot quarteniônico é localmente desconexo pode ser facilmente derivada das memórias de Pzkizwcziewszczii, impressas privadamente e contidas no volume $1\frac{1}{2}$ das provas editoriais da revista *Atas do círculo de tricô das damas do sul de Liechtenstein*, publicadas em 1831 antes que toda a edição fosse destruída."

Precondição

"Esta é uma prova de uma linha – desde que comecemos suficientemente à esquerda."

Como Dudeney cozinhou Loyd

Em *Mathematical Carnival*, o famoso matemático recreativo Martin Gardner nos disse: "Quando vemos que um quebra-cabeça contém uma falha importante – quando a resposta está errada, quando não há resposta ou quando, ao contrário do que se afirma, existe mais de uma resposta ou uma resposta melhor –, dizemos que o quebra-cabeça foi 'cozinhado'." Gardner apresenta vários exemplos, dos quais o mais simples é um quebra-cabeça que ele havia publicado num livro para crianças. Na matriz de números

9	9	9
5	5	5
3	3	3
1	1	1

faça círculos ao redor de seis algarismos de modo que o total de números circulados seja 21. Veja a resposta de Gardner na p.320 para entender por que ele precisou cozinhar o quebra-cabeça, como o fez e como um de seus leitores o cozinhou ainda melhor. Em ambos os casos, a solução explora uma especificação imprecisa no enunciado da questão.

Gardner, especialista em quebra-cabeças, também menciona um exemplo mais sério de problemas cozinhados que envolveu dois arquirrivais dos quebra-cabeças matemáticos do final do século XIX e início do século XX, o americano Sam Loyd e o inglês Henry Ernest Dudeney. O problema consistia em cortar uma mitra (um quadrado do qual foi retirado um quarto triangular) no menor número de peças possível de modo que elas pudessem ser rearranjadas para formar um quadrado perfeito. Loyd resolveu o problema cortando dois triângulos pequenos e então usando uma construção em "escada" – com quatro peças no total.

Depois que Loyd publicou essa solução em sua *Cyclopaedia of Puzzles*, Dudeney descobriu um erro, encontrando então uma solução correta, com cinco peças. A pergunta mais fácil aqui é: onde estava o erro? O mais difícil é consertar as coisas.

Resposta na p.320

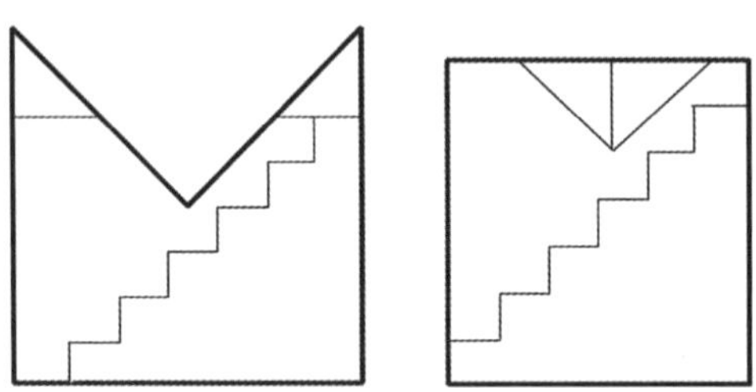

A tentativa de Loyd de cortar uma mitra em quatro peças para formar um quadrado.

Cozinhando com água

Falando em enunciados imprecisos: vou propor exatamente o mesmo quebra-cabeça que apresentei no *Almanaque das curiosidades matemá-*

ticas (p.208), em que a resposta era "impossível". Mas agora quero uma resposta diferente, pois desta vez vou permitir que o quebra-cabeça seja cozinhado de qualquer maneira inteligente.

Três casas precisam ser conectadas a três companhias de serviços – água, gás e eletricidade. Cada casa deve estar conectada a *todos os três* serviços. Como fazê-lo sem que as conexões se cruzem? (Trabalhe "no plano" – não existe uma terceira direção na qual os canos possam ser passados por cima ou por baixo dos cabos. E não é permitido passar os cabos ou canos através de uma casa ou de uma das companhias.)

Na verdade, eu deveria ter dito: "Não é permitido passar os cabos *ou canos* por dentro de uma casa ou de uma companhia." Acho que isto ficou claro pelo contexto, mas se você não concordar, assuma também essa condição.

Resposta na p.321

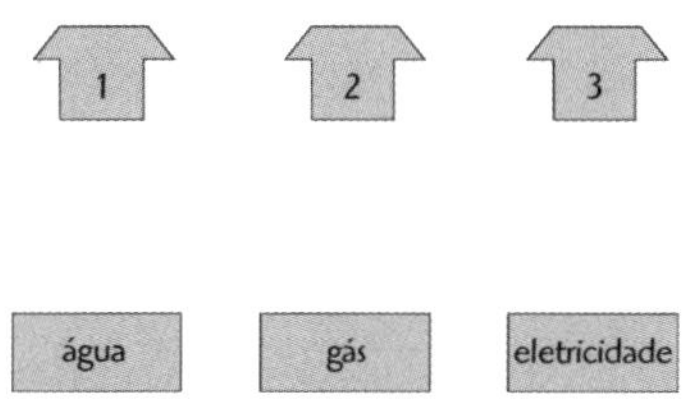

Conecte as casas às companhias de serviços obedecendo a todas as condições.

Ressonância celeste

Nos primeiros dias do telescópio, Galileu Galilei descobriu que o planeja Júpiter tinha quatro luas, hoje chamadas Io, Europa, Ganimedes e Calisto. Os astrônomos conhecem atualmente pelo menos 63 luas de Júpiter, mas as demais são muito menores que esses quatro satélites "galileanos", e algumas são muitíssimo pequenas. Os tempos que os satélites galileanos levam para dar a volta ao redor de Júpiter, contados em dias, são, respectivamente, 1,769; 3,551; 7,155 e 16,689. O que esses números têm de fascinante é que cada um deles é aproximadamente o dobro do anterior. De fato,

$$\frac{3,551}{1,769} = 2,007$$

$$\frac{7,155}{3,551} = 2,015$$

$$\frac{16,689}{7,155} = 2,332$$

As duas primeiras razões são muito próximas de 2; a terceira é menos impressionante.

As relações numéricas simples entre os primeiros três períodos não são acidentais: elas formam uma *ressonância* dinâmica, na qual as configurações das luas ou planetas tendem a se repetir em períodos regulares. Europa e Io se encontram numa ressonância 2:1, assim como Ganimedes e Europa. A razão ilustrada aqui é a dos períodos orbitais das duas luas em questão; os números das órbitas que elas percorrem ao mesmo tempo se encontram numa razão oposta, 1:2.

As ressonâncias surgem porque as órbitas correspondentes são especialmente estáveis, portanto não são afetadas por outros corpos na vizinhança, como as outras luas de Júpiter. No entanto, para dificultar as coisas, alguns tipos de ressonância são em particular instáveis, de acordo com a razão em questão e o sistema físico envolvido. Não compreendemos de todo os motivos para isso. Mas esse tipo de ressonância 2:1 é muito estável, e é por isso que a encontramos nas luas maiores de Júpiter.

As outras ressonâncias orbitais dentro do sistema solar são:

- 3:2 Plutão-Netuno – 90.465 e 60.190,5 dias
- 2:1 Tétis-Mimas – 1,887 e 0,942 dias
- 2:1 Dione-Encélado – 2,737 e 1,370 dias
- 4:3 Hipérion-Titã – 21,277 e 15,945 dias

onde todos os corpos citados, exceto Plutão e Netuno, são luas de Saturno.*

* Em 2006, a União Astronômica Internacional declarou que Plutão não é mais considerado um "planeta", e sim um "planeta anão" ou "plutoide". Nem todos os astrônomos aprovam esta decisão.

Quando pensamos em ressonâncias, é importante perceber que *qualquer* razão pode ser aproximada por frações exatas, e pode haver "ressonâncias acidentais" que não estejam ligadas a influências dinâmicas entre as duas órbitas em questão. Todas as ressonâncias acima são genuínas, mostrando características como "precessão do periélio" – movimento da posição orbital mais próxima do Sol –, que fazem com que as órbitas se mantenham firmemente juntas. Entre as ressonâncias acidentais que podemos encontrar investigando tabelas de dados astronômicos estão:

- 13:8 Terra-Vênus
- 3:1 Marte-Vênus
- 2:1 Marte-Terra
- 12:1 Júpiter-Terra
- 5:2 Saturno-Júpiter
- 7:1 Urano-Júpiter
- 2:1 Netuno-Urano

Algumas importantes ressonâncias genuínas ocorrem com os asteroides – em geral corpos pequenos, a maioria orbitando entre Marte e Júpiter. As ressonâncias com Júpiter fazem com que os asteroides se "agrupem" em algumas distâncias a partir do Sol e evitem outras.* Um número maior que a média de asteroides tem órbitas em ressonância de 2:3, 3:4 e 1:1 com Júpiter (a família Hilda, Thule e os troianos), pois essas ressonâncias estabilizam as órbitas. Por outro lado, as ressonâncias 1:3, 2:5, 3:7 e 1:2 desestabilizam as órbitas: anéis e cinturões são diferentes de corpos individuais. Por isso há poucos asteroides nas distâncias correspondentes a partir do Sol, nas chamadas lacunas de Kirkwood.

* Esses "agrupamentos" são metafóricos: eles não se parecem com os cinturões de asteroides de *Guerra nas estrelas*, e o que se agrupa são as distâncias, não os asteroides em si. Na verdade, nenhuma porção do cinturão de asteroides parece os cinturões de asteroides de *Guerra nas estrelas*. Se você estivesse num asteroide típico e olhasse ao redor em busca do asteroide mais próximo, ele estaria a cerca de 1,6 milhões de quilômetros de distância. Portanto, pode esquecer cenas de perseguição emocionantes.

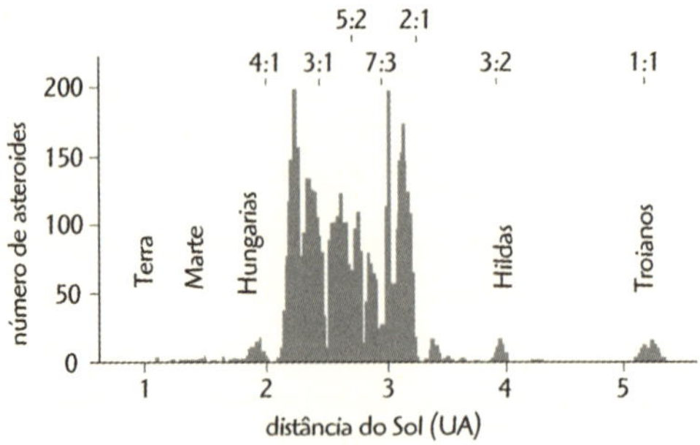

Lacunas de Kirkwood e a família Hilda (1 UA é a distância entre a Terra e o Sol).

Nos anéis de Saturno ocorrem efeitos semelhantes. Por exemplo, a Divisão Cassini – uma importante lacuna nos anéis – é causada por uma ressonância 2:1 com Mimas, que está instável neste momento. O "anel A" não se dissipa devagar, porque uma ressonância de 6:7 com Jano elimina material da borda externa.

Uma das ressonâncias mais estranhas ocorre nos anéis de Netuno, numa razão de 43:42. Apesar dos números elevados, este parece ser um efeito dinâmico genuíno. O anel Adams de Netuno é um anel completo, apesar de estreito, e é muito mais denso em alguns lugares que em outros, portanto as regiões densas criam uma série de arcos curtos. O problema é explicar como esses arcos se separam ao longo da órbita, e acredita-se que a causa seja uma ressonância de 43:42 com a lua Galateia, que se encontra no interior do anel Adams. Os arcos devem então se posicionar em alguns dos 84 pontos de equilíbrio associados a essa ressonância, que formam os vértices de um polígono regular de 84 lados. As imagens feitas pela *Voyager 2* corroboram esta teoria.

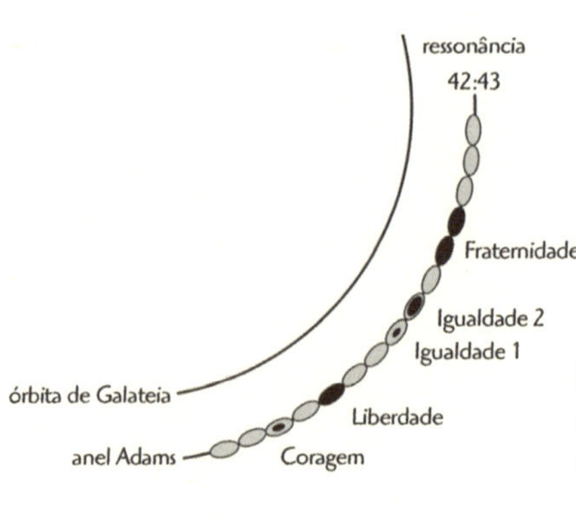

Uma seção do anel Adams: em cinza, ilhas de ressonância; em preto, material do anel.

As ressonâncias não se restringem aos períodos orbitais das luas e planetas. Nossa própria Lua sempre mostra a mesma face em direção à Terra, de modo que o "lado oposto" permanece escondido. A Lua oscila um pouco, porém 82% do lado mais distante jamais é visto da Terra. Esta é uma ressonância de 1:1 entre o período de rotação da Lua ao redor de seu eixo e seu período de translação ao redor da Terra. Esse tipo de efeito é chamado de ressonância spin-orbital, e de novo temos muitos exemplos disso. Antigamente acreditávamos que o planeja Mercúrio fizesse o mesmo que a nossa Lua, portanto, um de seus lados – virado para o Sol – seria quentíssimo, e o outro, extremamente frio. Mais tarde descobriu-se que isso era um equívoco causado pela dificuldade de observarmos o planeta quando ele se encontra próximo ao Sol e pela ausência de quaisquer marcas de superfície visíveis pelos telescópios disponíveis na época. Na verdade, os períodos de translação e rotação de Mercúrio são de 87,97 dias e 58,65 dias, com uma razão de 1,4999 – uma ressonância muito precisa de 3:2.

Os astrônomos sabem hoje que muitas estrelas também têm planetas. De fato, foi encontrado um total de 344 planetas "extrassolares"* desde 1989, quando o primeiro foi detectado. Por exemplo, dois planetas da estrela Gliese 876, conhecidos como Gliese 876b e Gliese 876c, encontram-se em ressonância 2:1. Os planetas extrassolares em geral são detectados por seus (minúsculos) efeitos gravitacionais sobre a estrela-mãe, ou por mudanças na luz da estrela quando e se os planetas passam na sua frente a serem vistos da Terra. Entretanto, em 2007, foi obtida a primeira imagem telescópica de um planeta extrassolar, ao redor de uma estrela que recebe o belo nome de HR8799.** A principal dificuldade neste caso é que a luz da estrela ofusca a luz do planeta, por isso utilizamos várias técnicas matemáticas para "subtrair" a luz da

---

* Até 1º de abril de 2009. Veja a Enciclopédia de Planetas Extrassolares em: www.exoplanet.eu para obter informações mais atualizadas.

** Isto é, trata-se do item HR8799 do *Yale Bright Star Catalogue* ("Catálogo de estrelas brilhantes de Yale"). O prefixo Hipótese de Riemann se refere a seu predecessor, o *Harvard Revised Photometry Catalogue*, de onde vem a maioria das estrelas citadas no catálogo de Yale.

estrela. No início de 2009, descobriu-se que um desses planetas podia ser detectado, por métodos semelhantes de processamento de imagens, a partir de uma foto da estrela tirada pelo telescópio Hubble em 1998, mas isso não vem ao caso. O que interessa é que a dinâmica desse sistema de três planetas é instável. Portanto, dificilmente poderíamos observá-lo, a menos que seus planetas estivessem em ressonância 4:2:1. Uma consequência importante dessa linha de raciocínio é que tais ressonâncias aumentam a probabilidade de que existam outros sistemas planetários estáveis. O que talvez também melhore a perspectiva de existência de vida alienígena em algum lugar.

Um bom site sobre este tópico é: en.wikipedia.org/wiki/Orbital_resonance.

Este site traz uma longa lista de ressonâncias "acidentais", além de explicações sobre a dinâmica em questão e uma animação da ressonância 1:2:4 das luas de Júpiter. Veja também uma animação que mostra como os planetas fazem a posição de uma estrela "oscilar": www.gavinrymill.com/dinosaurs/extra-solar-planets.html.

Curiosidade na calculadora 2

O que o número 0588235294117647 tem de especial? (O zero inicial não importa nesse caso.) Tente multiplicá-lo por 2, 3, 4, 5, 6, 7, 8, 9, 10, 11, 12, 13, 14, 15, 16 e verá. Você vai precisar de uma calculadora ou programa que trabalhe com números de 16 algarismos. Para mim, o cérebro humano, um pedaço de papel e um lápis resolvem o problema bastante bem.

O que acontece quando o multiplicamos por 17?

Resposta na p.321

O que é maior?

O que é maior: e^π ou π^e?

Os números são surpreendentemente próximos. Lembre-se de que $e \approx 2{,}71828$ e $\pi \approx 3{,}14159$.

Resposta na p.322

Cálculos que não terminam nunca

Eles parecem um pesadelo de criança, mas os cálculos nos quais nunca chegamos ao fim estão entre as mais importantes invenções matemáticas. Claro que não podemos resolvê-los realizando um cálculo infinitamente longo. Porém, do ponto de vista conceitual, eles abrem métodos práticos muito poderosos para calcular coisas que os matemáticos e cientistas desejam saber.

No século XVIII, os matemáticos começavam a compreender – ou muitas vezes *não* começavam a compreender – o comportamento paradoxal dos cálculos (ou *séries*) infinitos. Eles não viam problemas em utilizar cálculos como

$$1 + \frac{1}{2} + \frac{1}{4} + \frac{1}{8} + \frac{1}{16} + \frac{1}{32} + \ldots$$

(onde o "..." significa que a série nunca termina), e também estavam satisfeitos com a ideia de que este cálculo em particular é exatamente igual a 2. De fato, se o total é igual a s, então

$$2s = 2 + 1 + \frac{1}{2} + \frac{1}{4} + \frac{1}{8} + \frac{1}{16} + \ldots = 2 + s$$

portanto, $s = 2$.

No entanto, a inocente série

$$1 - 1 + 1 - 1 + 1 - 1 + \ldots$$

é outra história. Se colocarmos os parênteses desta forma:

$$(1 - 1) + (1 - 1) + (1 - 1) + \ldots$$

ela fica reduzida a $0 + 0 + 0 + \ldots$, que certamente deve ser 0. Entretanto, se colocarmos os parênteses *assim*:

$$1 + (-1 + 1) + (-1 + 1) + (-1 + 1) + \ldots$$

ela se torna $1 + 0 + 0 + 0 + \ldots$, que certamente deve ser 1. (Os sinais extras de + na frente dos parênteses estão ali porque o sinal de menos tem uma função dupla: serve tanto como instrução de subtração como para denotar um número negativo.) Ninguém menos que o grande Euler utilizou o mesmo tipo de truque que usamos para somar a primeira série, fazendo com que s fosse o total e manipulando a série para obter uma equação para s. Ele observou que

$$\begin{aligned} s &= 1 - 1 + 1 - 1 + 1 - 1 + \ldots \\ &= 1 - (1 - 1 + 1 - 1 + \ldots) = 1 - s \end{aligned}$$

e afirmou que $s = \frac{1}{2}$.

Este é um bom meio termo entre os valores conflitantes de 0 e 1 que acabamos de encontrar; porém, na época, a sugestão de Euler apenas confundiu ainda mais as coisas. E a confusão já era grande. A primeira resposta satisfatória consistiu em distinguirmos entre séries *convergentes*, que se acomodam cada vez mais perto de um número específico, e séries *divergentes*, que não o fazem. Por exemplo, passos sucessivos da primeira série geram os números

$$1,\ \frac{3}{2},\ \frac{7}{4},\ \frac{15}{8},\ \frac{31}{16},\ \ldots$$

que se aproximam cada vez mais de 2 (e *apenas* 2). Portanto, essa série converge, e sua soma é definida como 2. Entretanto, a segunda série leva às somas sucessivas

$$1, 0, 1, 0, 1, \ldots$$

que saltam para a frente e para trás, mas nunca se acomodam perto de nenhum número específico. Portanto, essa série é divergente. As séries divergentes foram consideradas tabus, pois não podiam ser manipuladas com segurança com as regras habituais da álgebra. As séries convergentes se comportavam melhor, mas às vezes também precisavam ser tratadas.

Muito, muito mais tarde, foram encontrados "métodos de somatório" que permitem determinar uma soma significativa para certas séries divergentes, de tal maneira que versões apropriadas das regras habituais da álgebra ainda funcionem. A chave para esses métodos está na interpretação dada à série, e não quero me aprofundar muito nas ideias envolvidas, que são bastante técnicas, a não ser para registrar que o controverso resultado de Euler, de ½, pode ser justificado nesse contexto. Na astronomia, outra abordagem levou a uma teoria das "séries assintóticas", que podem ser usadas para calcular as posições dos planetas e coisas assim, ainda que as séries sejam divergentes. Essas ideias se mostraram úteis em muitas outras áreas da ciência.

A primeira mensagem nesse caso é que, sempre que um conceito tradicional da matemática é estendido para um novo âmbito, vale a pena nos perguntarmos se as características esperadas persistem, e a resposta muitas vezes é "algumas sim, outras não". A segunda mensagem é: nunca desista de uma boa ideia só porque ela não funciona.

A mais ultrajante das provas

O Grande Whodunni, com o auxílio de Grumpelina, faz aparecer do nada uma corda macia e nela amarra um nó. Um pouco mais à frente, faz um segundo nó. Segurando as duas extremidades, uma em cada mão, o mágico sacode a corda – e os nós desaparecem.

Matematicamente, tudo é bastante óbvio, claro. O segundo nó deve ser o antinó do primeiro. Basta dar os nós de modo que todas as voltas e giros se anulem. Certo?

Errado. Os topologistas sabem que não existe algo como um antinó.

Tudo bem, existem nós muito complicados que, na verdade, nem sequer são nós. Mas esta é uma outra questão. O que não podemos fazer é dar dois nós genuínos (que não possam ser desfeitos) no mesmo pedaço de corda, claramente separados um do outro, e então deformar a coisa toda, acabando com um pedaço de corda sem nó algum. Isso é impossível, desde que as pontas da corda estejam coladas uma na outra ou presas de modo que os nós não tenham como escapar.

Os topologistas não apenas sabem disso: podem prová-lo. As primeiras provas foram mesmo complicadas, mas, por fim, alguém terminou por encontrar uma prova muito simples. Que é completamente ultrajante. Você não vai acreditar quando eu lhe mostrar. Em especial agora, logo depois de ter sido exposto às propriedades paradoxais das séries infinitas.

O nó de um matemático é uma curva fechada no espaço, e trata-se de um nó genuíno se não puder ser deformado continuamente até formar um círculo – a curva fechada arquetípica *sem nós*. Os nós verdadeiros são feitos em pedaços de corda que têm pontas, e só somos capazes de atá-los porque as pontas podem passar por dentro das alças para criar um nó. No entanto, a topologia desses "nós" não é muito interessante, pois todos eles podem ser desfeitos. Por isso, os matemáticos precisam redefinir os nós para evitar que eles fiquem caindo pelas pontas da corda. Um método para isso é colar as pontas para formar um círculo, mas existe outro: coloque o nó dentro de uma caixa e cole as pontas às paredes da caixa. Se a corda ficar dentro da caixa, o nó não poderá escapar pelas pontas (a caixa pode ter qualquer tamanho e formato, desde que seja topologicamente equivalente a um retângulo; na verdade, serve qualquer polígono cujos lados não se cruzem). As duas abordagens são equivalentes, mas a segunda é mais conveniente aos nossos propósitos.

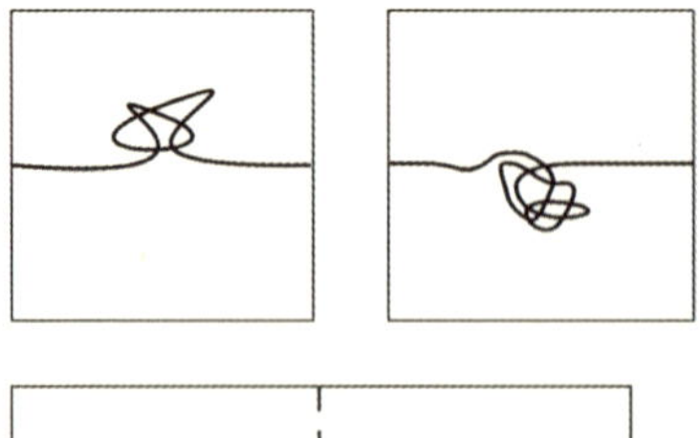

Dois nós atados em caixas...

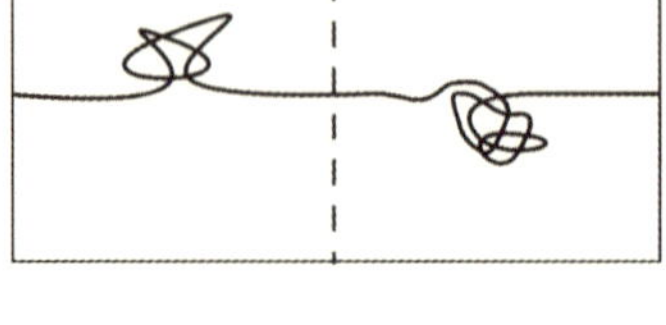

...e como somá-los.

Se você fizer dois nós K e L em dois pedaços separados de corda, eles poderão ser "somados" unindo-se as pontas das cordas. Chamemos o resultado de $K + L$. O *nó trivial*, uma corda reta sem nenhum nó, pode muito bem ser denotado por 0, pois $K + 0$ é topologicamente equivalente a K, o que podemos escrever como $K + 0 = K$, empregando o sinal de igual para indicar a equivalência topológica. As regras algébricas habituais

$$K + L = L + K, \qquad K + (L + M) = (K + L) + M$$

também podem ser provadas; a segunda é fácil, a primeira exige um raciocínio maior.

Agora podemos ver por que o truque de Whodunni deve, de fato, ser um truque. Na verdade, ele *pareceu* dar dois nós K e K^* que anulavam um ao outro. Pois bem, se os dois nós K e K^* se anulam, então

$$K + K^* = 0 = K^* + K$$

Estou tentado a substituir K^* *por* $-K$, pois a função seria a mesma, mas a notação fica um pouco confusa se eu o fizer.

A ideia ultrajante consiste em considerar o nó *infinito*

$$\mathrm{K} + \mathrm{K}^* + \mathrm{K} + \mathrm{K}^* + \mathrm{K} + \mathrm{K}^* + \ldots$$

Colocando os parênteses desta forma:

$$(\mathrm{K} + \mathrm{K}^*) + (\mathrm{K} + \mathrm{K}^*) + (\mathrm{K} + \mathrm{K}^*) + \ldots$$

ficamos com $0 + 0 + 0 + \ldots$, que, na topologia, assim como na aritmética, é igual a 0. No entanto, se aplicarmos os parênteses *desta* forma:

$$K + (K^* + K) + (K^* + K) + (K^* + K) + \ldots$$

ficamos com $K + 0 + 0 + 0 + \ldots$, que, na topologia, assim como na aritmética, é igual a K. Portanto, $0 = K$, portanto K não era um nó genuíno, para começo de conversa.

No item anterior, vimos que esse argumento não é legítimo no caso dos números, e é isso que faz a prova parecer ultrajante. Entretanto, com algum esforço técnico, vemos que o argumento *é* legítimo no caso dos nós. Temos apenas que definir a "soma" infinita de nós utilizando caixas cada vez menores. Se fizermos isso, a soma converge para um nó bem definido. As manipulações com parênteses estão corretas. Não estou dizendo que a solução seja óbvia, mas, se você for um topologista, digamos que é bastante clara.

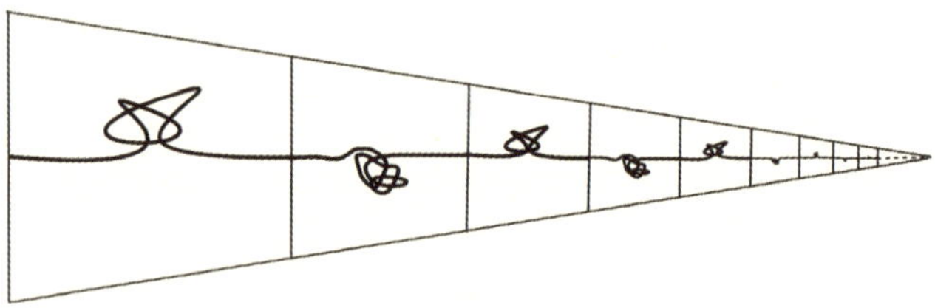

Nó selvagem atado dentro de um triângulo formado por uma sequência infinita de caixas trapezoides cada vez menores.

Nós infinitos como esses são chamados nós rebeldes [*wild knots*], e o nome sugere que devem ser tratados com cuidado. Um matemático chamado Raymond Wilder inventou uma classe de nós especialmente rebeldes. Tente adivinhar como eles são chamados.

Colorado Smith e o templo solar

Smith e Brunnhilde haviam penetrado no santuário interno do templo solar de Psitakósis IV, superando diversos obstáculos menores no caminho, tais como o poço da Chama Eterna, o cabuloso corredor do Crocodilo e o vale das Violentas Víboras Venenosas. Agora, arfando um pouco pelo esforço, eles estavam nos limites da praça do templo – um arranjo quadrado de 64 lajotas, das quais quatro estavam decoradas com um disco solar dourado. Atrás deles, a única entrada havia sido fechada por um disco brilhante de ouro sólido que tinha o peso de uma dúzia de elefantes.

Mas isso já era esperado. Como disse Smith:

– Basta pensarmos num jeito de sair daqui.

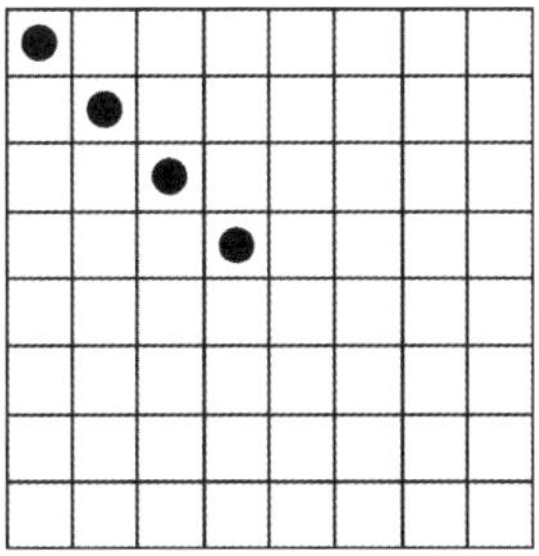

Localização dos discos solares.

Pela primeira vez, Brunnhilde não se sentiu inteiramente tranquila com isso. Talvez fosse culpa do terremoto e das nuvens de poeira que espessavam o ar ao redor deles. Ou seria o estrondo da água que se aproximava? O tapete de escorpiões no chão, surgindo das rachaduras entre as pedras? Ou apenas as lanças em todas as paredes, que agora mesmo se fechavam sobre eles?

– O que temos que fazer *desta* vez? – perguntou Brunnhilde, que, depois de ter se visto tantas vezes nessa situação, já sabia o roteiro de cor.

– Segundo o papiro perdido de Bentnosy, devemos escolher quatro regiões conectadas não sobrepostas, cada uma composta de 16 lajotas, de modo que cada região contenha uma lajota com um disco solar – respondeu Smith. – Então a saída secreta se abrirá e poderemos entrar na câmara do tesouro ao lado, que contém aqueles baús cheios de diamantes e esmeraldas sobre os quais contei a você. Dali, basta atravessarmos o labirinto subterrâneo que leva ao...

– Isso parece bastante fácil – disse Brunnhilde, esboçando rapidamente uma solução. Ela reparou no olhar de Smith. – Mas qual é o porém, Smith?

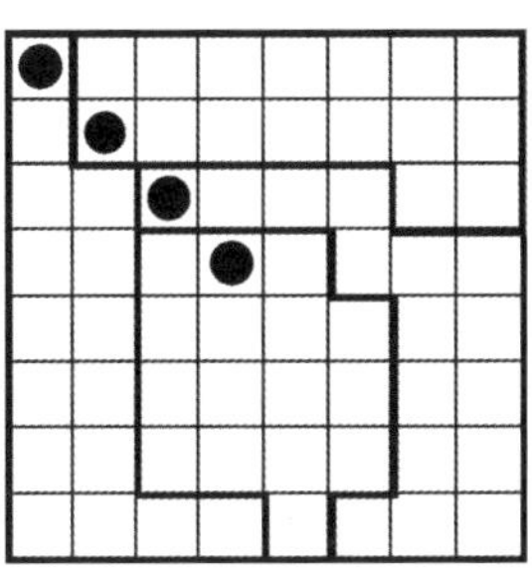

Assim não!

– Bem... segundo uma inscrição obscura dos *Papiros de Oxirrinco* de Djamm-Ta'art, que é um comentário do período tardio sobre o papiro de Bentnosy, todas as quatro regiões devem ter a mesma forma.

– Ah. Assim fica mais difícil.

Brunnhilde abriu um sorriso esperançoso e rasgou seu esboço.

– Imagino que a resposta esteja no papiro de Bentnosy?

– Aparentemente não – disse Smith. – Também não está no papiro, nem na frente nem no verso.

– Ah. Bom, você acha que vamos conseguir encontrar a resposta antes que aquele bloco de granito nos achate até ficarmos da espessura de uma folha de ouro?

– Qual bloco de granito?

– O que está sobre as nossas cabeças, pendurado por cordas em chamas.

– Ah, *esse* bloco de granito. Estranho, Bentnosy não comentou nada a respeito.

Ajude Smith e Brunnhilde a escaparem dessa difícil enrascada.

Resposta na p.323

Por que não posso somar frações do modo como as multiplico?

Bom, se quiser, pode – estamos num país livre. Supostamente. Mas isso não vai lhe dar a resposta certa.

Na escola, aprendemos uma maneira fácil de multiplicar frações: basta multiplicarmos os números de cima e os de baixo, assim:

$$\frac{2}{5} \times \frac{3}{7} = \frac{2 \times 3}{5 \times 7} = \frac{6}{35}$$

Mas a regra para somá-las é muito mais complicada: "Coloque-as sobre um denominador comum (o número de baixo), depois some os numeradores (os números de cima)." Por que não podemos somá-las da mesma maneira? Por que

$$\frac{2}{5} + \frac{3}{7} = \frac{2+3}{5+7} = \frac{5}{12}$$

está errado? E o que deveríamos fazer em vez disso?

Resposta na p.324

Farey, tudo ao contrário

Assim que dizemos que alguma ideia matemática não faz sentido, ela demonstra ser útil e perfeitamente razoável. Embora a regra

$$\frac{a}{b} + \frac{c}{d} = \frac{a+c}{b+d}$$

não seja a maneira correta de somar frações, ainda é um modo possível de *combiná-las*, como sugeriu o geólogo John Farey na revista *Philosophical Magazine*, em 1816. Ele teve a ideia de escrever todas as frações a/b, cujo denominador b seja menor ou igual a algum número específico, em ordem numérica. Só são permitidas frações cujos valores numéricos se encontrem entre 0 e 1 (inclusive), portanto $0 \leq a \leq b$. Para evitar repetições, ele também exigiu que a fração fosse "irredutível", ou seja a e b não podem ter um fator comum (maior que 1). Isto é, uma fração como $4/6$ não é permitida, porque 4 e 6 têm o fator comum 2. A fração deve ser substituída por $2/3$, que tem o mesmo valor numérico, mas não envolve fatores comuns.

As sequências de frações resultantes são chamadas sequências de Farey. Aqui estão algumas das primeiras:

$b \leq 1$: $0/1$ $1/1$

$b \leq 2$: $0/1$ $1/2$ $1/1$

$b \leq 3$: $0/1$ $1/3$ $1/2$ $2/3$ $1/1$

$b \leq 4$: $0/1$ $1/4$ $1/3$ $1/2$ $2/3$ $3/4$ $1/1$

$b \leq 5$: $0/1$ $1/5$ $1/4$ $1/3$ $2/5$ $1/2$ $3/5$ $2/3$ $3/4$ $4/5$ $1/1$

Farey percebeu – mas não conseguiu provar – que, em qualquer sequência como essas, a fração que se encontra imediatamente entre a/b e c/d é a "soma proibida" $(a + c)/(b + d)$. Por exemplo, entre $1/2$ e $2/3$ temos $3/5$, que é $(1 + 2)/(2 + 3)$. Augustin-Louis Cauchy apresentou uma prova disso em seus *Exercises de mathématique*, creditando a ideia a Farey. Na verdade, tudo isso já havia sido publicado por C. Haros em 1802, mas ninguém ficou sabendo.

Portanto, embora não possamos *somar* duas frações dessa maneira, a fórmula tem suas utilidades, e podemos definir a *mediante*

$$\frac{a}{b} \oplus \frac{c}{d} = \frac{a + c}{b + d}$$

desde que as frações sejam irredutíveis. Um dos problemas de não serem irredutíveis é que versões diferentes de uma mesma fração podem levar a resultados diferentes. Por exemplo,

$$\frac{1}{2} \oplus \frac{1}{3} = \frac{2}{5} \quad \text{mas} \quad \frac{1}{2} \oplus \frac{2}{6} = \frac{3}{8}$$

o que é diferente.

As sequências de Farey são amplamente utilizadas na teoria dos números e também aparecem na dinâmica não linear – a "teoria do caos".

Somando recursos

Alice e Bete tinham barraquinhas vizinhas no mercado, e as duas vendiam pulseiras baratas de plástico. Cada uma delas tinha 30 pulseiras. Alice havia decidido vender duas pulseiras por \$10, enquanto Bete estava pensando em cobrar \$20 por três pulseiras. Assim, juntas, elas ganhariam \$150 + \$200 = \$350, desde que as duas vendessem todas as suas pulseiras.

Temendo que a concorrência pudesse desestabilizar o mercado, elas decidiram somar seus recursos e calcularam que duas por \$10 e três por \$20, combinados, dariam cinco pulseiras por \$30. A esse preço, se elas vendessem todas as 60 pulseiras, seu rendimento total seria de \$360, ou seja, \$10 a mais.

Nas barraquinhas logo em frente, Cristina e Denise também estavam vendendo pulseiras, e também tinham 30 cada uma para vender. Cristina estava pensando em vender duas por \$10, enquanto Denise pensava em acabar com a concorrência, vendendo três por \$10. Quando ficaram sabendo da estratégia de Alice e Bete, também decidiram somar seus recursos, vendendo cinco pulseiras por \$20.

Foi uma boa ideia?

Resposta na p.325

Bem-vindo à toca do réptil

Na verdade, estou falando de um *rep-tile* (do inglês, "*replicating tile*", ou "ladrilho replicante"), também chamado polígono replicante, que é uma figura no plano que pode ser dissecada em diversas cópias idênticas a ela, todas com a mesma forma, só que menores. As figuras podem ter fronteiras em comum, mas não devem se sobrepor. Se um polígono tem *l* lados e pode ser cortado em *c* cópias, ele é chamado *c*-rep *l*-gono. São conhecidos diferentes *rep-tiles* de 4 lados (4-gonos). A maioria deles é 4-rep, mas existem *k*-rep 4-gonos para todo *k*.

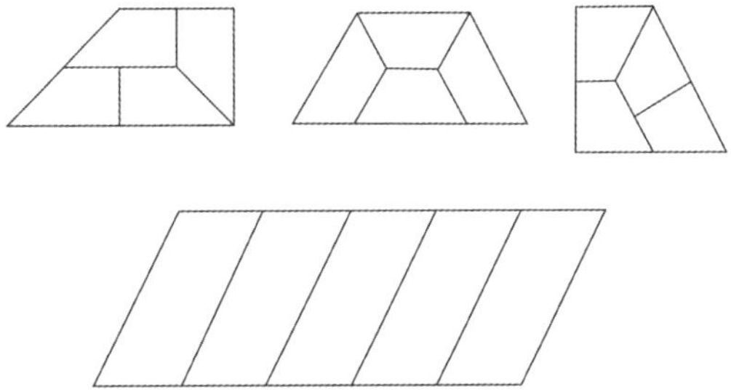

Acima: 4-gonos replicantes. Se o paralelogramo de baixo tem lados 1 e $\sqrt{k}$, ele é rep-*k*.

Todo triângulo (3-gono) é 4-rep. Alguns triângulos especiais são 3-rep ou 5-rep.

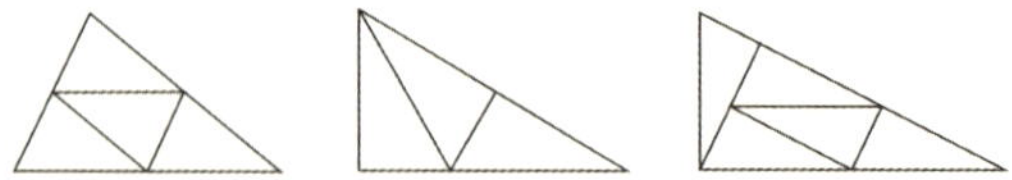

3-gonos replicantes. O primeiro pode ter qualquer forma. O segundo tem lados 1 (vertical) e $\sqrt{3}$ (horizontal). O terceiro tem lados 1 (vertical) e 2 (horizontal).

Até agora só foi descoberto um *rep-tile* de 5 lados: a *esfinge*. Ela requer 4 cópias. Existe um único 5-rep 3-gono (triângulo), e exatamente três 4-rep 6-gonos são conhecidos.

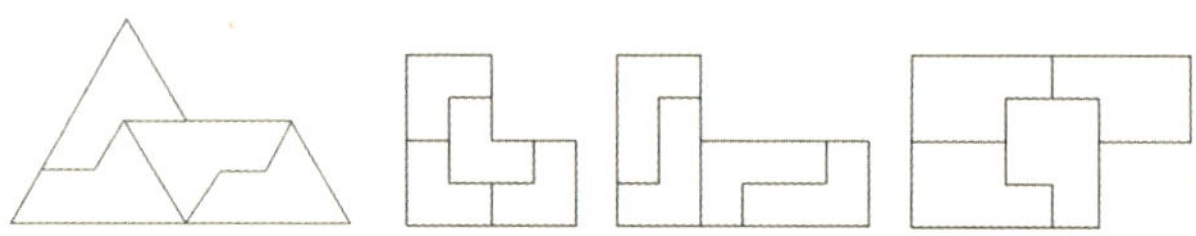

O único 4-rep 5-gono, a esfinge, e os três 4-rep 6-gonos conhecidos.

Existem muitos *rep-tiles* que esticam o "polígono" ao limite. E alguns vão além disso, tendo infinitos lados – mas, ei, temos que ter a mente aberta.

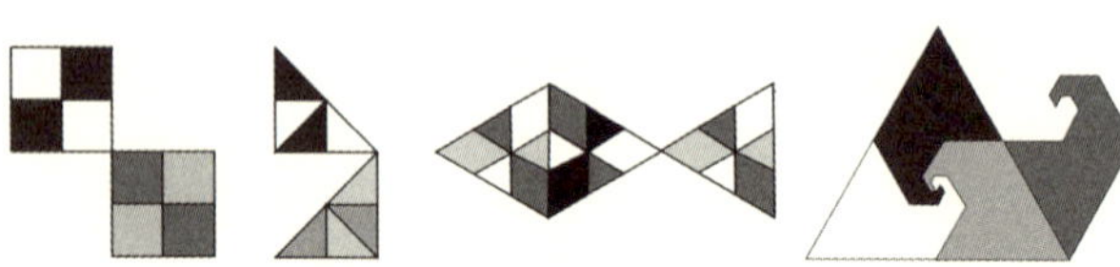

***Rep-tiles* mais exóticos.**

O primeiro 4-rep 4-gono da primeira figura também é 9-rep. Você consegue dissecá-lo em nove cópias de si mesmo? Até onde sei, todo polígono 4-rep também é 9-rep, mas isso ainda não foi provado de forma geral.

Resposta na p.326

Cozinhar num toro

Vou agora apresentar o problema das companhias de serviços (*Almanaque das curiosidades matemáticas,* p.208; e *Incríveis passatempos matemáticos,* p.128-9) pela terceira vez, mas acrescento um novo giro na questão. Metafórica e literalmente. Três casas devem ser conectadas a três companhias de serviços – água, gás e eletricidade. Cada casa deve ser conectada aos três serviços. Você consegue fazer isso sem que as conexões se cruzem? Considere que não existe uma terceira direção que permita passar os cabos por cima ou por baixo dos tubos, e você não pode passar as conexões por dentro de uma casa ou de um dos prédios das companhias. Observação: *conexões*: Não é permitido cozinhar o problema! (veja p.127)

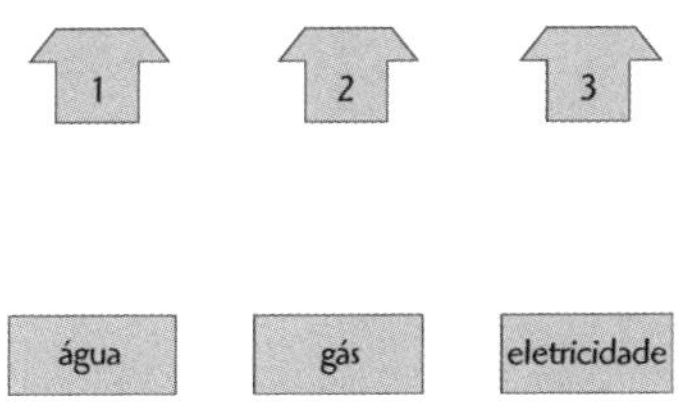

Conecte as casas às companhias de serviços num toro e numa fita de Möbius.

Qual a diferença dessa vez? Não quero que você trabalhe no *plano*. Experimente resolver o problema num toro (giro metafórico) e numa fita de Möbius (giro literal). Um toro é uma superfície com um buraco, como uma rosquinha. Uma fita de Möbius é formada unindo-se as extremidades de uma fita de papel depois de darmos uma meia-volta numa delas (*Almanaque das curiosidades matemáticas,* p.119).

Por sinal: para os matemáticos, uma superfície como a fita de Möbius tem espessura 0, portanto todos os serviços, casas e linhas que os conectam estão *dentro* da fita, e não *sobre* ela. Mas uma folha de papel real tem, na verdade, duas superfícies diferentes, muito próximas uma da outra. Você pode imaginar que a superfície é transparente ou (ainda melhor) imaginar que as linhas são desenhadas num papel com uma tinta que mancha o outro lado, de modo que tudo seja visível nas duas superfícies da folha.*

Se você não utilizar esta convenção, algumas das linhas da minha resposta terminarão no lado oposto da faixa e não chegarão às casas ou companhias. Nesse caso, você estará tentando resolver o problema análogo numa fita cilíndrica na qual foi aplicada uma volta dupla. Topologicamente, isso é igual a uma fita cilíndrica comum, que se caracteriza por ter dois lados diferentes. Aí não há solução. Por quê? Um cilindro pode ser achatado topologicamente no plano, formando uma *coroa circular* – a região entre duas circunferências. Portanto, qualquer solução do problema numa fita cilíndrica também gera uma solução no plano. Mas não existe nenhuma solução do plano, a não ser que cozinhemos o problema (*Almanaque das curiosidades matemáticas*, p.90).

Resposta na p.326

A conjectura de Catalan

Qualquer pessoa que brinque um pouco com números logo perceberá que os números inteiros consecutivos 8 e 9 são ambos potências perfeitas (maiores que a primeira potência, claro). De fato, 8 é 2 ao cubo, e 9 é 3 ao quadrado. Existem outros números inteiros positivos com essa propriedade – com as bases consecutivas ou não? (Potências maiores que o cubo são permitidas e, em termos estritos, 0 não é positivo: é não negativo. Portanto isso descarta $1^m - 0^n = 1$.) Em 1844, o matemático belga Eugène Catalan conjecturou que a resposta era não – isto é, a equação de Catalan

$$x^a - y^b = 1$$

* Exceto quando estamos verificando que ela só tem um lado, colorindo-a. Nesse caso, a tinta não atravessa o papel. Se o fizesse, um cilindro comum teria um lado só. Graças a dificuldades como esta, os matemáticos abordam todo o tópico de outra maneira, falando de "orientações", em vez de "lados".

só tem essas soluções aí em números inteiros positivos x e y quando a e b são inteiros ≥ 2. Em uma publicação matemática conhecida como *Jornal de Crelle*,* ele escreveu: "Dois números inteiros consecutivos que não 8 e 9 não podem ser potências exatas; em outras palavras: a equação $x^m - y^n = 1$, na qual as incógnitas são números inteiros e positivos, só admite uma solução."

O problema tem uma longa história. O compositor Philippe de Vitry (1291-1361) afirmou que as únicas potências de 2 e 3 que diferem em 1 são (1,2), (2,3), (3,4) e (8,9). Levi ben Gerson (1288-1344) apresentou uma prova de que Vitry estava certo: $3^m \pm 1$ sempre tem um fator primo ímpar se $m > 2$, portanto, não pode ser uma potência de 2. Em 1738, Euler havia resolvido completamente a equação $x^2 - y^3 = 1$ em números inteiros, provando que a única solução positiva é $x = 3$, $y = 2$. Mas a conjectura de Catalan permite potências maiores que o cubo, portanto, os resultados anteriores não foram suficientes para prová-la.

Em 1976, Robert Tidjeman provou que a equação de Catalan tem apenas um grupo limitado de soluções; de fato, qualquer solução deve ter x, $y <$ exp exp exp exp 730, onde exp $x = e^x$. Entretanto, esse limite superior é quase inconcebivelmente gigantesco – em particular, grande demais para que uma busca por computador elimine todas as outras soluções possíveis. Em 1999, M. Mignotte provou que, em qualquer solução hipotética, $a < 7{,}15 \times 10^{11}$ e $b < 7{,}78 \times 10^{16}$, mas a lacuna ainda é grande demais para ser preenchida por um computador. Parecia haver pouca esperança de encontrarmos uma solução. Entretanto, em 2002, o mundo da matemática ficou chocado quando Preda Mihailescu, matemático naturalizado alemão, mas nascido na Romênia, provou que Catalan estava certo, com uma prova inteligente baseada em números ciclotômicos – as n-ésimas raízes complexas de 1. Por isso a conjectura mudou de nome, sendo agora chamada de teorema de Mihailescu.

* Mais propriamente, *Journal für die reine und angewandte Mathematik* ("Jornal de matemática pura e aplicada").

Existe uma generalização do problema para os números chamados inteiros de Gauss, que são números complexos $p + q\text{i}$, onde p e q são inteiros comuns e $\text{i} = \sqrt{-1}$. Nesse caso, existem duas potências não triviais cuja diferença é i, e não 1:

$$(78 + 78\text{i})^2 = (-23\text{i})^3 = \text{i}$$

Até onde sei, a conjectura correspondente – de que este caso ou pequenas variações são os únicos novos casos em que duas potências de inteiros gaussianos diferem em 1, –1, i ou –i – continua em aberto.

Você poderá encontrar uma história completa do problema em: www.math.leidenuniv.nl/~jdaems/scriptie/Catalan.pdf.

A origem do símbolo da raiz quadrada

O símbolo da raiz quadrada

$$\sqrt{}$$

tem uma aparência maravilhosamente antiga, como algo retirado de um manuscrito ancestral sobre alquimia. É o tipo de símbolo que os magos escreveriam, e as fórmulas que o contêm sempre parecem impressionantes e misteriosas. Mas onde foi que ele surgiu?

Antes de 1400, os autores matemáticos europeus costumavam usar a palavra "radix" para "raiz" ao se referirem às raízes quadradas. No fim da Idade Média, eles abreviaram a palavra com a letra inicial, um *R* maiúsculo cortado por um pequeno traço:

℞

Os algebristas renascentistas italianos Girolamo Cardano, Luca Pacioli, Rafael Bombelli e Tartaglia (Niccolò Fontana) costumavam usar este símbolo.

O símbolo √ é, na verdade, uma letra *r* distorcida. Que coisa mais mundana! Foi publicado pela primeira vez no primeiro texto alemão sobre álgebra, *Coss* escrito por Christoff Rudolff em 1525, mas passaram-se muitos séculos até que ele se tornasse um símbolo padrão.

O site www.roma.unisa.edu.au/07305/symbols.htm discute a história de muitos outros símbolos matemáticos.

Recurso matemático

P: O que é um urso polar?
R: É um urso cartesiano depois de uma mudança de coordenadas.

O teorema do sanduíche de presunto

Não estou inventando: o nome é esse mesmo. O teorema diz que, se fizermos um sanduíche de presunto com duas fatias de pão e uma fatia de presunto, é possível cortar o sanduíche ao longo de algum plano de modo que cada um dos três ingredientes seja dividido pela metade, em termos de volume.

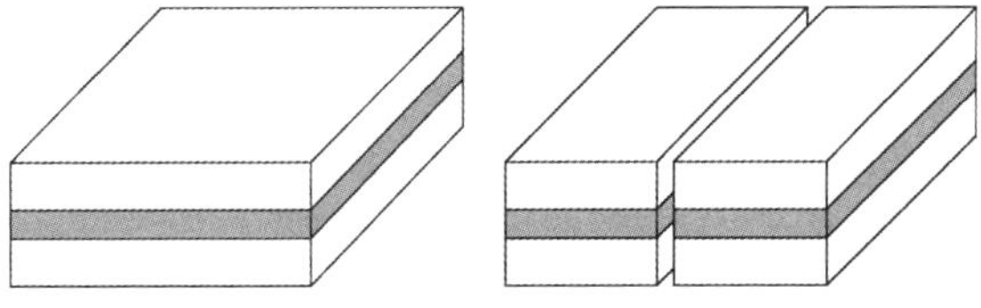

Comece com isto... ...e encontre isto – fácil!

Isso é bastante óbvio se o pão e o presunto formarem belas peças quadradas, bem alinhadas. A questão se torna menos óbvia se você considerar que os matemáticos estão se referindo ao pão e o presunto *generalizados*, que podem assumir absolutamente qualquer forma. (Uma consequência imediata é o teorema do sanduíche de queijo, que talvez precisasse de uma prova separada. A generalidade e o poder caminham lado a lado.)

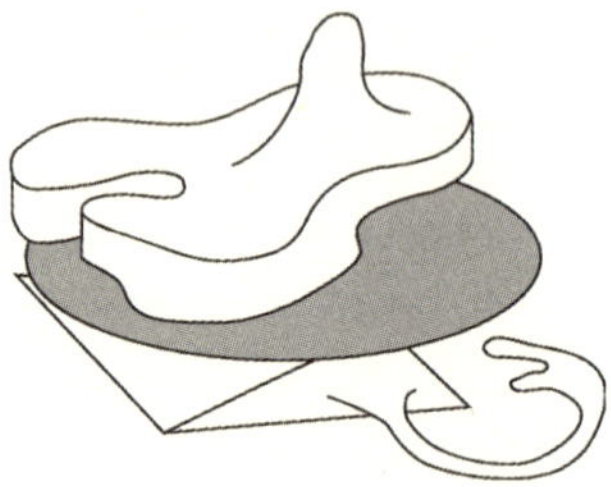

O sanduíche de presunto de um matemático.

Existem algumas condições técnicas: as três peças, em particular, não devem ser tão terrivelmente complicadas a ponto de não terem volumes bem definidos (veja o *Almanaque das curiosidades matemáticas*, p.255). Em compensação, não é necessário que uma "peça" seja conectada – que esteja toda em um só pedaço, por assim dizer; mas, se não estiver, basta dividirmos o pedaço total ao meio, e não cada uma de suas partes separadas. Caso contrário, estaríamos tentando provar o teorema do sanduíche de queijo e presunto, que é falso – veja a seguir.

Na verdade, o teorema do sanduíche de presunto é bastante complicado de provar, tratando-se quase de um exercício de topologia. Para que você possa saborear um pouco da prova, vou mostrar como lidar com um caso mais simples, com duas formas em duas dimensões – o teorema da torrada com queijo na Planolândia.

Eis o problema:

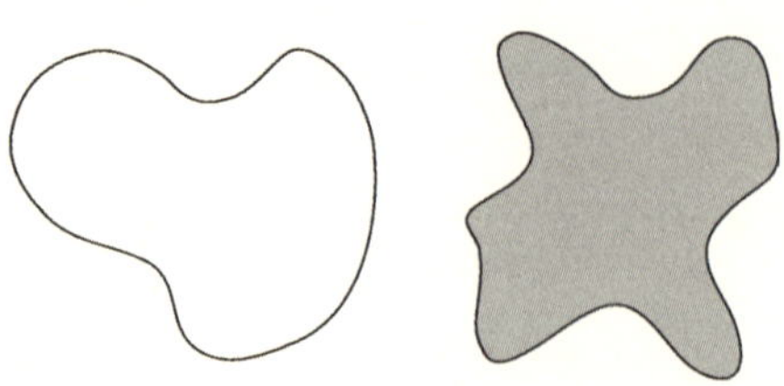

Encontre uma reta que divida tanto o queijo (branco) como a torrada (cinza) pela metade, em área.

Vejamos agora como provar que ele pode ser resolvido. Escolha uma direção e encontre uma reta que aponte nesse sentido, dividindo o queijo ao meio. Não é difícil provar que existe precisamente uma reta como essa.

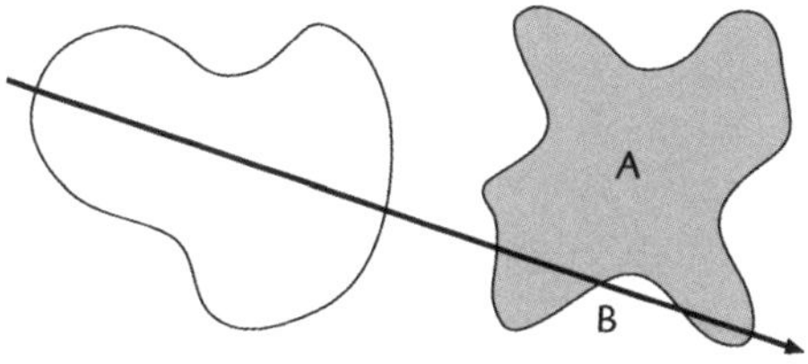

Comece com uma reta em alguma direção (mostrada pela seta) que divida o queijo pela metade.

Naturalmente, a menos que você tenha dado sorte, essa reta não vai dividir a torrada também ao meio, mas haverá duas partes A e B em lados opostos da reta, estando A à esquerda e B à direita, se olharmos ao longo da reta. (Aqui B inclui os *dois* pedaços de torrada que ficaram desse lado. Em geral, A ou B podem ser vazios, isso não modifica a prova.) Suponha que, como na figura, A tenha área maior que B.

Agora gire gradualmente a direção em que você está pensando e repita o processo a cada nova direção.

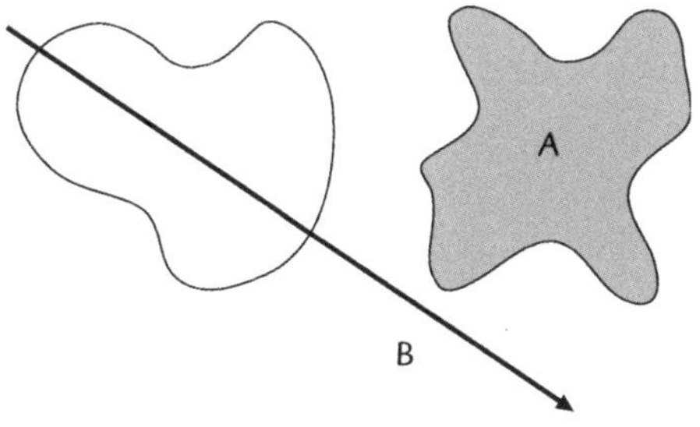

Gire a reta gradualmente, sempre cortando o queijo pela metade.

Finalmente teremos girado a direção em 180°. Como só existe uma reta que corte o queijo pela metade, essa reta deve coincidir com a reta original, a não ser pelo fato de que a seta aponta agora para o outro lado:

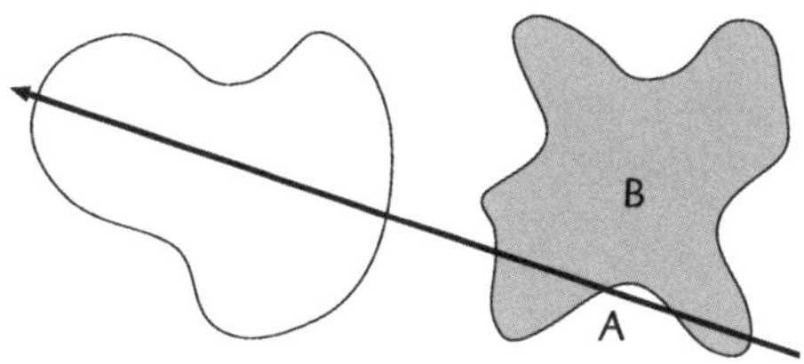

Após uma rotação de 180°, a reta aponta no sentido contrário, e as regiões A e B trocaram de lugar.

Como a seta aponta agora para o outro lado, as partes A e B da torrada mudaram de lado. No começo, A era maior que B, portanto agora B deve ser maior que A (os pedaços são os mesmos do início, mas agora as denominações A e B foram trocadas). No entanto, as áreas de A e B variam *continuamente* à medida que o ângulo da reta é alterado (é aqui que entra a topologia). Como no início área(A) > área(B) e no final área(A) < área(B), deve haver algum ângulo no meio para o qual área(A) = área(B). (Por quê? A diferença área(A) – área(B) também varia continuamente, começando positiva e terminando negativa. Deve haver um 0 em algum ponto no meio.) Isso prova o teorema da torrada com queijo na Planolândia.

Esse tipo de prova não funciona em três dimensões, mas o teorema ainda é válido. Parece ter sido provado pela primeira vez por Stefan Banach, Hugo Steinhaus e outros, em 1938. Uma versão sobre a bissecção simultânea de *n* peças em *n* dimensões foi provada por Arthur Stone e John Tukey, em 1942.

Apresento, então, dois problemas mais fáceis, que explicam algumas das limitações:

- Mostre que a bissecção de *três* regiões do mesmo plano com uma única linha reta nem sempre é possível.
- Mostre que o teorema do sanduíche de queijo com presunto é falso: a bissecção de *quatro* regiões do espaço com um único plano nem sempre é possível.

Resposta na p.326

Para saber mais sobre esse teorema e conhecer um resumo da prova, veja: www.wikipedia.org/wiki/Ham_sandwich_theorem

Críquete em Grumpius

No planeta Terra, nos países que jogam este jogo,* os fãs de críquete ficam muito chateados quando um batedor marca 49 pontos e é eli-

* Cuja população total excede em muito a dos países que jogam beisebol.

minado, pois ele acabou de perder a chance de marcar "meio-século". Mas esta é uma maneira terrivelmente decimalista de ver a situação.

Eliminado após 49 pontos... Parabéns!

Os habitantes do distante mundo alienígena de Grumpius ilustram a questão. Por mais estranho que pareça, quando os homens fizeram contato com a população desse planeta, descobriram que ela era apaixonada por críquete. Os astrobiólogos especulam que os grumpianos devem ter captado nossos programas de TV via satélite durante uma viagem exploratória pelo sistema solar.

De qualquer forma, quando um batedor grumpiano marca o que anotaríamos como 49, a plateia vai ao delírio, o batedor ergue seu bastão e agita os tentáculos, no equivalente grumpiano a um punho fechado socando o ar. Por quê?

Resposta na p.327

O homem que amava números e nada mais

O brilhante matemático húngaro Paul Erdös era excêntrico demais. Ele nunca teve um cargo acadêmico e jamais possuiu uma casa. Em vez disso, viajava pelo mundo, vivendo por breves períodos com seus colegas e amigos. Ele publicou mais artigos em colaboração que qualquer outra pessoa antes ou depois.

Paul Erdös

Sabia os números dos telefones de muitos matemáticos de cor, e lhes telefonava de qualquer parte do mundo, ignorando o fuso horário. Mas nunca se lembrava do primeiro nome das pessoas – exceto o de Tom Trotter, que ele sempre chamava de Bill.

Um dia, Erdös encontrou um matemático.

– De onde você é? – perguntou.

– De Vancouver.

– É mesmo? Então você deve conhecer meu amigo Elliot Mendelson.

Houve uma pausa.

– Eu *sou* seu amigo Elliot Mendelson.

A peça que falta

– Obaaaa! Quebra-cabeças! – gritou Innumeratus. – Eu *amo* quebra-cabeças!

– Este aqui é especial – disse Mathophila. – Tem 17 peças, que formam um quadrado. Eu as coloquei sobre uma grade quadriculada, e os ângulos de todas as peças caem exatamente sobre pontos da grade.

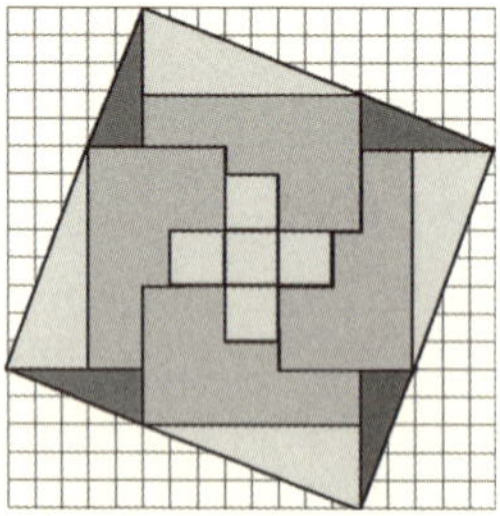

Rearrume as peças de modo a formar o mesmo quadrado... retirando uma peça.

– Agora – continuou –, vou tirar um dos quadrados pequenos, e sua tarefa é encaixar as outras 16 peças novamente, de modo a formar o mesmo quadrado grande com que começamos.

Innumeratus não viu nenhuma contradição nisso, e meia hora depois mostrou orgulhosamente sua solução a Mathophila.

Qual foi a solução de Innumeratus e como ele conseguiu formar o mesmo quadrado com menos uma peça? (*Dica*: não pode ser exatamente o mesmo quadrado. E talvez esse "quadrado" inicial não seja exatamente quadrado...)

Resposta na p.327

O segundo coco

Um matemático e um engenheiro estão abandonados numa ilha deserta que só tem dois coqueiros: um muito alto, o outro bem mais baixo. Cada coqueiro tem um coco, bem lá em cima.

O engenheiro resolve tentar alcançar o coco mais difícil, no topo da árvore alta, enquanto ainda têm alguma energia para alcançá-lo. Ele escala o tronco, ficando com as duas pernas em carne viva, e consegue voltar com o coco. Os dois abrem o coco com uma pedra, comem e bebem seu conteúdo.

Três dias depois, quando os dois já estão fracos de tanta fome e sede, o matemático se oferece para pegar o outro coco. Ele escala a árvore mais baixa, apanha o coco e desce com ele. O engenheiro vê então, perplexo, o matemático começar a subir a árvore mais alta, gemendo e suando profusamente, até afinal chegar ao topo, depositar o coco ali e descer da árvore ainda com maior dificuldade. Está completamente exausto.

O engenheiro o encara, depois observa o coco distante e volta a olhar para o matemático.

– Você está possuído ou o *quê*? Por que fez *isso*?

O matemático encara-o de volta.

– Não é óbvio? Reduzi a questão a um problema que já sabemos como resolver!

O que é que Zenão...?

Zenão de Eleia era um filósofo da Grécia antiga que viveu ao redor de 450 a.C., sendo mais conhecido por seus *Paradoxos de Zenão* – quatro experimentos mentais que tentam provar que o movimento é impossível. Talvez o filósofo não tenha criado alguns desses paradoxos, e nem sequer tenha enunciado outros – as evidências são discutíveis –, mas vou citar os quatro paradoxos tradicionais, começando pelo mais conhecido.

Aquiles e a tartaruga
Esses dois personagens concordaram em disputar uma corrida, mas Aquiles consegue correr mais rápido que a tartaruga, por isso dá uma vantagem à criatura na saída. A tartaruga argumenta que Aquiles jamais poderá alcançá-la, pois no momento em que ele tiver chegado à posição onde a tartaruga *estava*, ela já terá andado mais para adiante. E no momento em que Aquiles chegar a *essa* posição, a tartaruga já terá avançado outra vez... Portanto, Aquiles terá de passar por um número infinito de lugares antes de alcançá-la, o que é impossível.

Aquiles no encalço.

Dicotomia
Para alcançar algum lugar distante, devemos primeiro chegar ao ponto que fica no meio do caminho, e antes de fazermos isso devemos chegar ao ponto que fica a um quarto do caminho, e antes disso... Portanto, não conseguimos nem começar.

A flecha
Em qualquer instante de tempo, uma flecha em movimento está estacionária. Mas, se for sempre estacionária, não poderá se mover.*

* No romance *Pirâmides*, de Terry Pratchett, da série *Planolândia*, há um filósofo efebo chamado Xenão, que provou que uma flecha não poderia acertar um homem correndo. Outros filósofos concordaram, com a condição de que "tenha sido disparada por alguém que esteja no boteco desde a hora do almoço". Xenão também alegou que a tartaruga é o animal mais rápido do Disco, mas na verdade o animal mais rápido é a ambígua puzuma, que corre numa velocidade próxima à da luz. Se você vir uma puzuma, ela não estará mais lá.

O estádio

Este é mais obscuro. Aristóteles o menciona em *Física*, e diz mais ou menos o seguinte: "Duas fileiras de corpos, cada uma composta de um número igual de corpos de mesmo tamanho, passam uma pela outra numa pista de corrida, seguindo em velocidades iguais e em sentidos opostos. Uma fileira ocupa originalmente o espaço entre a chegada e o ponto médio da corrida; a outra ocupa o espaço entre o ponto médio e a largada. A conclusão é que a metade de um tempo dado é igual ao dobro desse tempo."

Não está absolutamente claro o que Zenão tinha em mente.

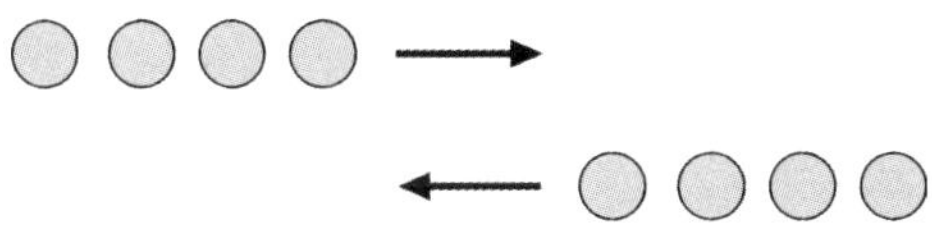

Disposição dos corpos no paradoxo do estádio.

Em termos práticos, sabemos que o movimento *é* possível. Enquanto a tartaruga está expondo seu argumento, Aquiles passa em disparada por ela, alheio à impossibilidade de fazer um número infinito de coisas num tempo finito. A questão mais profunda é: o que *é* o movimento e como ele ocorre? Essa pergunta trata do mundo físico, enquanto os paradoxos de Zenão tratam de modelos matemáticos do mundo real. Se sua lógica estivesse correta, teríamos de jogar fora diversos modelos possíveis. No entanto, será que ela está correta?

A maior parte dos matemáticos, assim como os professores de matemática da escola, resolvem (isto é, explicam) os dois primeiros paradoxos fazendo alguns cálculos. Por exemplo, suponha que a tartaruga avança 1m por segundo e Aquiles avança 10m por segundo. Comecemos com a tartaruga 100m à frente. Tabulemos os eventos considerados por Zenão:

Tempo	Aquiles	Tartaruga
0	0	100
10	100	110
11	110	111
11,1	111	111,1
11,11	111,1	111,11

Essa lista é infinitamente longa – mas por que nos preocuparíamos com isso? Onde está Aquiles depois de, digamos, 12 segundos? Ele alcançou a marca de 120m. A tartaruga ficou 112m para trás. Efetivamente, Aquiles alcança a tartaruga depois de exatamente 11 $\frac{1}{9}$ segundos, pois nesse instante ambos chegaram à posição de 111 $\frac{1}{9}$m.

Poderíamos acrescentar que a sequência infinita

10   11   11,1   11,11   11,111...

converge para 11 $\frac{1}{9}$, ou seja, dirige-se a uma posição infinitamente próxima desse valor, e somente esse valor, se avançarmos o suficiente na sequência.

O paradoxo da dicotomia pode ser abordado de maneira semelhante. Suponha que a flecha tenha que voar por 1m e avance a 1m por segundo. Zenão nos diz onde a flecha está depois de $\frac{1}{2}$ segundo, $\frac{1}{4}$ de segundo, $\frac{1}{8}$ de segundo e assim por diante. Em nenhum desses tempos ela alcança seu alvo. Mas isso não implica que *não* exista um momento no qual a flecha alcance o alvo – implica apenas que esse momento não é nenhum dos que foram considerados por Zenão. A flecha também não chega ao alvo depois de $\frac{2}{3}$ de segundo, por exemplo. E ela claramente *chega* depois de 1 segundo.

Nesse caso, também podemos ressaltar que a sequência infinita

$$1, \frac{1}{2}, \frac{1}{4}, \frac{1}{8}, \ldots$$

converge para 0, e a sequência correspondente de tempo

$$0, \frac{1}{2}, \frac{3}{4}, \frac{7}{8}, \ldots$$

converge para 1, o instante no qual a flecha acerta o alvo.

Muitos filósofos se sentem menos satisfeitos com essas resoluções que os matemáticos, físicos e engenheiros. Eles argumentam que esses cálculos de "limites" não explicam como é possível que um número infinito de coisas diferentes aconteça de uma só vez. Os matemáticos tendem a responder que eles mostram *como* um número infinito de coisas diferentes pode acontecer de uma só vez. Portanto, a suposição de que elas não podem acontecer é o que torna tudo aparentemente paradoxal. Para voar da marca de 0m para a marca de 1m, a flecha gasta o tempo finito de 1 segundo. Mas, embora a extensão do intervalo de 0 a 1 seja finita, o número de *pontos* nessa extensão (o modelo habitual de "números reais") é infinito. Num modelo como esse, *qualquer* movimento exige que passemos por um número infinito de pontos* num período finito de tempo.

Não estou dizendo que minha discussão acerte o argumento em cheio, nem que cubra todos os pontos de vista relevantes. É apenas um resumo rápido e amplo de algumas das principais questões da matemática.

Muitas vezes o paradoxo da flecha também é resolvido tomando-se o ponto de vista do "limite", ou, de maneira mais exata, o cálculo, que é justamente o motivo pelo qual os limites foram inventados. No cálculo, um objeto em movimento pode ter uma velocidade instantânea diferente de 0, muito embora tenha uma localização fixa naquele instante. Passaram-se séculos até que isso fosse compreendido, e a questão se resume a tomarmos o limite da velocidade média de intervalos de tempo cada vez mais curtos. Novamente, alguns filósofos consideram que esta não é uma abordagem aceitável.

Acredito que exista outra questão matemática interessante escondida dentro desta. Fisicamente, existe uma diferença clara entre uma flecha em movimento e outra que não se movimenta, mesmo que ambas estejam no mesmo lugar em algum instante. A diferença não pode ser vista numa "fotografia" instantânea, mas ainda assim é fisicamente real (o que quer que isso signifique). Qualquer pessoa que conheça mecânica clássica sabe a diferença. Um corpo em movimento tem *momento linear* (massa vezes velocidade). A fotografia nos diz a posição do corpo, mas não seu momento. Trata-se de variáveis independentes: em princípio, um corpo pode ter qualquer posição e qualquer momento.

* De fato, por um contínuo, que, segundo Cantor, é um tipo de infinidade maior que a dos números inteiros (veja o *Almanaque das curiosidades matemáticas*, p.169).

Embora a posição seja observável de forma direta (ver onde o corpo está), o momento não é. A única maneira de o observarmos é medindo a velocidade, que envolve ao menos duas posições, em intervalos próximos de tempo. O momento é uma "variável oculta", cujo valor deve ser inferido indiretamente. Desde 1833, a formulação mais popular da mecânica tem sido aquela proposta por sir William Rowan Hamilton, que trabalha de modo explícito com esses dois tipos de variáveis: posição e momento. Portanto, a diferença entre uma flecha em movimento e uma flecha parada é que a flecha em movimento tem momento, e a flecha parada não tem. Como podemos saber a diferença? Não é tirando uma foto. Temos de esperar para ver o que acontece a seguir. O principal elemento faltante nesta abordagem, do ponto de vista filosófico, é qualquer descrição sobre o que o momento *é*, fisicamente. E isso talvez não seja muito mais complicado que qualquer coisa que tenha preocupado Zenão.

E quanto ao estádio? Uma das respostas diz que Zenão estava irremediavelmente confuso, e que a disposição de seu problema não leva à conclusão de que "a metade do tempo é igual ao dobro do tempo". No entanto, existe uma interpretação que examina os quatro paradoxos de uma perspectiva mais interessante. A sugestão é que Zenão tentava compreender a natureza do espaço e do tempo.

Os modelos mais óbvios do espaço dizem que ele é discreto, com pontos isolados, situados (digamos) nas posições dos números inteiros 0, 1, 2, 3, e assim por diante, ou que é contínuo, e nesse caso os pontos corresponderiam a números reais, que podem ser subdivididos tantas vezes quanto quisermos. O mesmo vale para o tempo.

Possíveis estruturas do espaço e do tempo.

Em conjunto, essas escolhas geram quatro combinações diferentes para a estrutura do espaço e do tempo. E essas quatro combinações se relacionam de maneira bastante convincente aos quatro paradoxos, desta forma:

Paradoxo	Espaço	Tempo
Aquiles e a tartaruga	Contínuo	Contínuo
Dicotomia	Discreto	Contínuo
Flecha	Contínuo	Discreto
Estádio	Discreto	Discreto

Zenão possivelmente tentava mostrar que todas as combinações apresentam problemas lógicos.

- Na primeira, um número infinito de coisas deve acontecer durante um período finito de tempo.
- Na segunda, o espaço não pode ser subdividido indefinidamente, mas o tempo pode. Assim, considere um objeto que cruza a menor unidade possível de espaço em algum tempo t diferente de 0. No momento 0, o objeto se encontra numa certa localização; no momento t, encontra-se na localização distinta mais próxima. Então, onde ele se encontra no momento $\frac{1}{2}t$? Deveria estar no meio do caminho, mas, nessa versão discreta do espaço, não existe nenhum ponto intermediário.
- O mesmo ocorre se o espaço for contínuo e o tempo for discreto, trocando-se o tempo pelo espaço. A flecha consegue passar de uma localização fixa num instante para outra localização fixa no instante seguinte. Ela poderia cruzar o espaço entre as duas, mas não existe um *tempo* intermediário que lhe permita passar por aí.
- E quanto ao estádio? Agora, tanto o espaço como o tempo são discretos. Então, imagine as duas fileiras de corpos idênticos propostas por Zenão passando uma pela outra. Para esclarecer o problema, vamos acrescentar uma terceira fileira de corpos, imóvel, que servirá como ponto de comparação para o movimento de cada fileira. Suponha que, em relação à fileira fixa, cada fileira se mova o mais rápido possível, isto é, cada fileira avança pela menor unidade de espaço possível na menor unidade de tempo possível.

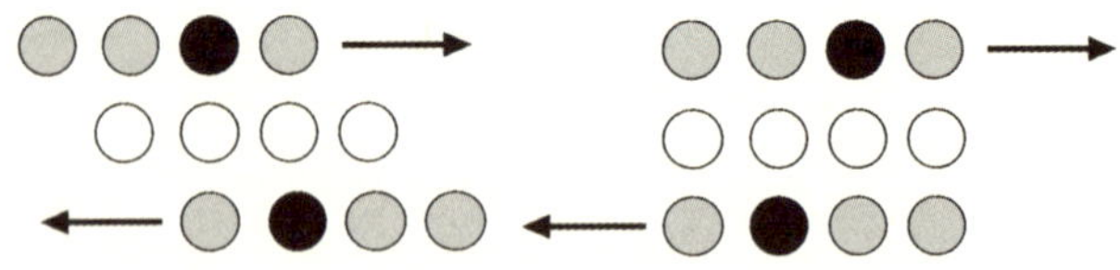

Posições sucessivas das fileiras de corpos idênticos.

Você perceberá que pintei dois dos corpos de preto: eles servirão como referência. No primeiro instante, os corpos pretos são separados por uma unidade de espaço, e o de cima se encontra à esquerda. No instante seguinte, encontram-se separados por uma unidade de espaço, e o de cima está à direita: eles trocaram de posições.

Em que momento estavam empatados?

Não estavam. Como trabalhamos com o menor intervalo possível de tempo, o que as imagens mostram é tudo o que acontece. Não existe um "tempo intermediário" no qual os dois corpos pretos possam estar empatados. Esse problema não é insuperável – podemos apenas aceitar que um corpo em movimento faz esse tipo de "salto", por exemplo. E pode ser que toda essa classificação bonita e arrumada dos paradoxos em quatro possibilidades seja enganadora, e que as intenções de Zenão fossem bastante diferentes.

Cinco moedas

– Eis aqui um desafio para vocês, meus marujos! – gritou Roger Barba-Ruiva, o capitão pirata que gostava de manter em alerta o cérebro de sua tripulação. Mesmo que fosse para verificar que ela ainda tinha cérebro.

Barba-Ruiva apanhou quatro moedas, dobrões espanhóis idênticos.

– Agora, meus rapazes, o que quero que façam é posicionar essas quatro moedas de ouro de modo que fiquem *equidistantes*.

Vendo o olhar embasbacado nas caras dos piratas, o capitão explicou:

– O que quero dizer, rapazes, é que a menor distância entre quaisquer duas moedas tem de ser igual à menor distância entre quaisquer outras duas moedas.

Para sua considerável surpresa, o contramestre percebeu imediatamente que não adiantava "trabalhar no plano", e que a solução precisava de três dimensões espaciais. Ele logo encontrou uma resposta: bastava colocar três moedas em contato, formando um triângulo, e apoiar a quarta sobre elas. Assim, todas as moedas se tocam, portanto todas as distâncias entre elas são zero, portanto iguais.

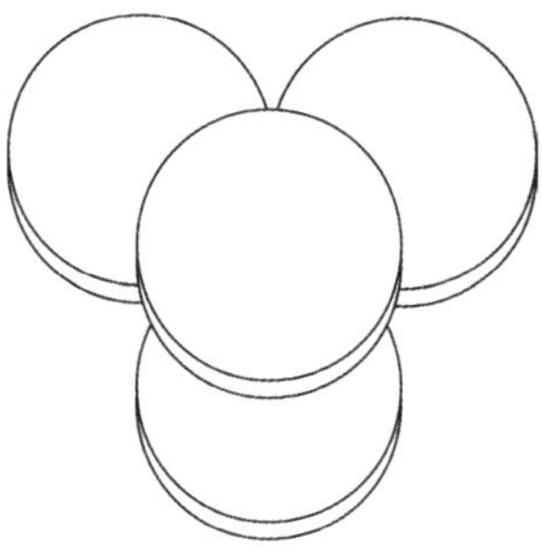

Como resolver o problema com quatro moedas.

Barba-Ruiva, consternado, pensou por um instante.

– Você se acha malandro? Tente fazer com *cinco* moedas, então. Quero ver deixar todas *elas* equidistantes uma das outras!

O contramestre acabou por encontrar uma resposta, mas não foi fácil. Qual foi a solução?

Resposta na p.328

Pi no céu

O fato de que podemos calcular o valor de π observando as estrelas não é muito conhecido. Além disso, o raciocínio por trás desse feito não se baseia na astronomia, e sim na teoria dos números – e não funciona em virtude de algum padrão existente nas estrelas, e sim por elas não terem padrão algum.

Suponha que escolhamos dois números inteiros diferentes de 0, aleatoriamente, menores ou iguais a algum limite superior. A probabilidade deve ser uniforme – isto é, cada número deve ter a mesma chance de ser escolhido. Por exemplo, o limite superior pode ser 1 milhão, e os números que obtemos talvez sejam 14.775 e 303.254, cada um com probabilidade de 1 em 1 milhão. Agora perguntemos: esses dois números têm algum fator comum (maior que 1) – ou não? Neste caso, não têm. De maneira mais geral, os teóricos dos números provaram que a proporção de pares sem fatores comuns tende a $6/\pi^2$ à medida que o limite superior se torna arbitrariamente alto. Esse resultado notável é uma das muitas propriedades de π que parecem não ter conexão alguma com a circunferência. Trata-se de um valor exato, e não de uma aproximação, e pode (com alguns truques inteligentes) ser deduzido a partir de fórmula

$$1 + \frac{1}{4} + \frac{1}{9} + \frac{1}{16} + \frac{1}{25} + \ldots = \frac{\neq^2}{6}$$

Em 1995, Robert Matthews escreveu uma breve carta à revista científica *Nature*, indicando que esse teorema da teoria dos números poderia ser usado para calcularmos um valor razoavelmente preciso de π a partir das estrelas no céu noturno – supondo que a posição das estrelas seja aleatória. Sua ideia foi calcular as distâncias angulares entre muitas estrelas (isto é, o ângulo entre as linhas que unem essas estrelas ao olho do observador) e transformar essas distâncias em grandes números inteiros (a fórmula que ele utilizou consistia em tomar o cosseno do ângulo, somar 1 e multiplicar por meio milhão). Se ignorarmos qualquer coisa que venha depois da vírgula decimal e excluirmos o 0, teremos uma lista de números inteiros positivos entre 1 e 1 milhão. Escolhamos pares aleatoriamente, e seja p a proporção de pares sem fatores comuns iguais. Então, p é aproximadamente $6/\pi^2$, logo π é aproximadamente $\sqrt{6/p}$.

Matthews fez o cálculo para as 100 estrelas mais brilhantes do céu, gerando uma lista de 4.095 números inteiros entre 1 e 1 milhão. A partir daí, ele derivou 1 milhão de pares de números escolhidos aleatoriamente e descobriu que $p = 0{,}613333$. Portanto, π deve ser aproximadamente 3,12772. Essa aproximação não é tão boa quanto $22/7$, como aprendemos na escola, mas encontra-se a menos de 0,4% do valor correto. O uso de mais estrelas deve melhorar a estimativa. Matthews terminou sua carta dizendo que "os pitagóricos modernos talvez fiquem animados em saber que podemos encontrar um valor 99,6% preciso para π entre as estrelas que temos sobre nossas cabeças".

O curioso incidente do cachorro

No conto "Silver Blaze", de Sherlock Holmes, escrito por sir Arthur Conan Doyle, encontramos:

– Existe algum outro ponto para o qual você deseje chamar minha atenção?

– Para o curioso incidente do cachorro durante a noite.

– O cachorro não fez nada durante a noite.

– Esse foi o incidente curioso – comentou Sherlock Holmes.

Eis uma sequência:

1, 2, 4, 7, 8, 11, 14, 16, 17, 19, 22, 26, 28, 29, 41, 44

Levando em conta o comentário de Sherlock Holmes, qual é o próximo número da sequência?

Resposta na p.328

A matemática fica difícil

Todos esses problemas do tipo "encontre o próximo número da sequência" têm um porém – a resposta não precisa ser única. Carl Linderholm resolveu abordar o problema na hilária paródia *Mathematics Made Difficult,* publicada em 1971, quando a "nova matemática" estava na moda. No livro, o autor comenta: "Os matemáticos sempre tentam confundir suas plateias; onde não há confusão, também não há prestígio." Como exemplo, Linderholm define o sistema de números naturais como uma "função de valor universal".

Seu modo de resolver os problemas do tipo "adivinhe o próximo número" é incomum, apesar de lógico. Por exemplo, para encontrar o próximo número depois de

8, 75, 3, 9,

ele pede que escrevamos "a única resposta que qualquer pessoa razoável colocaria ali". Que é... o quê? Ah, esta é a parte inteligente. Para dar uma dica, veja aqui mais alguns problemas do mesmo tipo:

- O que vem depois de 1, 2, 3, 4, 5?
- O que vem depois de 2, 4, 6, 8, 10?
- O que vem depois de 1, 4, 9, 16, 25?
- O que vem depois de 1, 2, 4, 8, 16?
- O que vem depois de 2, 3, 5, 7, 11?
- O que vem depois de 139, 21, 3, 444, 65?

E aqui estão as respostas que encontraríamos usado o método de Linderholm:

- 19
- 19
- 19
- 19
- 19
- 19

Qual é a justificativa para esse conjunto bizarro de respostas? É a fórmula de interpolação de Lagrange, que nos dá um polinômio $p(x)$ tal que $p(1), p(2), \ldots, p(n)$ é qualquer sequência especificada de extensão n, para qualquer n finito. *Algum p* deve se encaixar na sequência

1, 2, 3, 4, 5, 19,

portanto, a escolha de 19 é justificada pelo polinômio. O mesmo vale para todos os outros exemplos. Como explica Linderholm, essa resposta é muito superior a

1, 2, 3, 4, 5, 6,

porque seu procedimento é "muito mais simples e fácil de usar, além de ser obtido por um método mais geral".

Por que 19? Escolha seu número favorito e some 1. Por que somar 1? Para "dificultar a determinação dos seus defeitos de caráter pela análise de seu número preferido. O autor não conhece nenhuma técnica pela qual o caráter de uma pessoa possa ser revelado a partir de seu número secreto, mas claro que alguém poderá, um dia, inventar uma técnica como essa".

Para manter o espírito do livro de Linderholm, eu realmente deveria mostrar a você a fórmula de interpolação de Lagrange. Por isso, ela está na p.328.

Um fato estranho sobre as frações egípcias

Ron Graham provou que qualquer número maior que 77 pode ser expresso como a soma de inteiros positivos diferentes cujos recíprocos (1 dividido pelo inteiro apropriado) somam 1. Assim, isso representa o 1 como uma fração egípcia (ver p.88).

Por exemplo, seja n = 425. Então,

$$\frac{1}{3}+\frac{1}{5}+\frac{1}{7}+\frac{1}{9}+\frac{1}{15}+\frac{1}{21}+\frac{1}{27}+\frac{1}{35}+\frac{1}{63}+\frac{1}{105}+\frac{1}{135}=1$$

e $3 + 5 + 7 + 9 + 15 + 21 + 27 + 35 + 63 + 105 + 135 = 425$.

Por outro lado, Derrick Henry Lehmer mostrou que o número 77 não pode ser escrito dessa forma. Portanto, temos aqui uma propriedade especial do 77 no contexto das frações egípcias.

Um teorema de quatro cores

Se eu dispuser três círculos iguais de modo que cada círculo toque os outros dois, é óbvio que vou precisar de três cores se quiser colorir cada círculo de modo que os círculos adjacentes sempre tenham cores diferentes. A figura mostra três círculos, cada um tocando os outros dois, portanto todos precisam de cores diferentes.

São necessárias três cores.

Quatro círculos num plano não podem estar todos em contato uns com os outros, mas isso não significa que as três cores sempre irão funcionar: existem maneiras mais complicadas de dispormos muitas moedas, e em algumas delas podem ser necessárias quatro cores. Qual o *menor* número de círculos iguais que podem ser dispostos de modo que sejam necessárias quatro cores? Novamente, a regra diz que, se dois círculos estiverem em contato, deverão ter cores diferentes.

Resposta na p.329

A serpente da escuridão perpétua

Em 2004, os astrônomos descobriram o asteroide 99942 e o chamaram Apophis, em referência à serpente do Egito antigo que ataca o deus do Sol, Rá, durante sua passagem noturna pela escuridão perpétua do Submundo.* De certa maneira, o nome foi bastante apropriado, pois os astrônomos também anunciaram que existia um sério risco de que o asteroide recém-descoberto colidisse com a Terra em 13 de abril de 2029 – ou então em 13 de abril de 2036. A chance de colisão foi estimada

* Também é o nome do vilão principal em *Stargate SG-1*, um chefe de sistema Goa'uld, caso isso soe mais familiar.

inicialmente em $1/200$, chegando a um máximo de $1/37$, mas acredita-se agora que seja muito improvável.

Um famoso jornalista britânico escreveu, em sua coluna, algo do tipo: "Como eles podem ser tão específicos quanto à data, mas não sabem o ano?" Na verdade, era uma coluna de humor, e a pergunta é bastante engraçada. Mas ela tem uma resposta séria.

Ajude o jornalista. (*Dica*: O que é um ano, astronomicamente falando?)

Resposta e discussão na p.330

Qual a probabilidade?

Mathophila pega um baralho e coloca os quatro ases na mesa, virados para baixo. Dois deles (espadas, paus) são pretos; os outros dois (copas, ouros) são vermelhos.

Embaralhe, coloque na mesa com as faces viradas para baixo, escolha duas.

– Innumeratus?

– Sim?

– Se você pegar duas dessas cartas aleatoriamente, qual a probabilidade de que tenham cores diferentes?

– Hummmm...

– Bom, ou as cores são as mesmas ou não são, certo?

– Sim.

– E temos o mesmo número de cartas de cada cor.

– Isso.

– Então a chance de que as duas cartas sejam da mesma cor, ou de cores diferentes, deve ser igual – então ambas são iguais a ½. Certo?

– Hummmm...

Mathophila está certa?

Resposta na p.331

Uma breve história da matemática

c.23.000 a.C	O osso de Ishango registra os números primos entre 10 e 20. Aparentemente.
c. 1900 a.C	A tábula de argila babilônica Plimpton 322 lista o que talvez sejam ternos pitagóricos. Outras tábulas registram os movimentos dos planetas e o modo de resolver equações quadráticas.
c. 420 a.C	Descoberta dos incomensuráveis (números irracionais que surgem na geometria) por Hipaso de Metaponto.*
c. 400 a.C	Os babilônios inventam o símbolo do zero.
c. 360 a.C	Eudoxo desenvolve uma teoria rigorosa dos incomensuráveis.
c. 300 a.C	Os *Elementos* de Euclides faz da prova o ponto central da matemática e classifica os cinco sólidos regulares.
c. 250 a.C	Arquimedes calcula o volume da esfera e outras coisas bacanas.
c. 36 a.C	Os maias reinventam o símbolo do zero.

* Hipaso era membro do culto pitagórico; conta-se que anunciou seu teorema enquanto ele e alguns de seus colegas de culto cruzavam o Mediterrâneo num barco. Como os pitagóricos acreditavam que tudo no Universo podia ser reduzido a números inteiros, os outros não ficaram exatamente eufóricos, e Hipaso foi expulso. Do barco, segundo algumas versões.

c. 250	Diofanto escreve *Aritmética* – como resolver equações em números inteiros e racionais. Utiliza símbolos para quantidades desconhecidas.
c. 400	O símbolo do zero é re-reinventado na Índia. Pela terceira vez.
594	Primeiras evidências da notação posicional na aritmética.
c. 830	Muhammad ibn Musa al-Khwarizmi escreve o livro *al-Jabr w'al-Muqabala*, que manipula conceitos algébricos como entidades abstratas, não apenas como marcadores das posições dos números, e nos dá a palavra "álgebra". Mas não usa símbolos.
876	Primeiro uso indiscutível de um símbolo para o zero na notação posicional de base 10.
1202	O livro *Liber Abbaci*, de Leonardo de Pisa, apresenta os números de Fibonacci com base num problema sobre a reprodução dos coelhos. Também divulga os numerais arábicos e discute as aplicações da matemática no câmbio monetário.
1500-50	Matemáticos renascentistas italianos resolvem equações cúbicas e quárticas.
1585	Simon Stevin introduz a vírgula decimal.
1589	Galileu Galilei descobre padrões matemáticos nos corpos em queda.
1605	Johannes Kepler mostra que a órbita de Marte é uma elipse.
1614	John Napier inventa os logaritmos.
1637	René Descartes inventa a geometria de coordenadas.
c. 1680	Gottfried Wilhelm Leibniz e Isaac Newton inventam o cálculo e discutem quem foi o primeiro a fazê-lo.
1684	Newton manda para Edmund Halley uma derivação de órbitas elípticas a partir da lei quadrática inversa da gravidade.
1718	Abraham De Moivre escreve o primeiro livro sobre a teoria da probabilidade.
1726-83	Leonhard Euler padroniza a notação, como no caso de e, i, π, sistematiza a maior parte da matemática conhecida e inventa um bocado de matemática original.

1788	O livro *Méchanique analytique*, de Joseph-Louis Lagrange, coloca a mecânica numa base analítica, livrando-se das figuras.
1796	Carl Friedrich Gauss descobre o modo de construir um polígono regular de 17 lados.
1799-1825	O épico livro em cinco volumes *Mécanique céleste*, de Pierre Simon de Laplace, formula a matemática básica do sistema solar.
1801	O livro *Disquisitiones arithmeticae*, de Gauss, serve como base para a teoria dos números.
1810-28	Augustin-Louis Cauchy introduz a análise complexa.
1824-32	Niels Henrik Abel e Évariste Galois provam que a equação quíntica não pode ser resolvida por meio de radicais; Galois abre o caminho para a álgebra abstrata moderna.
1829	Nikolai Ivanovich Lobachevsky apresenta a geometria não euclidiana, seguido de perto por János Bolyai.
1837	William Rowan Hamilton define formalmente os números complexos.
1843	Hamilton formula a mecânica e a óptica nos termos do hamiltoniano.
1844	Hermann Grassmann desenvolve a geometria multidimensional.
1848	Arthur Cayley e James Joseph Sylvester inventam a notação matricial. Cayley prevê que isso jamais terá qualquer uso prático.
1851	Publicação póstuma de *Paradoxien des Unendlichen*, de Bernard Bolzano, que lida com a matemática do infinito.
1854	Georg Bernhard Riemann introduz as variedades – espaços curvos de muitas dimensões –, abrindo caminho para a relatividade geral de Einstein.
1858	Augustus Möbius inventa sua fita.
1859	Karl Weierstrass torna a análise rigorosa com definições usando épsilon e delta.

1872	Richard Dedekind prova que $\sqrt{2} \times \sqrt{3} = \sqrt{6}$ – a primeira vez em que isso foi feito de forma rigorosa –, desenvolvendo os fundamentos lógicos dos números reais.
1872	O programa de Erlangen, de Felix Klein, representa as geometrias como invariantes de grupos de transformações.
c. 1873	Sophus Lie começa a trabalhar nos grupos de Lie, e a matemática da simetria dá um grande salto à frente.
1874	George Cantor introduz a teoria dos conjuntos e dos números transfinitos.
1885-1930	Floresce a escola italiana da geometria algébrica.
1886	Henri Poincaré depara com indícios da teoria do caos e revive o uso de figuras.
1888	Wilhelm Killing classifica as álgebras de Lie simples.
1889	Giuseppe Peano enuncia seus axiomas para os números naturais.
1895	Poincaré estabelece as ideias básicas da topologia algébrica.
1900	David Hilbert apresenta seus 23 problemas no Congresso Internacional de Matemáticos.
1902	Henri Lebesgue inventa a teoria da medida e a integral de Lebesgue em sua tese de doutorado.
1904	Helge von Koch inventa a curva do floco de neve, que é contínua, mas não diferenciável, simplificando um exemplo anterior encontrado por Karl Weierstrass e antecipando a geometria dos fractais.
1910	Bertrand Russel e Alfred North Whitehead provam que $1 + 1 = 2$ na p.379 do vol.I de *Principia Mathematica*, formalizando toda a matemática por meio da lógica simbólica.
1931	Os teoremas de Kurt Gödel demonstram as limitações da matemática formal.
1933	Andrei Kolmogorov enuncia os axiomas para a probabilidade.
c. 1950	A matemática abstrata moderna começa a decolar. Depois disso, tudo fica complicado.

A piada matemática mais curta da história

Seja $\varepsilon < 0$.

Se você não entendeu essa piada, veja o comentário à resposta na p.331. Se você entendeu e não achou graça, parabéns.

A farsa do aquecimento global

Os modelos matemáticos são fundamentais para o estudo do aquecimento global, pois nos ajudam a entender como a atmosfera da Terra se comportaria com diferentes níveis de radiação vinda do Sol, com diferentes níveis de gases ligados ao efeito estufa, tais como dióxido de carbono (CO_2) e metano, e com qualquer outro fator presente no modelo. Vou ignorar o efeito do metano – basicamente, ele só piora tudo. A mudança climática é um assunto muito complexo, e este é apenas um breve olhar sobre um mal-entendido comum.

Quase todos os cientistas que trabalham com o clima estão hoje convencidos de que as atividades humanas aumentaram a quantidade de CO_2 na atmosfera e que esse aumento provocou a elevação das temperaturas. Alguns ainda discordam, e, em março de 2007, a emissora de televisão Channel 4, do Reino Unido, transmitiu o documentário *A grande farsa do aquecimento global*, sobre essas opiniões dissidentes. Uma das evidências mais intrigantes apresentadas no programa foi a relação observada entre a temperatura e o CO_2 a longo prazo. Apresentaram o ex-candidato à presidência dos Estados Unidos, Al Gore, que tem andado muito ativo em sua tentativa de convencer o público de que a mudança climática é para valer, dando uma palestra em frente a uma grande projeção que ilustrava como a temperatura e o CO_2 se alteraram no passado. Esses números podem ser deduzidos a partir de registros naturais, como núcleos de gelo.

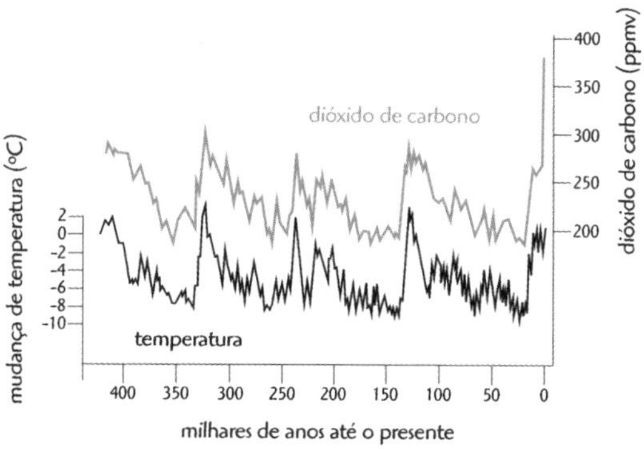

Registros históricos de temperatura e CO_2, com base em: J.R. Petit et al., "Climate and atmospheric history of the past 420,000 years from the Vostok ice core, Antarctica", *Nature*, vol.399, p.429-36, 1999.

As duas curvas sobem e descem quase juntas, numa associação convincente. Mas o programa ressaltou que os aumentos de temperatura começam e terminam *antes* dos aumentos de CO_2, em especial se observarmos os dados mais atuais com muito cuidado. Claramente, é o aumento da *temperatura* que causa o aumento do CO_2, e não o contrário. O argumento parece bastante convincente, e o programa o enfatizou muito.

A temperatura sempre muda primeiro (figura esquemática com fins ilustrativos).

A ciência climática depende fortemente de modelos matemáticos dos processos físicos que influenciam o clima, portanto esse é um problema tanto matemático quanto científico. Os melhores dados disponíveis até o presente indicam que esse efeito é real, e os picos e quedas de CO_2 aparecem cerca de 100 anos depois dos picos de temperatura. Então, será que essa relação prova que o aumento das temperaturas causa o aumento do CO_2, e não o contrário? E o que tudo isto tem a ver com o aquecimento global, se é que tem?

Vamos aquecer nossos cérebros primeiro. Os climatologistas conhecem bem esses gráficos, que, de fato, são uma parte importante das provas de que a produção humana de CO_2 está causando o aumento das temperaturas. Se esses gráficos realmente comprovassem que o CO_2 *não* é responsável pelo aumento das temperaturas, os climatologistas já teriam percebido. Sim, poderia ser tudo uma grande conspiração, mas os governos de todo o mundo estariam muito mais contentes se a mudança climática fosse apenas uma ilusão, e são eles que pagam pelas pesquisas. Se houver uma conspiração, é muito mais provável que seja dedicada a suprimir as evidências da mudança climática. Assim, parece provável que os climatologistas tenham compreendido por que esse atraso ocorre e tenham calculado que isso não demonstra que o CO_2 não tem um papel importante na mudança climática. E eles de fato fizeram isso: bastam 30 segundos na internet para encontrarmos a explicação.

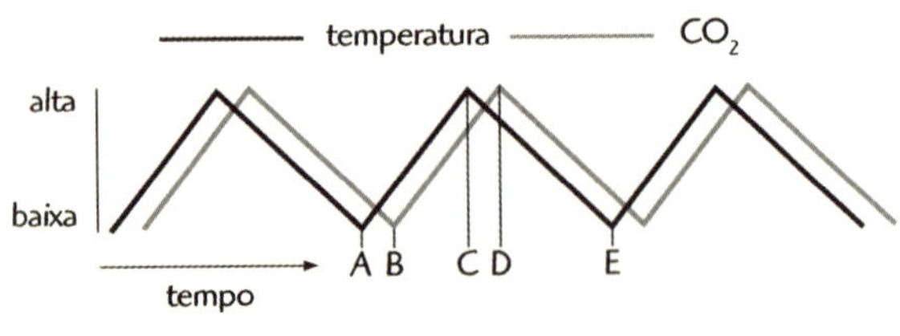

O que acontece nos instantes A, B, C, D e E?

Então, por que acontece esse atraso de 100 anos? A história completa é complicada, mas as linhas gerais não são difíceis de entender se pensarmos no quadro esquemático, que permite acompanharmos as questões com mais facilidade. Os fatos fundamentais são os seguintes:

- Existe um ciclo natural de mudanças de temperatura causadas por alterações sistemáticas na órbita da Terra, na inclinação de seu eixo e na direção em que o eixo aponta.

- As elevações de temperatura efetivamente causam o aumento dos níveis de CO_2, e são necessárias dezenas ou centenas de anos para que a natureza responda à mudança de temperatura.

Em primeiro lugar, observe que, na maior parte do tempo, os níveis de temperatura e CO_2 crescem juntos (entre os tempos B e C), ou caem juntos (entre os tempos D e E). Isso mostra que temperatura e CO_2 estão ligados, mas não nos diz qual é a causa e qual é o efeito. Na verdade, cada um causa o outro.

O que está acontecendo aqui, segundo a ampla maioria dos climatologistas, é mais ou menos o seguinte. No instante A, o ciclo natural faz com que as temperaturas comecem a crescer, embora não excessivamente. No instante B, cerca de um século depois, o efeito sobre a emissão de CO_2 se torna visível. Esse aumento afeta então a temperatura, que responde muito mais rápido aos níveis de CO_2 do que os níveis de CO_2 à temperatura. Por isso a temperatura sobe. Agora a temperatura e o CO_2 reforçam um ao outro num mecanismo de retroalimentação positiva, subindo juntos (do instante B ao C). No instante C, o ciclo externo de temperatura e outros fatores fazem com que as temperaturas comecem a cair. Os níveis de CO_2 não parecem ser afetados até o instante D, mas, assim que reagem, a queda do CO_2 reforça a queda da temperatura, e ambos caem juntos. Isso continua até o instante E, quando todo o processo se repete.

Próxima pergunta: o que isso tem a ver com o aquecimento global?

Não muito.

O que estivemos discutindo até agora é um ciclo natural, sem intervenção humana. Os termos "aquecimento global" e "mudança climática" não se referem ao aumento da temperatura ou a mudanças no clima *por si sós*. Eles se referem, muito especificamente, a desvios do ciclo natural.

O termo "aquecimento global" foi usado a primeira vez por cientistas que compreenderam essa questão e também entenderam que o que estava sendo discutido eram as temperaturas globais médias a médio prazo, e não as temperaturas locais a curto prazo. Isso causou uma grande confusão, pois algumas partes do globo podem se resfriar por algum tempo, enquanto outras ficam mais quentes. Por isso o termo "mudança climática" começou a ser usado na esperança de evitar tumultos. Mas a frase não significa apenas que "o clima está mudando" – isso ocorre durante o ciclo natural. Significa que "o clima está mudando de uma forma que o ciclo natural não explica".

No ciclo natural, como vimos, a temperatura influencia o CO_2 e o CO_2 influencia a temperatura. Quando a atmosfera é "forçada" por um ciclo mutável de radiação solar, ambos os valores reagem. A questão do "aquecimento global" é: o que esperamos que aconteça com esse ciclo se os seres humanos emitirem grandes quantidades de CO_2 na atmosfera? Matematicamente, isto é como dar uma grande dose de CO_2 ao sistema e ver como ele se comporta. E a resposta é: a temperatura aumenta depressa, pois ela responde bastante rapidamente a mudanças no CO_2.

Dessa forma, os gráficos, com esse intrigante atraso, mostram o comportamento de um sistema atmosférico, em seu funcionamento natural, ao ser forçado por variações nos níveis de radiação que chegam à Terra. O "aquecimento global" não tem nada a ver com isso. Trata-se do comportamento desse sistema natural quando lhe damos um estímulo súbito. Sabemos que a atividade humana elevou bastante os níveis de CO_2 nos últimos 50 anos, mais ou menos; de fato, esses níveis são hoje mais elevados que em qualquer época anterior, conforme os registros dos núcleos de gelo. Observe o lado direito do gráfico do CO_2 na p.177. As proporções de vários isótopos de carbono (diferentes formas dos átomos de carbono com peso atômico diferente) mostram que essa elevação resulta principalmente da atividade humana – e o nível sem precedentes de CO_2 em tempos modernos confirma esse fato.

Para testar a hipótese de que essa elevação no CO_2 levou ao aquecimento global, o estímulo matemático que damos a qualquer modelo atmosférico também deverá ser uma elevação do CO_2. Dessa forma, estamos perguntando que efeito essa elevação de CO_2 *provoca* – nesse contexto.

Para checar o que acontece, e para deixar claro que estamos falando de matemática mesmo, montei um sistema simples de equações que serve como modelo para a variação da temperatura T e dos níveis de dióxido de carbono C ao longo do tempo. Não é um modelo "realista", mas possui as características básicas que estamos discutindo, e ilustra esse ponto fundamental. O modelo tem a seguinte forma:

$$\frac{dT}{dt} = \text{sen}t + 0.25C - 0.01T^2$$

$$\frac{dC}{dt} = 0.1T - 0.01C^2$$

Aqui, a temperatura é forçada periodicamente (o termo sen t), o que reflete os diferentes níveis de calor proveniente do Sol. Além disso, qualquer alteração em C produz uma alteração proporcional em T (o termo $0{,}25C$), e qualquer alteração em T produz uma alteração proporcional em C (o termo $0{,}1T$). Dessa forma, meu modelo está armado de modo que temperaturas mais altas causem a elevação do CO_2, e níveis mais altos de CO_2 causem a elevação da temperatura, exatamente como no mundo real. Como 0,25 é maior que 0,1, a temperatura responde mais rápido a mudanças no CO_2 que o contrário. Por fim, subtraio $0{,}01T^2$ e $0{,}01C^2$ para reproduzir as reduções que sabidamente ocorrem.

Agora vou resolver essas equações no meu computador e ver o que encontro. A seguir, apresento três figuras de como T (curva preta) e C (curva cinza) se modificam ao longo do tempo. Plotei $4y - 60$ em vez de y, para que as curvas estejam mais próximas, de modo que possamos ver a relação.

- Quando o sistema funciona em seu ciclo natural, tanto T como C flutuam periodicamente, e as alterações e C ocorrem *depois* das alterações em T. Esse é o atraso paradoxal que, segundo o programa de TV, mostra que a elevação do CO_2 não provoca a elevação das temperaturas. Entretanto, em nosso modelo, a elevação do CO_2 de fato causa a elevação das temperaturas, graças ao termo $0{,}25C$ na primeira equação, embora esse atraso ainda esteja presente. O atraso é uma consequência dos efeitos não lineares do modelo, e não de atrasos no efeito de uma coisa sobre outra.

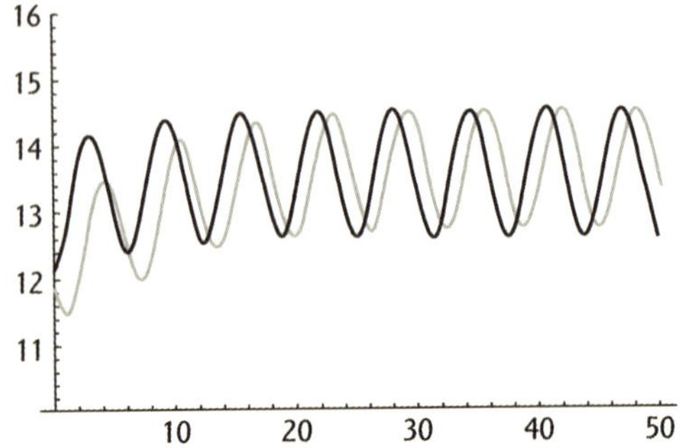

Como a temperatura (linha preta) e o CO_2 (linha cinza) variam ao longo do tempo. Observe que o CO_2 tem um atraso em relação à temperatura.

- Quando provoco um aumento súbito e breve em *C* no instante 25, tanto *T* como *C* reagem. Entretanto, *C* ainda parece ficar para trás de *T*, e *T* não parece se alterar muito.

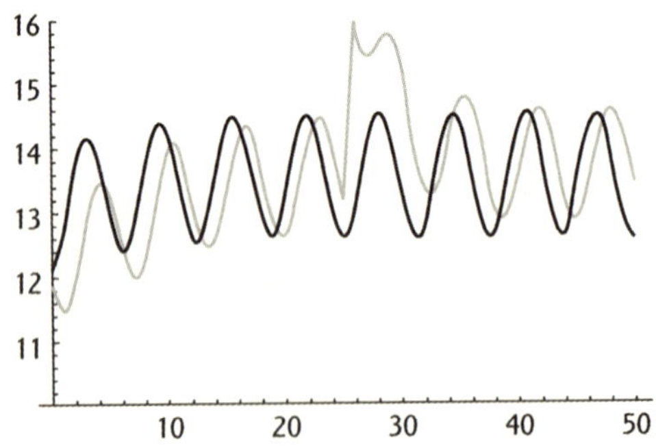

O efeito de um aumento súbito do CO_2 (linha cinza).

- Porém, se eu registrar as *mudanças* em *T* e *C* entre as duas séries de equações, vejo que *T* começa a subir logo depois de *C*. Portanto, uma mudança em *C* *efetivamente* causa uma mudança imediata em *T*. O interessante nesse caso é o modo como a temperatura *continua* a crescer depois que o pico de CO_2 começa a cair. A dinâmica não linear pode ser contraintuitiva, e é por isso que devemos usar a matemática, em vez de argumentos verbais inocentes.

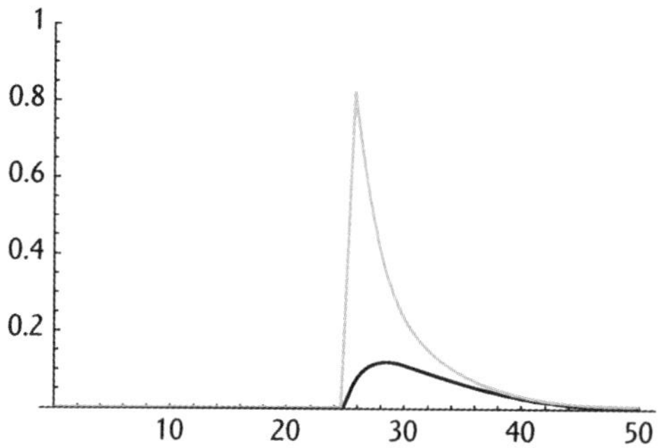

Diferenças nos níveis de CO_2 e temperatura entre as duas séries mostram que a temperatura aumenta imediatamente após a elevação do CO_2.

Portanto, a questão do "aquecimento global" ou da "mudança climática" não consiste em sabermos o que causa o que no sistema em seu funcionamento natural, pois a temperatura e o CO_2 afetam um ao outro. Os climatologistas não discutem esse aspecto, que já é conhecido há bastante tempo. A questão é: o que acontece quando *sabemos* que uma dessas quantidades foi subitamente alterada pela atividade humana? Esse atraso, tão alardeado, é irrelevante para essa questão – na verdade, chega a ser enganador. O que acontece é que a temperatura sofre uma *mudança* imediata, elevando-se.

Para maiores informações, veja: en.wikipedia.org/wiki/Climate_change, en.wikipedia.org/wiki/Global_warming.

Talvez seja esclarecedor observar o que aconteceu *depois* dessa transmissão do Channel 4, em: en.wikipedia.org/wiki/The_Great_Global_Warming_Swindle.

Diga as cartas

– Senhoras e senhores – anunciou o Grande Whodunni –, minha assistente Grumpelina irá pedir a uma pessoa da plateia que coloque três cartas em sequência sobre a mesa, enquanto estou com os olhos vendados. A seguir, vou pedir que ela me dê algumas informações limitadas, depois das quais vou adivinhar as cartas.

As cartas foram escolhidas e colocadas em sequência. Grumpelina recitou então uma estranha lista de afirmações:

– À direita do rei existe uma dama ou duas.

– À esquerda de uma dama existe uma dama ou duas.

– À esquerda de uma carta de copas existe uma de espadas ou duas.

– À direita de uma carta de espadas existe uma de espadas ou duas.

Instantaneamente, Whodunni adivinhou as três cartas.

Que cartas eram essas?

Resposta na p.331

O que é 0,999...?

A maioria de nós tem seu primeiro contato com a infinidade matemática ao estudar os decimais. Números exóticos como π não são os únicos que "seguem em frente para sempre" – números mais prosaicos também. O primeiro exemplo com que deparamos talvez seja a fração $1/3$. Em decimais, isso se torna 0,333333…, e a notação decimal só poderá ser *exatamente* igual a $1/3$ se ela continuar para sempre.

O mesmo problema surge em qualquer fração p/q onde q não é apenas um monte de 2 e 5 multiplicados (o que inclui todas as potências de 10). Mas, ao contrário de π, a forma decimal de uma fração repete o *mesmo* conjunto de algarismos muitas e muitas vezes, talvez depois de alguns algarismos iniciais que não se encaixam no padrão repetitivo. Por exemplo, $83/35$ é igual 2,3714285714285714285, repetindo o 714285 indefinidamente. Esses números são chamados dízimas periódicas, e as partes que se repetem em geral são marcadas com um ponto ou com pontos no início e no final, caso o trecho envolva vários algarismos:

$$\frac{1}{3} = 0.\dot{3}, \qquad \frac{83}{35} = 2.3714285$$

Tudo isso parece razoável, mas o número 0,999999..., ou $0,\dot{9}$, muitas vezes causa problemas. Por um lado, este número é obviamente 3 vezes $0,\dot{3}$, que é 3 × ⅓, que é 1. Por outro lado, 1 em decimais é 1,000000..., o que não parece ser o mesmo.

Parece que existe a crença geral de que $0,\dot{9}$ é ligeiramente menor que 1. A razão para esse raciocínio é que, em tese, em qualquer momento que pararmos, como, por exemplo, em 0,9999999999, o número resultante é diferente de 1. A diferença não é muito grande – neste caso é de 0,0000000001 –, mas é diferente de zero. Entretanto, naturalmente, a ideia é que não devemos parar. Portanto o argumento não se sustenta. Mesmo assim, muitas pessoas ficam com a sensação de que $0,\dot{9}$ *ainda* deveria ser menor que 1. Menor quanto? Bem, o valor deve ser um número menor que qualquer coisa da forma 0,000...01, não importando quantos zeros existam.

Um amigo meu, que trabalhava como professor de matemática, costumava perguntar às pessoas qual era o tamanho de $0,\dot{3}$, e depois o tamanho de $0,\dot{9}$. Todos pareciam satisfeitos com a ideia de que o primeiro decimal era exatamente ⅓, mas, ao serem instruídos a multiplicar esse valor por 3, ficavam nervosos. Uma pessoa disse: "Isso é traiçoeiro! No começo eu achava que 0,333... era exatamente igual a um terço, mas agora vejo que deve ser um pouco *menor* que um terço!"

Esse ponto nos confunde por se tratar de uma característica sutil das séries infinitas, e embora todos aprendamos decimais, não aprendemos séries infinitas na escola. Para entender a conexão, observe que

$$0,\dot{9} = \frac{9}{10} + \frac{9}{100} + \frac{9}{1{,}000} + \frac{9}{10{,}000} + \ldots$$

Esta série *converge*, isto é, tem uma soma bem-definida à qual se aplicam as regras da álgebra. Portanto, podemos usar um truque tradicional. Se a soma for s, então

$$10s = 9 + \frac{9}{10} + \frac{9}{100} + \frac{9}{1{,}000} + \ldots = 9 + s$$

portanto, $9s = 9$, e $s = 1$.

Existem muitos outros cálculos como este. Todos eles nos dizem que $0{,}\dot{9} = 1$.

Então, o que dizer daquele número menor que qualquer coisa do tipo 0,000...01, não importando quantos zeros existam? Seria um "infinitesimal" – o que quer que isso signifique?

No sistema de números reais, não. Nele, o único número desse tipo é o 0. Por quê? Qualquer número (pequeno) diferente de 0 tem uma representação decimal com muitos zeros, mas em dado momento algum algarismo deve ser diferente de 0 – caso contrário, o número seria 0,000..., que é 0. Assim que chegamos a essa posição, vemos que o número deverá ser maior ou igual a 0,000...01, com um número apropriado de zeros. Portanto ele não satisfaz a definição. Trocando em miúdos: a diferença entre 1 e $0{,}\dot{9}$ é 0, ou seja, eles são iguais.

Essa é uma característica incômoda da representação decimal: alguns números podem ser escritos de duas maneiras aparentemente diferentes. Mas o mesmo vale para as frações: $\frac{1}{3}$ e $\frac{2}{6}$ são iguais, por exemplo. Não se preocupe. Você acaba se acostumando com isso.

O fantasma de uma quantidade falecida

Depois de décadas de negação institucionalizada, pesquisador matemático revela: 0,999... pode ser menor que um, praticamente em toda parte.

Os matemáticos levaram séculos de esforço para chegar a um acordo e formular uma teoria logicamente rigorosa dos limites, das séries infinitas e do cálculo, o que chamaram de "análise". Todas as ideias sedutoras, porém incoerentes do ponto de vista lógico, sobre números infinitamente grandes e infinitamente pequenos – os infinitesimais – foram banidas, garantindo a segurança da matemática. O filósofo George Berkeley havia se referido com sarcasmo aos infinitesimais como "fantasmas de quantidades falecidas", e todos concordaram que ele estava certo. No entanto, o cálculo ainda assim funcionava, graças aos limites, que exorcizaram os fantasmas.

A infinidade, grande ou pequena, era um processo, e não um número. Nunca somamos todos os termos de uma série infinita: somamos um número finito e perguntamos como a soma se comporta à medida que o número de termos se torna cada vez maior. Nós nos aproximamos do infinito, mas nunca *chegamos* lá. Da mesma forma, os infinitesimais não existem. Nenhum número positivo pode ser menor que *todos* os números positivos, pois neste caso teria de ser menor que ele mesmo.

Entretanto, como afirmo em alguma outra parte deste livro, nunca devemos desistir de uma boa ideia só porque ela não funciona. Nos anos 1960, Abraham Robinson fez algumas descobertas surpreendentes nas fronteiras da lógica matemática, registradas em seu livro *Non-Standard Analysis*, de 1966. Ele provou que existem extensões do sistema numérico real (chamados números "hiper-reais") que compartilham quase todas as propriedades habituais dos números reais, exceto pelo fato de que os números infinitos e os infinitesimais efetivamente existem. Se n é um número infinito, então $1/n$ é infinitesimal – mas diferente de zero. Robinson mostrou que toda a análise pode ser montada para os hiper-reais, de modo que, por exemplo, uma série infinita seja a soma de um número infinito de termos, e nós *efetivamente* cheguemos ao infinito.

Pois bem, um infinitesimal é um novo tipo de número que é menor que qualquer número real positivo, mas não é *ele próprio* um número real. E não é menor que todos os números hiper-reais positivos. Mas podemos transformar todos os hiper-reais finitos em números reais tomando a "parte standard", que é o número real único que se encontra infinitesimalmente próximo.

Temos um preço a pagar por tudo isso. A prova de que os hiper-reais existem não é construtiva – ela mostra que esses números podem ocorrer, mas não nos diz quais são. No entanto, qualquer teorema sobre a análise tradicional que possa ser provado usando-se a análise não standard possui alguma prova na análise tradicional. Portanto, temos aqui um novo método para provar os mesmos teoremas sobre a análise tradicional. Esse método se encontra mais próximo à intuição de pessoas como Newton e Leibniz que aqueles mais técnicos desenvolvidos depois.

Foram feitas algumas tentativas de introduzir a análise não standard nos cursos de graduação em matemática, mas essa abordagem ainda é minoritária. Para obter mais informações, veja: en.wikipedia.org/wiki/Non-standard_analysis.

Enquanto eu escrevia este livro, já tendo terminado o item anterior sobre o $0,\dot{9}$, Mikhail Katz me enviou por e-mail um artigo, escrito com Karin Usadi Katz, que utiliza a análise não standard para enxergar essa expressão com outros olhos. Eles comentam que, na análise tradicional, existe uma fórmula exata

$$\frac{9}{10} + \frac{9}{10^2} + \frac{9}{10^3} + \ldots + \frac{9}{10^n} = 1 - \left(\frac{1}{10}\right)^n$$

para qualquer decimal finito do tipo 0,999...9. Agora, digamos que n seja um hiper-real infinito. A mesma fórmula ainda é válida, mas quando n é infinito, $(1/10)^n$ *não* é igual a 0, e sim infinitesimal. A quantidade falecida realmente deixa um fantasma.

Comentários semelhantes são válidos para a série infinita que representa o $0,\dot{3}$. Nada disso contradiz o que comentei antes sobre $0,\dot{9}$ e $0,\dot{3}$, pois eu estava falando da análise standard, e a parte standard de $1 - (1/10)^n$ é 1 quando n é infinito. Mas isso mostra que a sensação intuitiva de algumas pessoas, segundo a qual "tem uma partezinha faltando", pode receber uma justificativa rigorosa se for interpretada de maneira razoável. Não acho que devamos ensinar essa abordagem na faculdade, mas isso deveria nos fazer mais solidários com qualquer pessoa que sofra dessa dificuldade em particular.

O artigo de Katz e Katz traz muito mais sobre a questão, fazendo a pergunta fundamental: "O que o professor espera que aconteça exatamente depois de *nove, nove, nove* quando escreve *ponto, ponto, ponto*?" A resposta da análise tradicional consiste em tomarmos "..." como a indicação de que passamos a um limite. Mas na análise não standard existem muitas interpretações diferentes. A interpretação tradicional dá o maior valor razoável possível à expressão – que é 1. Mas existem outras.

Empreguinho bom

Smith e Jones foram contratados ao mesmo tempo pelo Super-hipermercado Stainsbury, com um salário inicial de $10.000 por ano. A cada semestre, Smith recebeu um total de $500 a mais que no semestre anterior. A cada ano, Jones recebeu um total de $1.600 a mais que no ano anterior. Depois de três anos, quem tinha ganhado mais?

Resposta na p.332

Um quebra-cabeça para Leonardo

Em 1225, o imperador Frederico II visitou Pisa, onde vivia o grande matemático Leonardo (mais tarde apelidado de Fibonacci; veja *Almanaque das curiosidades matemáticas*, p.107). Frederico ouvira falar da reputação de Leonardo e – como os imperadores gostam de fazer – achou que seria uma grande ideia organizar um torneio de matemática. Assim, a equipe do imperador, formada por João de Palermo e Teodoro, mas não pelo próprio imperador, disputou lado a lado com a equipe de Leonardo, formada por Leonardo.

Entre as perguntas que a equipe do imperador fez a Leonardo estava a seguinte: encontre um quadrado perfeito que ainda seja um quadrado perfeito depois de somarmos ou subtrairmos 5. Eles queriam uma solução em números racionais – isto é, frações formadas por números inteiros.

Ajude Leonardo a resolver o quebra-cabeça do imperador.

Resposta na p.333. Ou então, leia o próximo item.

Números congruentes

A questão levantada pelo imperador Frederico II no problema anterior* leva a regiões profundas da matemática, e só há pouco tempo os matemáticos começaram a sondar essas profundezas obscuras. A pergunta é: o que acontece se substituirmos 5 por um número inteiro arbitrário? Para quais números inteiros *d* podemos resolver

$$y^2 - d = x^2, \qquad y^2 + d = z^2$$

em números racionais x, y, z?

Leonardo chamou esses *d* de "números congruentes", um termo ainda usado hoje, apesar de ser um pouco confuso – os teóricos dos números costumam utilizar a palavra "congruente" de uma maneira completamente distinta. Os números congruentes podem ser caracterizados como áreas de triângulos pitagóricos racionais – triângulos retângulos com lados racionais. Isso não é óbvio, mas é verdade: o método de Leonardo para a solução, explicado na resposta do problema anterior, indica esse resultado. Se o triângulo tem lados a, b, c com $a^2 + b^2 = c^2$, então sua área é $ab/2$. Seja $y = c/2$. Então, um cálculo mostra que $y^2 - ab/2$ e $y^2 + ab/2$ são ambos quadrados perfeitos. Inversamente, podemos construir um triângulo pitagórico a partir de qualquer solução x, y, z, d, sendo d igual à área.

O conhecido triângulo 3-4-5 tem área $3 \times 4/2 = 6$, portanto 6 é um número congruente. Neste caso, a receita nos manda tomar $y = 5/2$. Então

---

* O problema provavelmente foi sugerido por João de Palermo, mas ainda assim é o problema do imperador, assim como a Grande Pirâmide foi inquestionavelmente construída pelo faraó Khufu. Os imperadores são assim. A história de Hans Christian Andersen sobre a roupa nova do imperador não é nem um pouco convincente: qualquer garotinho que ousasse contradizer o imperador acabaria na cadeia. O clichê "o imperador está nu" afirma o status imperial – o que as pessoas em geral querem dizer com isso é que as roupas não contêm um imperador, o que não é exatamente a mesma coisa.

$$x^2 = \frac{25}{4} - 6 = \frac{1}{4}, \text{ portanto } x = \frac{1}{2}$$

$$z^2 = \frac{25}{4} + 6 = \frac{49}{4}, \text{portanto } z = \frac{7}{2}$$

Para obtermos $d = 5$, temos de começar com o triângulo 40-9-41, de área $180 = 5 \times 36$. Então dividimos por $6^2 = 36$ para obtermos o triângulo de lados $20/3$, $3/2$, $41/6$, cuja área é 5. Agora

$$x^2 = \frac{1681}{144} - 5 = \frac{961}{144}, \text{portanto } x = \frac{31}{12}$$

$$z^2 = \frac{1681}{144} + 5 = \frac{2401}{144}, \text{portanto } z = \frac{49}{12}$$

e recuperamos a resposta de Leonardo à pergunta do imperador.

Resta a pergunta: que números inteiros d podem ser a área de um triângulo pitagórico com lados racionais? A resposta não é óbvia, e está ligada a uma equação diferente,

$$p^2 = q^3 - d^2q$$

que tem soluções p, q em números inteiros se e somente se d for congruente.

Alguns números são congruentes, outros não. Por exemplo, 5, 6, 7 são congruentes, mas 1, 2, 3, 4 não são. Nem sempre é muito fácil sabermos qual é qual: por exemplo, 157 é um número congruente, mas o triângulo retângulo mais simples com área 157 tem a hipotenusa

$$c = \frac{224403517704336969924557513090674863160948472041}{8912332268928859588025535178967163570016480830}$$

O melhor teste hoje conhecido depende de uma conjectura não provada, a conjectura de Birch-Swinnerton-Dyer, que é um dos prêmios matemáticos do milênio oferecidos pelo Instituto Clay (*Almanaque das curiosidades matemáticas*, p.136), valendo 1 milhão de dólares para quem oferecer uma prova ou refutação. Frederico II não tinha ideia do que estava pondo em marcha.

Prestando atenção, mas em outra coisa

Norbert Wiener foi um pioneiro da matemática dos processos aleatórios, assim como da nova área da cibernética, na primeira metade do século XX. Era um matemático brilhante, além de ser famoso por esquecer de tudo. Assim, quando a família se mudou para uma nova casa, sua mulher anotou o endereço num pedaço de papel e deu a ele. "Não seja boba, não vou esquecer algo *tão* importante", disse Wiener, mas guardou o papel no bolso de qualquer maneira.

No mesmo dia à tarde, Wiener ficou imerso num problema matemático, precisou de um papel em que pudesse escrever, apanhou o bilhete onde estava anotado seu novo endereço e cobriu-o de equações. Quando terminou de esboçar esses cálculos, amassou o papel e jogou fora.

Norbert Wiener

Quando chegou a noite, ele se lembrou de algo sobre uma nova casa, mas não conseguiu encontrar o pedaço de papel com o endereço. Incapaz de pensar o que fazer, caminhou até sua velha casa e encontrou uma menininha sentada na entrada.

– Desculpe, querida, mas por acaso você sabe para onde a família Wiener se mud...?

– Tudo bem, papai. A mamãe me mandou aqui para buscar você.

Sobre o tempo

Números cruzados.

O jogo de números cruzados é igual ao de palavras cruzadas, só que usa números em vez de palavras. Todas as instruções para o jogo estão ligadas ao tempo, sendo precedidas pela frase "o número de ...".

Horizontal

1. Dias em um ano normal
3. Minutos em um quarto de hora
4. Segundos em 1 hora, 24 minutos e 3 segundos
6. Segundos em 5 minutos
7. Horas em um ano normal
8. Horas em 4 dias
10. Dias em um ano bissexto

Vertical

1. Dias no mês de outubro
2. Segundos em 1 hora e meia
3. Horas em uma semana
4. Horas em 20 dias e 20 horas
5. Horas em duas semanas
6. Segundos em 1 hora e 3 segundos
9. Horas em um dia e meio

Resposta na p.333

Eu evito cangurus?

- Os únicos animais nesta casa são gatos.
- Todo animal que adora fitar a Lua serve como bicho de estimação.
- Quando eu detesto um animal, evito-o.
- Nenhum animal come carne, a menos que vagueie à noite.
- Nenhum gato é incapaz de matar ratos.
- Nenhum animal gosta de mim, exceto os desta casa.
- Os cangurus não servem como bichos de estimação.
- Somente animais que comem carne matam ratos.
- Eu detesto animais que não gostam de mim.
- Animais que vagueiam à noite amam fitar a Lua.

Se todas essas afirmações estão corretas, eu evito cangurus ou não?

Resposta na p.334

A garrafa de Klein

No fim do século XIX, a moda era dar o nome de matemáticos a certas superfícies especiais: a superfície de Kummer, por exemplo, foi uma homenagem feita a Ernst Eduard Kummer. Os matemáticos tendiam a ser alemães, e a palavra alemã para superfície é *Fläche*, portanto esta era a "Kummersche Fläche". Estou entrando no campo da linguística porque ela levou a um trocadilho que foi usado para batizar um conceito matemático. Isso ainda ocorre, mas é bem possível que esta tenha sido a primeira ocasião. O trocadilho deriva de uma palavra muito parecida, *Flasche*, que significa "garrafa". De qualquer modo, a situação estava pronta: quando Felix Klein inventou uma superfície em forma de garrafa, em 1882, ela foi naturalmente chamada "Kleinsche Fläche". E isso mudou em seguida, de maneira inevitável, para "Kleinsche Flasche" – a garrafa de Klein.

Não sei se o trocadilho foi intencional ou apenas uma tradução errada. De qualquer forma, o novo nome fez tanto sucesso que os próprios alemães o adotaram.

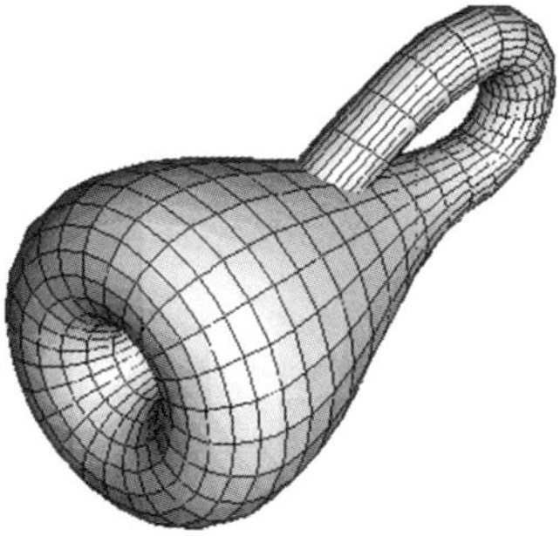

A superfície de Klein...

...interpretada como uma garrafa.

A garrafa de Klein é importante na topologia como exemplo de uma superfície sem arestas e com apenas um lado. Uma superfície convencional, como uma esfera – que, para os topologistas, é apenas a fina pele da superfície da esfera, e não uma bola sólida (que eles chamam de bola) –, tem dois lados diferentes, o de dentro e o de fora. Podemos, por exemplo, pintar o lado de dentro de vermelho e o de fora de azul, e as duas cores jamais se encontrarão. Mas não podemos fazer isso com uma garrafa de Klein. Se começarmos a pintar o que parece ser o exterior de azul, vamos chegar à parte do tubo dobrado, onde ela se torna mais estreita, e se seguirmos esse tubo por onde ele penetra no corpo da garrafa, acabaremos por pintar também de azul o que parece ser o interior.

Klein inventou essa garrafa por um motivo: ela surgiu naturalmente na teoria da superfície de Riemann na análise complexa, que classifica – de uma maneira bonita – certos comportamentos bizarros que surgem quando tentamos desenvolver o cálculo sobre os números complexos. A garrafa de Klein lembra uma superfície ainda mais famosa, a fita de Möbius, formada quando torcemos uma tira de papel e colamos as pontas. A fita de Möbius só tem um lado, mas tem uma aresta (*Almanaque das curiosidades matemáticas*, p.119). A garrafa de Klein se livra da aresta, o que é mais conveniente para os topologistas, pois as arestas podem gerar problemas. Especialmente na análise complexa.

Entretanto, isso tem um preço: a garrafa de Klein não pode se representada no espaço 3D tradicional sem penetrar em si mesma. Mas os topologistas não se preocupam com isso, pois, de qualquer maneira, não representam suas superfícies no espaço 3D. Eles preferem pensar nelas como formas abstratas em si mesmas, que não dependem da existência de um espaço circundante. De fato, podemos representar uma garrafa de Klein no espaço 4D sem nenhuma interpenetração, mas isso traz suas próprias dificuldades.

Uma forma de representar uma garrafa de Klein, que não requer nenhuma autointerseção, é pegar emprestado um truque que, hoje, quase todo mundo conhece, graças aos jogos de computador (os topologistas pensaram nisso muito antes, devo acrescentar). Em inúmeros jogos, a tela retangular plana é "enroscada" de modo que as margens esquerda e direita estejam efetivamente unidas. Se uma espaçonave alienígena sair pela margem direita, logo reaparecerá na margem esquerda. Os lados de cima e de baixo também podem se interligar dessa maneira. A questão é que uma tela de computador não se *dobra* de verdade. Não muito. Portanto, essa "continuidade" é apenas conceitual, uma criação da mente do programador. Mas podemos facilmente *imaginar* que as margens opostas se tocam, calcular o que aconteceria se o fizessem e reagir de uma forma adequada. E é isso que os topologistas fazem.

Em especial, eles também começam com um retângulo e enroscam suas margens de modo que elas se juntem imaginariamente. Mas a questão tem uma volta – literalmente. As margens de cima e de baixo estão enroscadas como de costume, mas a margem direita só recebe uma meia-volta, permutando os lados de cima e de baixo, antes de dar a volta para encontrar a margem esquerda. Assim, quando uma espaçonave desaparece pelo topo, reaparece na posição correspondente na margem de baixo; mas quando escapa pela margem direita, reaparece de cabeça para baixo e no lado oposto da margem esquerda.

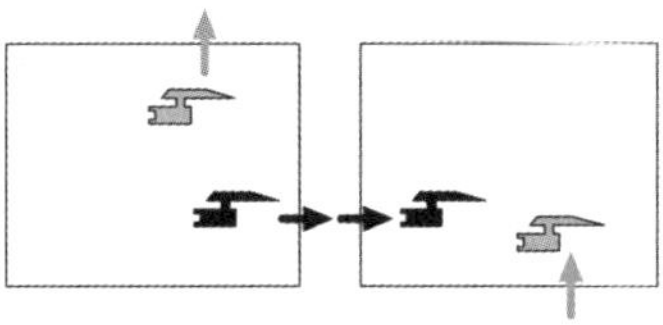

Tela de computador enroscada do modo habitual...

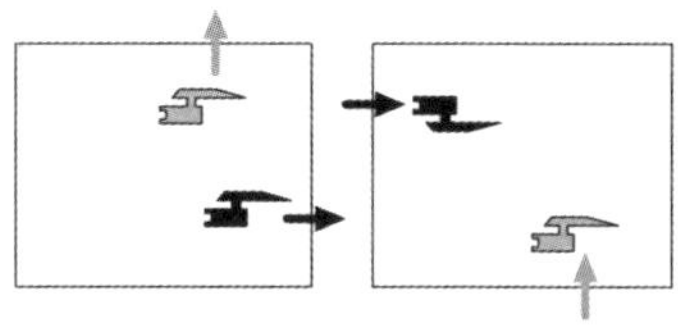

...e enroscada como uma garrafa de Klein.

Do ponto de vista topológico, a tela enroscada convencional é um toro – como a câmara de um pneu ou (tenho que dizer isso porque muitas pessoas nunca *viram* uma câmara de pneu, já que a maior parte dos pneus de carro não têm câmara) uma rosquinha. Mas apenas a superfície açucarada, e não com a massa em si. Você pode entender por que se imaginar o que acontece quando realmente juntamos as margens – usando uma tela flexível. A junção da margem de cima com a de baixo cria um tubo cilíndrico; a seguir, a junção das extremidades do tubo o dobra, formando um anel fechado.

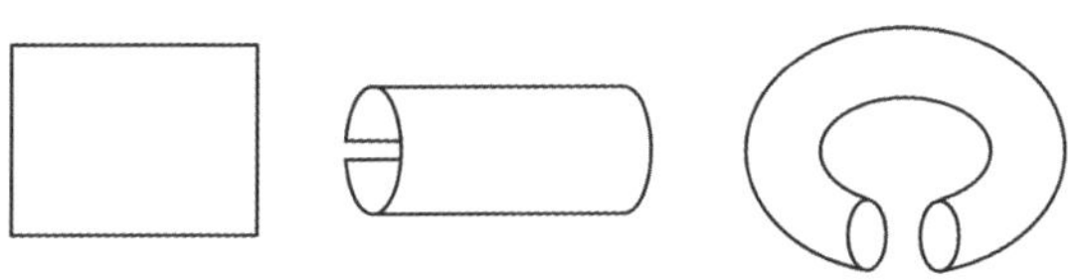

Ao enroscarmos um tubo sem a volta, criamos um toro.

Contudo, se imaginarmos um procedimento semelhante para gerar uma garrafa de Klein, as duas extremidades do cilindro não se unem dessa maneira: uma delas precisa ficar na orientação oposta. Em 3D, um modo de fazer isso é torná-la mais fina, fazê-la atravessar o lado do cilindro, sair pela abertura, depois enrolá-la sobre si mesma, como a gola de um pulôver, e finalmente uni-la à outra extremidade do cilindro. Isso leva à forma tradicional da "garrafa", com uma autointerseção no local onde o tubo a perfurou. Como escreveu Klein: a forma "pode ser visualizada invertendo-se um pedaço de um tubo de borracha e fazendo-o passar por dentro de si mesmo, de modo que o exterior e o interior se encontrem".

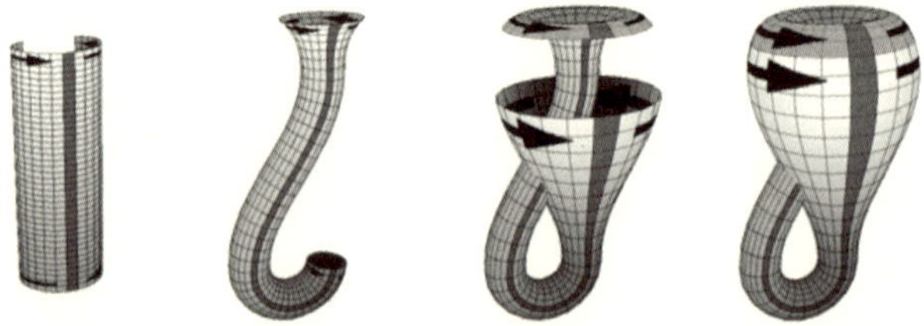

Unindo as extremidades do cilindro para construir uma garrrafa de Klein.

Se tivermos uma dimensão a mais para brincar, podemos levar a extremidade do cilindro para a quarta dimensão antes de fazê-lo furar o ponto onde o cilindro estaria; depois a puxamos de volta para o espaço 3D quando ele já está do lado de dentro, e prosseguimos normalmente. Dessa forma, não há autointerseção.

A garrafa de Klein tem uma propriedade notável, que foi celebrada num poema no estilo *limerick*, cujo autor – talvez felizmente – permanece desconhecido:

A mathematician named Klein
Thought the Möbius band was divine.
Said he: "If you glue
The edges of two,
*You'll get a weird bottle like mine."**

Você consegue captar como fazer isso?

Resposta na p.334

Aqui você poderá encontrar algumas visualizações brilhantes: plus.maths.org/issue26/features/mathart/index-gifd.html.

Outra curiosidade simpática: qualquer mapa na garrafa de Klein pode ser colorido com um máximo de 6 cores, de modo que regiões ad-

* Um matemático chamado Klein /Achava a fita de Möbius divina. /Ele disse: "Se você colar /As bordas de duas, /Vai encontrar uma garrafa esquisita como a minha." (N.T.)

jacentes tenham cores diferentes. Em comparação com as 4 cores para a esfera ou o plano (*Almanaque das curiosidades matemáticas*, p.17) e 7 para o toro. Veja: mathworld.wolfram.com/KleinBottle.html.

Contabilidade de algarismos

Na Grande Fábrica Celestial de Números, onde todos os números são feitos, os contadores mantêm registros de quantas vezes cada algarismo de 0 a 9 é usado, para se assegurarem de que restam estoques adequados no almoxarifado. Eles registram as contagens de uma forma padronizada, como esta:

Formulário GFCN007b: Controle da quantidade de dígitos

Operador Nugent
Data 27.1.09
Digite número

				4	7	4	0	4	5

Registre quantas vezes cada algarismo foi usado

0	1	2	3	4	5	6	7	8	9
1	0	0	0	3	1	0	1	0	0

Devolva o formulário preenchido ao Escritório de Contabilidade B.2.11

Formulário típico do almoxarifado.

Assim, por exemplo, como o algarismo 4 ocorre 3 vezes, Nugent escreve "3" na fileira de baixo, sob o algarismo 4 impresso ali. Os números são escritos de modo que terminem no quadro da direita, como no exemplo, e os zeros à esquerda podem ou não ocorrer (nada disso importa para este quebra-cabeça, mas as pessoas se *preocupam*...).

Um dia, Nugent estava preenchendo o formulário como de costume, quando de repente notou algo incrível: os números (isto é, sequências de algarismos) registrados nas duas fileiras eram *idênticos*.

Qual era o número em questão?

Resposta na p.335

Multiplicação com bastões

Todos sabem como medir alguma distância quando nossa régua ou fita métrica é muito curta. Medimos até onde podemos, marcamos o ponto final e então continuamos a medir a partir dali, somando as distâncias. Isso põe em prática um princípio básico da geometria euclidiana: se juntarmos duas retas, extremidade com extremidade – apontando na mesma direção –, seus comprimentos se somam.

Isso significa que você pode construir uma máquina de somar com dois bastões. Basta marcá-los nas distâncias 1, 2, 3, 4 etc.; depois, posicione-os para fazer a soma.

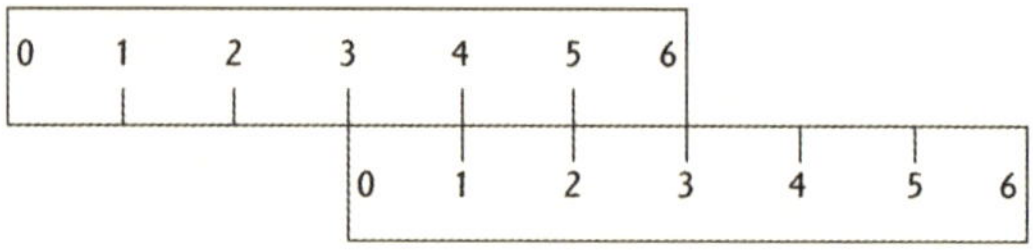

O número no bastão de cima é 3 unidades maior que no bastão de baixo.

Grande coisa, você deve estar pensando, e a verdade é que esse instrumento não é incrivelmente prático. Mas um parente próximo dele é – ou, para ser sincero, era. Para construí-lo, alteramos as marcas, substituindo cada número pela potência de 2 correspondente.

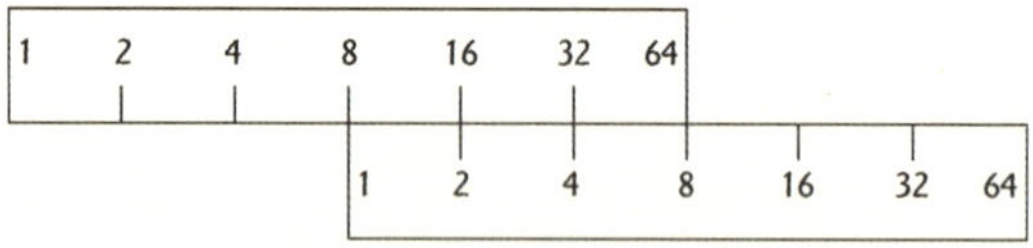

Agora os números no bastão de cima são os números correspondentes no bastão de baixo, *multiplicados por* 8. Nossos bastões de somar se transformaram em bastões de multiplicar. Esse truque funciona graças à conhecida fórmula

$$2^a \times 2^b = 2^{a+b}$$

Bem, isso é fantástico. Agora podemos multiplicar potências de 2.

Na época em que ninguém ainda sonhava com computadores e calculadoras, que eles teriam sido vistos como algo mágico, era realmente difícil multiplicar dois números. Mas os astrônomos precisam fazer muitas multiplicações para seguir a trajetória das estrelas e planetas. Assim, perto de 1594, James Craig, médico da corte do rei Jaime VI da Escócia, contou a John Napier, barão de Murchiston, sobre algo chamado *prostaférese*. Isso soa doloroso, e de certa maneira era mesmo: os matemáticos dinamarqueses haviam descoberto como multiplicar números usando uma fórmula descoberta por François Viète:

$$\operatorname{sen}\frac{x+y}{2}\cos\frac{x-y}{2} = \frac{\operatorname{sen} x + \operatorname{sen} y}{2}$$

Usando tabelas de senos e cossenos, podíamos usar a fórmula para transformar um problema de multiplicação numa curta série de problemas de adição. Era um pouco complicado, mas, ainda assim, era mais rápido que os métodos convencionais de multiplicação.

Napier passou anos pensando em métodos eficientes de fazer cálculos, até se dar conta de que havia uma maneira melhor. A fórmula para multiplicar potências de 2 funciona para potências de qualquer número fixo. Isto é,

$$n^a \times n^b = n^{a+b}$$

para qualquer número n. Se n for algo próximo de 1, como 1,001, as potências sucessivas também estarão muito próximas, portanto, qualquer número no qual estejamos interessados estará próximo a alguma potência de n. Agora podemos usar a fórmula para transformar a multiplicação em adição. Por exemplo, suponha que eu queira multiplicar 3,52 por 7,85. Bem, fazendo uma boa aproximação,

$$(1{,}001)^{1259} = 3{,}52$$
$$(1{,}001)^{2062} = 7{,}85$$

Portanto,

$$\begin{aligned} 3{,}52 \times 7{,}85 &= (1{,}001)^{1259} \times (1{,}001)^{2062} = (1{,}001)^{1259+2062} \\ &= (1{,}001)^{3321} = 27{,}64 \end{aligned}$$

A resposta exata é 27,632. Nada mal!

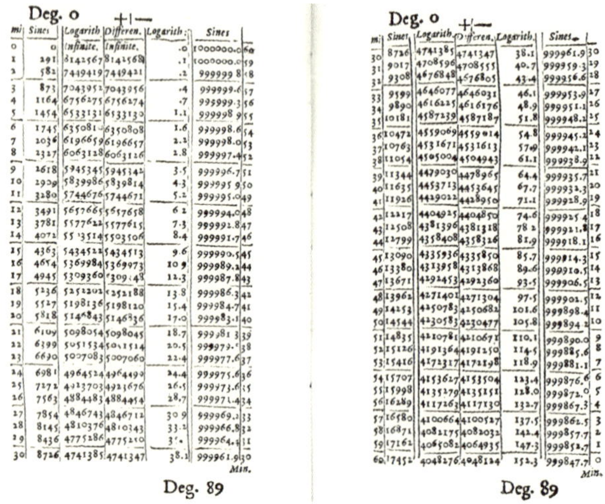

Páginas das tábuas de logaritmos de Napier.

Para obter maior precisão, devemos substituir 1,001 por algo mais parecido a 1,0000001. Então podemos fazer uma tabela do primeiro milhão, aproximadamente, de potências desse número, e temos uma maneira rápida de multiplicar números com uma precisão de cerca de 9 algarismos, apenas somando as potências correspondentes. Por perversidade, Napier decidiu usar potências de 0,9999999, que é menor que 1, portanto, os números ficavam menores à medida que as potências cresciam.

Felizmente, Henry Briggs, professor de Oxford, ficou interessado na questão e descobriu uma maneira melhor. O resultado de todo esse trabalho foi o conceito do logaritmo, que inverte o cálculo. Por exemplo, como $(1{,}001)^{1259} = 3{,}52$, o logaritmo de 3,52 na base 1,001 é 1.259. Em geral, $\log x$ (na base n) é qualquer número a que satisfaça

$$n^a = x$$

Agora a fórmula para n^{a+b} pode ser reinterpretada como

$$\log xy = \log x + \log y$$

independentemente da base que usarmos. Para questões práticas, a base 10 é a melhor, pois empregamos decimais. Os matemáticos preferem a base *e*, que é aproximadamente igual a 2,71828, pois ela se comporta melhor nas operações do cálculo.

Tudo muito bem, mas o que isso tem a ver com bastões? Ora, o que estamos fazendo com estas potências de 2, na verdade, é marcar cada número no bastão a uma distância dada por seu logaritmo. Por exemplo, como $2^5 = 32$, o logaritmo de 32 na base 2 é 5, portanto escrevemos o número 32 sobre a quinta unidade ao longo do bastão.

Acabamos de inventar a régua de cálculo, que é basicamente uma tábua de logaritmos escrita em madeira. Lá por volta de 1600, William Oughtred e outros se adiantaram à nossa ideia e, ao longo dos séculos, acrescentaram muitas escalas para funções trigonométricas, potências e outras operações matemáticas. A régua de cálculo foi amplamente utilizada por cientistas e (sobretudo) engenheiros até cerca de 40 anos atrás, quando ficou obsoleta com a invenção das calculadoras eletrônicas.

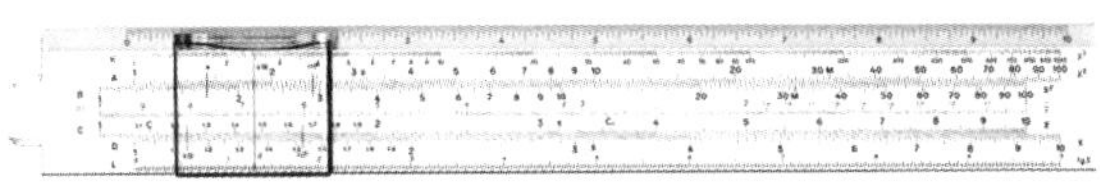

Uma régua de cálculo dos anos 1960.

Hoje, a régua de cálculo é, no máximo, uma recordação curiosa da era pré-digital. Eu tenho duas: a que usei na escola, em especial nas aulas de física, e uma de bambu que comprei num brechó. Para saber mais, visite: en.wikipedia.org/wiki/Slide_rule, www.sliderule.ca/, www.sliderules.info/.

O sol nascerá?

Pierre Simon de Laplace é mais conhecido por seu trabalho sobre a mecânica celeste, mas ele também foi um dos pioneiros na teoria da probabilidade. Bem, os trabalhos pioneiros muitas vezes são descuidados, pois as questões básicas ainda não foram exploradas de modo adequado; é justamente para isso que servem os pioneiros.

Laplace dizia que, se observarmos o Sol nascer todas as manhãs durante $n - 1$ dias, podemos inferir que a probabilidade de que ele *não* nasça na manhã seguinte é $1/n$. Afinal, entre n manhãs, ele nasceu em $n - 1$, portanto só resta 1 para que ele não nasça.

Ignorando as suposições questionáveis nesse caso, existe uma dedução reconfortante: como o Sol já nasceu por centenas de bilhões de manhãs consecutivas, a probabilidade de que não nasça amanhã é incrivelmente pequena.

Por infelicidade, o argumento de Laplace tem um porém. Aceitando seu valor para as probabilidades sucessivas, qual a probabilidade de que o Sol sempre nasça?

Resposta na p.335

Mais um pouco sobre gatos matemáticos

- Erwin Schrödinger tinha um gato?
  Sim e não.
- Werner Heisenberg tinha um gato?
  Não tenho certeza.
- Kurt Gödel tinha um gato?
  Se tinha, não podemos prová-lo.
- Fibonacci tinha um gato?
  Ele certamente tinha muitos coelhos.
- René Descartes tinha um gato?
  Ele pensava que tinha.
- Augustin-Louis Cauchy tinha um gato?
  Essa é uma pergunta complexa.
- Georg Bernhard Riemann tinha um gato?
  Essa hipótese ainda não foi provada.
- Albert Einstein tinha um gato?
  Relativamente falando.

- Luitzen Brouwer tinha um gato?
  Bem, ele não não tinha um gato.
- William Feller tinha um gato?
  É provável.
- Ronald Aylmer Fisher tinha um gato?
  A hipótese nula é rejeitada no nível 95%.

Quadrado mágico primo com bordas

Lembre-se de que um quadrado mágico é uma disposição quadrada de números na qual a soma de todas as fileiras, colunas e diagonais é igual.

2777	1409	2339	1481	1061	2699	2087
2531	1889	2237	2459	1229	2081	1427
1367	2357	2399	1511	2027	1601	2591
2909	1031	1607	1979	2351	2927	1049
1301	2741	1931	2447	1559	1217	2657
1097	1877	1721	1499	2729	2069	2861
1871	2549	1619	2477	2897	1259	1181

Quadrado mágico primo com bordas.

Allan Johnson Jr. descobriu um quadrado mágico de 7×7 composto inteiramente de números primos. Além disso, o quadrado tem *bordas*, isto é, os quadrados menores de 5×5 e 3×3, indicados pelas linhas escuras na figura, também são mágicos.

O teorema de Green-Tao

Uma progressão aritmética é uma lista de números tal que as diferenças sucessivas são todas iguais – por exemplo,

17, 29, 41, 53, 65, 77, 89,

onde cada número é 12 unidades maior que o anterior. Essa diferença entre os termos é chamada *razão*.

Nesta lista em particular, que tem sete termos, muitos números são primos, mas alguns (65 e 77) não são. Entretanto, é possível encontrarmos sete primos em progressão aritmética:

7, 37, 67, 97, 127, 157

com razão de 30.

Até recentemente sabia-se muito pouco sobre as possíveis extensões das progressões aritméticas primas. Existem infinitas dessas progressões de extensão 2, pois quaisquer dois números primos formam uma progressão aritmética (só existe uma diferença, que é igual a si mesma), e existem infinitos números primos. Em 1933, Johannes van der Corput provou que há infinitas progressões aritméticas primas de extensão 3, e o assunto ficou por aí.

Experimentos com números grandes realizados com o auxílio de computadores encontraram exemplos de progressões aritméticas primas de qualquer extensão até (no momento em que estou escrevendo) 25. Eis uma tabela:

Extensão k	**Progressão aritmética prima ($0 \leq n \leq k - 1$)**
3	$3 + 2n$
4	$5 + 6n$
5	$5 + 6n$
6	$7 + 30n$
7	$7 + 150n$
8	$199 + 210n$
9	$199 + 210n$
10	$199 + 210n$
11	$110.437 + 13.860n$

Extensão k	Progressão aritmética prima ($0 \leq n \leq k - 1$)
12	110.437 + 13.860n
13	4.943 + 60.060n
14	31.385.539 + 420.420n
15	115.453.391 + 4.144.140n
16	53.297.929 + 9.699.690n
17	3.430.751.869 + 8.729.721n
18	4.808.316.343 + 717.777.060n
19	8.297.644.387 + 4.180.566.390n
20	214.861.583.621 + 18.846.497.670n
21	5.749.146.449.311 + 26.004.868.890n
22	1.351.906.725.737.537.399 + 13.082.761.331.670.030n
23	117.075.039.027.693.563 + 1.460.812.112.760n
24	468.395.662.504.823 + 45.872.132.836.530n
25	6.171.054.912.832.631 + 81.737.658.082.080n

Existem outras, mas estas têm o menor termo final para o k dado.

Em 2004, para perplexidade geral, Ben Green e Terence Tao abalaram todo o ambiente ao provar a existência de progressões aritméticas primas arbitrariamente longas. Sua prova combinava meia dúzia de áreas diferentes da matemática e chegava até a dar uma estimativa dos valores mínimos dos primos para um k dado. Essencialmente, eles não precisam ser maiores que

$$2\wedge 2\wedge 2\wedge 2\wedge 2\wedge 2\wedge 2\wedge 2\wedge 100k$$

onde a^b representa a^b. Esses números são perturbadoramente altos, e conjectura-se que sejam muito maiores que o necessário, podendo ser substituídos por $k! + 1$. Aqui, $k! = k \times (k - 1) \times (k - 2) \times \ldots \times 3 \times 2 \times 1$ é o fatorial de k.

O teorema tem muitas consequências. Ele implica que existem quadrados mágicos arbitrariamente grandes nos quais todas as fileiras e colunas são formadas por números primos em progressão aritmética. De fato, o mesmo vale para hipercubos d-dimensionais, para qualquer d.

Em 1990, antes que Green e Tao provassem seu teorema, Antal Balog comprovou que, se esse resultado estivesse correto, haveria conjuntos arbitrariamente grandes de primos com a curiosa característica de que a média entre quaisquer dois deles também seria um primo – e todas essas médias seriam diferentes. Por exemplo, os seis primos

3, 11, 23, 71, 191, 443

formam um desses conjuntos, onde todas as 15 médias (como $(3+11)/2 = 7$ e $(23+443)/2 = 233$) são primos diferentes. Portanto, agora o resultado de Balog também foi provado.

Seguindo no caminho contrário, sabe-se há bastante tempo que toda progressão aritmética prima tem extensão finita. Isto é, se seguirmos qualquer progressão aritmética por bastante tempo, acabaremos por encontrar um número que não é primo. Isso não contradiz o teorema de Green-Tao, pois alguma *outra* progressão aritmética poderia conter mais primos. Portanto, todas as progressões em questão são finitas, mas não existe um limite superior para seus tamanhos.

O mecanismo de Peaucellier

Nos primeiros dias dos motores a vapor, havia muito interesse em mecanismos capazes de transformar o movimento rotatório em movimento retilíneo, como numa roda acionando uma bomba. Um dos arranjos mais elegantes, que é matematicamente exato, é o mecanismo de Peaucellier, inventado em 1864 pelo oficial do exército francês Charles-Nicolas Peaucellier. Também foi criado, independentemente, por um lituano chamado Lippman Lipkin.

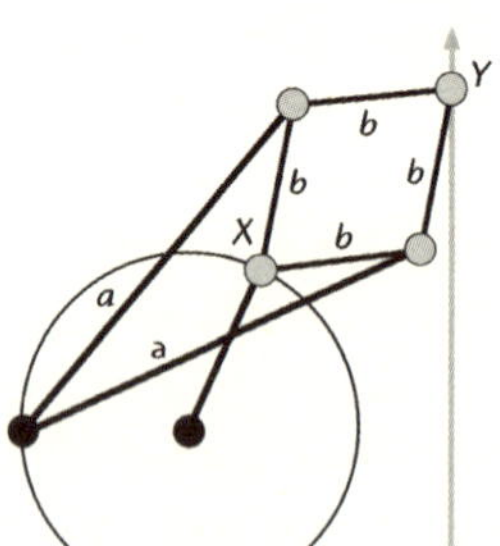

O mecanismo de Peaucellier.

Os dois pontos pretos são pinos fixos que permitem que o mecanismo gire; os pontos cinza são pinos que unem as hastes, também permitindo que girem. As duas hastes marcadas com a letra *a* têm comprimentos iguais, e as quatro hastes marcadas com a letra *b* têm comprimentos iguais entre si. À medida que o pino *X* se move ao redor do círculo – coisa que ele deve fazer, pois uma haste está fixa no centro do círculo –, o pino *Y* se move para cima e para baixo ao longo da linha reta desenhada em cinza. O mecanismo limita a posição de *X* a um arco da circunferência, portanto *Y* é limitado a um segmento da reta.

A prova (bastante complicada) de que isso funciona, uma animação do mecanismo e uma explicação das ideias matemáticas mais profundas por trás do mecanismo podem ser encontradas em: en.wikipedia.org/wiki/Peaucellier-Lipkin_linkage.

Uma aproximação melhor para π

A famosa aproximação para π é $^{22}/_{7}$, que é conveniente para os cálculos escolares por ser bonita e simples. Ela *não* é exata – em decimais,

$$^{22}/_{7} = 3{,}142857142857\ldots$$

enquanto

$$\pi = 3{,}141592653589\ \ldots$$

Uma aproximação mais precisa é

$$^{355}/_{113} = 3{,}141592920353\ \ldots$$

que concorda com π até seis casas decimais – nada mal para uma fração tão simples. De fato, num sentido rigoroso, $^{355}/_{113}$ é a melhor aproximação de π usando números desse tamanho.

A representação decimal de $^{22}/_{7}$ fica repetindo a mesma sequência de algarismos, 142857, indefinidamente. Como foi mencionado na p.184, esta é uma característica geral das frações: se escrevermos uma fração como um número decimal, das duas uma: ou ela termina, contendo um número finito de algarismos, ou se torna "periódica", seguindo em frente eternamente, repetindo a mesma sequência de algarismos muitas e muitas vezes. De modo inverso, todos os decimais de notação finita ou periódica são iguais a frações exatas.

Um exemplo de uma fração com representação decimal finita é

$$3/8 = 0{,}375$$

e de uma que se repete indefinidamente é

$$5/12 = 0{,}4166666\ \ldots$$

Num certo sentido, a notação decimal de $3/8$ *também* é periódica, pois podemos escrever

$$3/8 = 0{,}37500000000\ \ldots$$

com a repetição de uma sequência de zeros. Mas os zeros finais costumam ser omitidos.

Pode parecer que o decimal de $355/113$ não se repete, mas na verdade sim – depois da 112ª casa decimal! O fato de que 112 = 113 – 1 não é coincidência, mas levaria muito tempo explicar por quê. Se fizermos o cálculo inteiro, vamos obter

$$\begin{aligned} 355/113 = {} & 3{,}14159292035398230088495575221238938053097345\\ & 1327433628318584070796460176991150442477876\\ & 1061946902654867256637168\ \ldots \end{aligned}$$

e depois disso os algarismos se repetem, começando imediatamente após a vírgula decimal.

Como π é irracional – não é igual a uma fração exata –, sua expansão decimal nunca repete o mesmo bloco de algarismos indefinidamente. Isso foi provado por Johann Lambert em 1770.

Depois de $355/113$, as melhores aproximações de π são $103.993/33.102$ e $104.348/33.215$.

Para fanáticos por cálculo

Em 1944, D.P. Dalzell publicou uma breve nota contendo a curiosa fórmula

$$\int_0^1 \frac{x^4(1-x)^4}{1+x^2}\,dx = \frac{22}{7} - \neq$$

que relaciona π e sua aproximação mais comum, $^{22}/_7$, a uma integral. Podemos confirmar a fórmula usando nada mais que o cálculo escolar, porque

$$\frac{x^4(1-x)^4}{1+x^2} = x^6 - 4x^5 + 5x^4 - 4x^2 + 4 - \frac{4}{1+x^2}$$

onde a integral de cada termo é um resultado-padrão. O último termo gera π, e os demais geram $^{22}/_7$. Essa fórmula em particular é importante, pois a função integrada é positiva na faixa de 0 a 1. A integral de 0 a 1 é apenas o valor médio, portanto este também deve ser positivo. Como a função em questão não é sempre igual a 0, deduzimos que π é menor que $^{22}/_7$. Esta é uma maneira bastante simples de provar que a aproximação habitual não é exata.

A fórmula também leva a uma estimativa do erro, pois o valor máximo de $x^4(1-x^4)/(1+x^2)$ entre 0 e 1 é $^1/_{256}$, portanto a média é de, no máximo, $^1/_{256}$. Logo

$$\frac{5{,}625}{1{,}792} = \frac{22}{7} - \frac{1}{256} < \neq < \frac{22}{7}$$

Com mais esforço podemos provar que o erro é de, no máximo, $^1/_{630}$.

Esta fórmula, na verdade, forma parte de uma história mais longa (veja as referências na p.335). Em 2005, Stephen Lucas se pôs a pensar na aproximação melhorada de π, $^{355}/_{113}$, que acabamos de ver. Lucas encontrou a fórmula

$$\int_0^1 \frac{x^8(1-x)^8(25+816x^2)^8}{3{,}164(1+x^2)}\,dx = \frac{355}{113} - \neq$$

que, nessas circunstâncias, é bastante elegante. Novamente, a função integrada é positiva, portanto a fórmula prova que π é (ligeiramente) menor que $^{355}/_{113}$.

A estátua de Palas Atena

Segundo um livro de quebra-cabeças publicado na Idade Média, a estátua da deusa Palas Atena trazia a seguinte inscrição:

"Eu, Palas, sou feita do ouro mais puro, doado por cinco generosos poetas. Cariseu deu a metade; Téspio deu um oitavo. Sólon deu um décimo; Temiso deu um vinte avos. E os nove talentos de ouro restantes foram doados pelo bom Aristódoco."

Quanto custou a estátua no total? (Um *talento* é uma unidade de peso, aproximadamente igual a 1kg.)

Quanto ouro?

Resposta na p.336

Curiosidade na calculadora 3

Pegue sua calculadora e calcule:

6×6
66×66
666×666
6.666×6.666
66.666×66.666
666.666×666.666
$6.666.666 \times 6.666.666$
$66.666.666 \times 66.666.666$

Faça o experimento até acabarem os algarismos da sua calculadora. Depois disso, de qualquer forma, você já deveria ser capaz de adivinhar o que acontece.

Resposta na p.336

Completando o quadrado

O quadrado mágico tradicional de 3 × 3 tem a seguinte forma.

8	3	4
1	5	9
6	7	2

O quadrado mágico tradicional.

Cada casa contém um número diferente, e todas as fileiras, colunas e diagonais somam 15.

Sua tarefa é encontrar um quadrado que satisfaça as mesmas condições, mas começando com um 8 na casa central superior, assim:

	8	

Comece aqui!

Resposta na p.336

A sequência veja e diga

Uma das sequências mais estranhas da matemática foi inventada por John Horton Conway. Ela começa com

1 11 21 1211 111221 312211 13112221 1113213211

- Qual é a regra para formar esta sequência? O título desta seção dá uma dica.
- Aproximadamente, qual a extensão do n-ésimo termo desta sequência? (Somente para entendidos.)

Resposta na p.337

Não matemáticos refletindo sobre a matemática

As coisas deste mundo não podem ser reveladas sem um conhecimento da matemática. Roger Bacon

Certa vez tive uma sensação sobre a matemática – de que eu via tudo... Eu via – como poderíamos ver o trânsito de Vênus ou mesmo o desfile do *Lord Mayor* – uma quantidade passando pelo infinito e mudando seu sinal de mais para menos. Eu vi exatamente por que isso acontecia e por que a tergiversação era inevitável, mas já era depois do jantar, e deixei isso de lado. Sir Winston Spencer Churchill

A matemática parece nos dar algo como um novo sentido. Charles Darwin

Para um físico, a matemática não é apenas uma ferramenta pela qual os fenômenos podem ser calculados; trata-se da principal fonte de conceitos e princípios que permitem a criação de novas teorias. Freeman Dyson

Não se preocupe com as suas dificuldades na matemática. Posso garantir que as minhas são ainda maiores. Albert Einstein

As equações são apenas a parte maçante da matemática. Eu tento ver as coisas em termos de geometria. Stephen Hawking

Uma pessoa que não consiga lidar com a matemática não é plenamente humana. No máximo é um sub-humano tolerável que aprendeu a usar sapatos, tomar banho e não bagunçar a casa. ROBERT A. HEINLEIN

A matemática pode ser comparada a um moinho maravilhosamente bem construído, que mói nossas coisas em qualquer grau de finura; ainda assim, o que obtemos depende do que colocamos no moinho; e o melhor moinho do mundo não extrairá farinha de trigo a partir de vagens, portanto, páginas de fórmulas não gerarão um resultado definido a partir de dados soltos. THOMAS HENRY HUXLEY

A medicina torna as pessoas doentes, a matemática as torna tristes, e a teologia as torna pecadoras. MARTINHO LUTERO

Eu lhes digo que, se ocuparem suas mentes com o estudo da matemática, encontrarão nela o melhor remédio contra os anseios da carne. THOMAS MANN

O maior teorema não resolvido da matemática é por que algumas pessoas são melhores nela que outras. ADRIAN MATHESIS*

Ela sabia apenas que, se fizesse ou dissesse isto e aquilo, os homens responderiam fatalmente com o isto e aquilo complementar. Era como uma fórmula matemática, e não mais difícil, pois a matemática era a única matéria fácil para Scarlett em seus tempos de escola. MARGARET MITCHELL

O avanço e o aperfeiçoamento da matemática estão intimamente ligados à prosperidade do Estado. NAPOLEÃO I

As proposições matemáticas não expressam pensamentos... Usamos as proposições matemáticas somente para inferir, a partir de proposições que não pertencem à matemática, outras que também não pertencem a ela. LUDWIG WITTGENSTEIN

[A matemática] é um mundo independente.
Criado a partir da inteligência pura. WILLIAM WORDSWORTH

* O que parece ser um pseudônimo.

Sinto dizer que a matéria de que eu menos gostava era a matemática. Já pensei no assunto. Acho que o motivo era que a matemática não deixa espaço para a argumentação. Se cometêssemos um erro, não havia o que discutir. MALCOLM X

Como a crista de um pavão, a matemática é a cabeça de todo conhecimento. ANTIGO DITADO INDIANO

A conjectura de Euler

O último teorema de Fermat afirma que a soma de dois cubos inteiros diferentes de 0 não pode ser igual a um cubo, e o mesmo vale para potências de 4, 5 ou mais. A famosa prova desse teorema foi apresentada por Andrew Wiles em 1994-95 (*Almanaque das curiosidades matemáticas*, p.58). Uma das primeiras pessoas a fazer avanços nesse problema foi Euler, que provou o último teorema para os cubos: a soma de dois cubos diferentes de 0 não pode ser igual a um cubo. Mas ele também notou que a soma de três cubos podia ser igual a um cubo. De fato,

$$3^3 + 4^3 + 5^3 = 6^3$$

Euler chutou (a palavra bonita é "conjecturou") que precisaríamos somar pelo menos quatro potências de 4 para obter uma quarta potência, pelo menos 5 potências de cinco para obter uma quinta potência e assim por diante.

Ao contrário de Fermat, ele estava errado. Em 1966, Leon Lander e Thomas Parkin descobriram que

$$27^5 + 84^5 + 110^5 + 133^5 = 144^5$$

Este foi o único exemplo conhecido do fracasso da conjectura de Euler até 1988, quando Noam Elkies descobriu que

$$2.682.440^4 + 15.365.639^4 + 187.960^4 = 20.615.673^4$$

Na verdade, Elkies provou que existem infinitos casos em que a soma de três potências de 4 é igual a uma quarta potência – mas a maioria deles requer números muito grandes. Roger Frye usou um computador para buscar por tentativa e erro e encontrou o menor exemplo:

$$95.800^4 + 217.519^4 + 414.560^4 = 422.481^4$$

O milionésimo algarismo

Suponha que escrevamos todos os números inteiros em sequência, encadeados desta maneira:

1234567891011121314151617181920212223242526...

E assim por diante.

Qual será o milionésimo algarismo?

Resposta na p.337

Caminhos piratas

Roger Barba-Ruiva, o pirata mais temível do mar Ervíleo, esqueceu uma informação vital – o endereço de seu banco nas ilhas Banana, onde ele mantém sua pilhagem a salvo do interesse dos fiscais da Fazenda. Ele sabe em que rua o banco fica, mas existem mais de 30 bancos na rua do Paraíso Fiscal, todos sem nome, todos de aparência idêntica.

Mas nem tudo está perdido, pois ele tem um mapa.

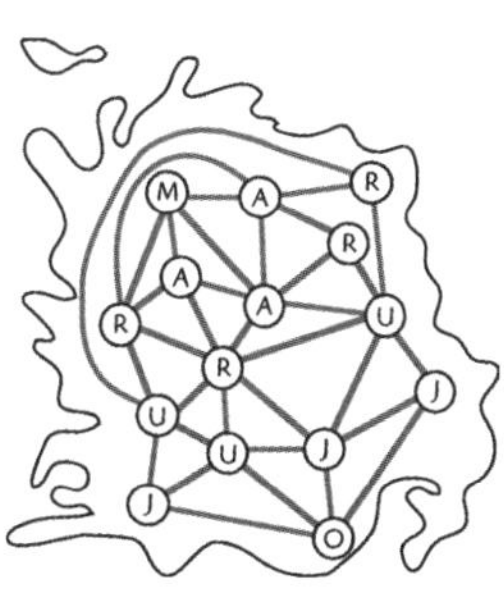

O mapa de Barba-Ruiva.

O endereço do banco está espertamente escondido neste mapa: trata-se do número de maneiras diferentes de escrevermos a palavra MARUJO, começando no círculo marcado com um M e soletrando a palavra, letra por letra, terminando no círculo marcado com a letra O. O endereço é o número de maneiras diferentes como isso pode ser feito, sempre caminhando ao longo das linhas que unem as letras.

Qual o endereço do banco de Barba-Ruiva?

Resposta na p.338

Desvio de trens

Dois trens, o Atchison Flier (A) e o Topeka Bullet (B), estão viajando em sentidos opostos ao longo da mesma linha. Cada trem é formado por uma locomotiva, na frente, e nove vagões. Todas as locomotivas e vagões têm o mesmo comprimento. O desvio consegue acomodar no máximo quatro vagões ou locomotivas a qualquer momento, deixando espaço para que os trens passem pelos trilhos principais.

Os trens têm como passar um pelo outro? Em caso afirmativo, como?

Resposta na p.339

(Dica: os vagões podem ser desacoplados.)

Estamos encalhados... não?

Por favor, seja mais claro

O lógico matemático Abraham Fraenkel, que era de origem alemã, embarcou certa vez num ônibus em Tel Aviv, Israel. A partida do ônibus estava marcada para as 9h em ponto, mas às 9h05 ele ainda estava parado na rodoviária.

Ressentido, Fraenkel se dirigiu ao motorista, agitando uma tabela com os horários.

– O senhor por acaso é alemão, ou é um professor? – perguntou o motorista.

– O senhor está se referindo ao ou inclusivo, ou ao ou exclusivo? – respondeu Fraenkel.*

Abraham Fraenkel

Quadrados, listas e somas de algarismos

A lista

81, 100, 121, 144, 169, 196, 225

é formada por sete quadrados consecutivos. Ela tem uma característica curiosa: a soma dos algarismos decimais de cada um desses números é ela própria um quadrado. Por exemplo, $1 + 6 + 9 = 16 = 4^2$.

Encontre outra sequência de sete quadrados consecutivos com a mesma propriedade.

Resposta na p.340

Na mira de Hilbert

Em 1900, o matemático alemão David Hilbert deu uma famosa palestra no Congresso Internacional de Matemáticos em Paris, na qual listou 23 dos mais importantes problemas da matemática. Ele não citou o último teorema de Fermat, mas o mencionou na introdução. Eis uma breve descrição dos problemas de Hilbert e seu estado atual.

* Isto é, os *dois* atributos são permitidos, ou apenas um?

1. Hipótese do contínuo

Na teoria de Cantor sobre os números cardinais infinitos (*Almanaque das curiosidades matemáticas*, p.169), existe um número que se encontre estritamente entre as cardinalidades dos números inteiros e dos reais?

Resolvido por Paul Cohen em 1963 – pode haver duas respostas, dependendo dos axiomas que usarmos para a teoria dos conjuntos.

2. Consistência lógica da aritmética

Prove que os axiomas tradicionais da aritmética jamais poderão levar a uma contradição.

Resolvido por Kurt Gödel em 1931, que provou que isso não poderia ser feito com os axiomas habituais da teoria dos conjuntos (*Almanaque das curiosidades matemáticas*, p.214). Por outro lado, Gerhard Gentzen provou, em 1936, que isso *pode* ser feito usando-se a indução transfinita.

3. Igualdade dos volumes de tetraedros

Se dois tetraedros têm o mesmo volume, sempre será possível cortar um deles em pedaços poliédricos finitos e montá-los novamente para formar o outro?

Hilbert achava que *não*. Resolvido em 1901 por Max Dehn – Hilbert estava certo.

4. A reta como menor distância entre dois pontos

Formule axiomas para a geometria nos termos da definição acima de "reta" e investigue o que acontece.

O problema é amplo demais para ter uma solução definitiva, mas um extenso trabalho já foi feito sobre o tema.

5. Grupos de Lie sem presumir diferenciabilidade

Questão técnica sobre a teoria dos grupos de transformações.

Em uma interpretação, foi resolvido por Andrew Gleason. Entretanto, se o problema for interpretado como a conjectura de Hilbert-Smith,* ainda não foi resolvido.

---

* O grupo de inteiros p-ádicos não tem ação efetiva de grupo em uma variedade. Espero que isto ajude.

6. *Axiomas para a física*

Desenvolva um sistema rigoroso de axiomas para as áreas matemáticas da física, como a probabilidade e a mecânica.

Andrei Kolmogorov axiomatizou a probabilidade em 1933, mas a questão é um pouco vaga e, em grande parte, não está resolvida.

7. *Números irracionais e transcendentes*

Prove que certos números são irracionais (não são frações exatas) ou transcendentes (não são soluções de equações polinomiais com coeficientes racionais). Em particular, mostre que, se a é algébrico e b é irracional, então a^b é transcendente – portanto, por exemplo $2^{\sqrt{2}}$ é transcendente.

Resolvido afirmativamente, e de maneira independente, por Aleksandr Gelfond e Theodor Schneider em 1934.

8. *Hipótese de Riemann*

Prove que todos os zeros não triviais da função zeta de Riemann, na teoria dos números primos, se encontram na reta "parte real = ½".

Não resolvido. Possivelmente o maior problema em aberto da matemática (veja *Almanaque das curiosidades matemáticas*, p.225).

9. *Leis da reciprocidade em campos numéricos*

A lei clássica da reciprocidade quadrática, conjecturada por Euler e provada por Gauss em seu *Disquisitiones Arithmeticae* de 1801, afirma que, se p e q são números primos ímpares, então (veja a explicação sobre a notação na p.73-4) a equação $p \equiv x^2 \pmod{q}$ tem solução se e somente se $q \equiv y^2 \pmod{p}$ tiver solução, a menos que tanto p como q sejam da forma $4k - 1$; neste caso, uma delas tem uma solução e a outra não. Generalize a questão para outras potências além do quadrado.

Parcialmente resolvido.

10. *Determine quando uma equação diofantina tem soluções*

Encontre um algoritmo que, quando aplicado a uma equação polinomial com muitas variáveis, determine se existe alguma solução em números inteiros.

Em 1970, Yuri Matiyasevich, aprimorando o trabalho de Julia Robinson, Martin Davis e Hilary Putnam, provou que tal algoritmo não existe.

11. Formas quadráticas com números algébricos como coeficientes
Questões técnicas que levam, em particular, a uma compreensão da solução das equações diofantinas quadráticas de muitas variáveis.

Parcialmente resolvido.

12. Teorema de Kronecker em corpos abelianos
Questões técnicas que generalizam um teorema de Kronecker sobre raízes complexas da unidade.

Ainda não resolvido.

13. Resolução de equações de sétimo grau usando funções especiais
Niels Henrik Abel e Évariste Galois provaram que a equação geral de quinto grau não pode ser resolvida usando raízes *n*-ésimas, mas Charles Hermite mostrou que pode ser resolvida usando funções modulares elípticas. Prove que a equação geral de sétimo grau não pode ser resolvida usando funções de duas variáveis.

Uma variante foi refutada por Andrei Kolmogorov e Vladimir Arnold. Outra interpretação plausível continua não resolvida.

14. Finitude dos sistemas completos de funções
Estenda um teorema de Hibert sobre invariantes algébricas para grupos de transformação específicos, para todos os grupos de transformação.

Em 1959, Masayoshi Nagata provou que a conjectura era falsa.

15. Cálculo enumerativo de Schubert
Schubert encontrou um método não rigoroso para contar várias configurações geométricas, tornando-as as mais singulares possíveis (muitas retas sobrepostas, muitos pontos coincidentes). Torne esse método rigoroso.

Progresso em casos especiais; nenhuma solução completa.

16. Topologia das curvas e superfícies
Quantos componentes conectados pode ter uma curva algébrica de determinado grau, definida no plano? Quantos ciclos periódicos dife-

rentes pode ter uma equação diferencial algébrica de determinado grau, definida no plano?

Progresso limitado em casos especiais; nenhuma solução completa.

17. Expressão de formas definidas por quadrados

Se uma função racional sempre assume valores não negativos, ela deverá ser uma soma de quadrados?

Problema resolvido por Emil Artin, D.W. Dubois e Albrecht Pfister. É verdadeiro para os números reais, mas falso em alguns sistemas numéricos mais gerais.

18. O espaço coberto com poliedros

Questões gerais sobre o preenchimento do espaço (euclidiano ou não) com poliedros congruentes. Também menciona problemas sobre o empacotamento de esferas, em especial a conjectura de Kepler, que diz que a maneira mais eficiente de embalar esferas no espaço é a disposição cúbica de face centrada.

O problema de Kepler foi resolvido, com uma prova auxiliada pelo computador, por Thomas Hales (veja *Almanaque das curiosidades matemáticas*, p.240-5). A pergunta principal sobre poliedros feita por Hilbert também foi resolvida.

19. Analiticidade de soluções no cálculo de variações

O cálculo de variações surgiu da mecânica e resolve questões como: "Encontre a curva mais curta com as seguintes propriedades." Se um problema nessa área for definido por funções analíticas, a solução deve ser igualmente analítica?

Provado por Ennio de Giorgi em 1957 e, com métodos diferentes, por John Nash.

20. Problemas de valor de contorno

Compreende as soluções das equações diferenciais da física, dentro de alguma região do espaço, quando as propriedades da solução no contorno dessa região são prescritas. Por exemplo, os matemáticos sabem descobrir como é a vibração de um tambor de certo formato quando sua borda é fixa, mas, e se a borda estiver presa de maneira mais complicada?

Essencialmente resolvido por diversos matemáticos.

21. *Existência de equações diferenciais com monodromia dada*
Um famoso tipo de equação diferencial complexa, chamada fuchsiana, pode ser entendido em termos de seus pontos singulares e seu grupo de monodromia (que nem vou tentar explicar o que é). Prove que qualquer combinação desses dados pode ocorrer.

A resposta é sim ou não, dependendo da interpretação.

22. *Uniformização usando funções automórficas*
As equações algébricas podem ser simplificadas pela introdução de funções especiais adequadas. Por exemplo, a equação $x^2 + y^2 = 1$ pode ser resolvida fazendo-se com que $x = \cos\theta$ e $y = \text{sen}\,\theta$ para um ângulo θ geral. Poincaré provou que qualquer equação algébrica de duas variáveis pode ser "uniformizada" desta maneira, usando funções de uma variável. Questão técnica sobre a ampliação destas ideias para as equações analíticas.

Resolvido por Paul Koebe logo depois de 1900.

23. *Desenvolvimento do cálculo de variações*
Nos tempos de Hilbert, o cálculo de variações corria o risco de ser negligenciado, e Hilbert clamava por ideias originais.

Já se fez um extenso trabalho, mas a questão é vaga demais para ser considerada resolvida.

Em 2000, o historiador alemão Rüdiger Thiele descobriu, nos manuscritos não publicados de Hilbert, que ele originalmente havia planejado incluir um 24º problema:

24. *Simplicidade na teoria da prova*
Desenvolva uma teoria rigorosa de simplicidade e complexidade nas provas matemáticas.

Isso está bastante relacionado ao conceito de complexidade computacional, e ao notório problema (não resolvido) P = NP? (veja *Almanaque das curiosidades matemáticas*, p.135-6).

Truque com fósforos

Remova exatamente *dois* fósforos, deixando dois triângulos equiláteros.

Resposta na p.341

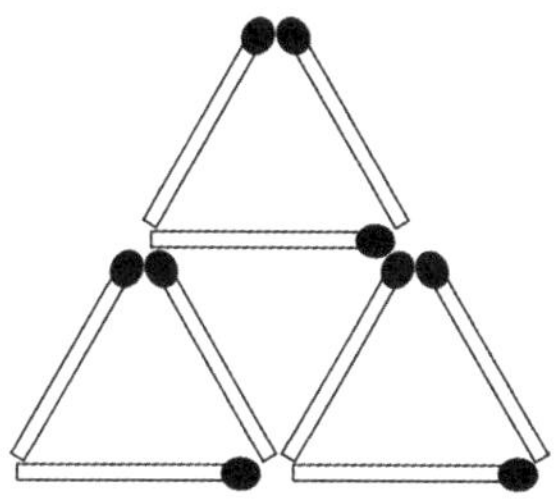

Retire dois fósforos e deixe dois triângulos.

Que hospital deve ser fechado?

Os estatísticos sabem que acontecem coisas estranhas quando combinamos dados. Uma delas é o paradoxo de Simpson, que vou ilustrar com um exemplo.

O Ministério da Saúde estava reunindo dados sobre o êxito de operações cirúrgicas. Dois hospitais – a Casa de Saúde São Ambrósio e o Hospital Geral de Bumbledown – ficavam na mesma área, e o Ministério iria fechar o que apresentasse pior desempenho.

- A Casa de Saúde São Ambrósio realizou operações em 2.100 pacientes, dos quais 63 (3%) morreram.
- O Hospital Geral de Bumbledown realizou operações em 800 pacientes, do quais 16 (2%) morreram.

Para o ministro, a situação era perfeitamente óbvia: o Hospital Geral de Bumbledown tinha uma taxa de mortalidade menor, portanto a Casa de Saúde São Ambrósio deveria ser fechada.

Naturalmente, o diretor-geral da Casa de Saúde São Ambrósio protestou. Ele explicou que havia um bom motivo para que o ministro reconsiderasse a questão e lhe pediu que separasse os números em duas categorias: homens e mulheres. O ministro se mostrou relutante, alegando que o Hospital Geral de Bumbledown obviamente ainda teria um desempenho melhor. No entanto, era mais fácil analisar os novos dados do que discutir, e assim, ele obteve os números correspondentes, classificados conforme o sexo.

- A Casa de Saúde São Ambrósio operou 600 mulheres e 1.500 homens, dos quais morreram 6 mulheres (1%) e 57 homens (3,8%).
- O Hospital Geral de Bumbledown operou 600 mulheres e 200 homens, dos quais morreram 8 mulheres (1,33%) e 8 homens (4%).

Observe que os números estão corretos – somando-os, obtemos os dados originais.

Estranhamente, o Hospital Geral de Bumbledown teve uma taxa de mortalidade pior que a da Casa de Saúde São Ambrósio nas *duas* categorias. Ainda assim, quando os números foram combinados, a Casa de Saúde São Ambrósio teve uma taxa de mortalidade pior que a do Hospital Geral de Bumbledown.

Afinal, o ministro teve de manter os dois hospitais abertos, porque foi incapaz de justificar qualquer uma das duas decisões caso tivesse que defendê-las na justiça.

Como virar uma esfera do avesso

Em 1958, o ilustre matemático americano Stephen Smale, que na época era estudante de pós-graduação, resolveu um importante problema da topologia. Mas seu teorema foi tão surpreendente que o orientador de sua tese, Arnold Shapiro, não acreditou nele, comentando que existia um contraexemplo óbvio. Isto é, um exemplo que prova que o teorema é falso. Uma consequência do resultado defendido por Smale era que seria possível virar uma esfera do avesso usando somente deformações contínuas e suaves. Quer dizer, não é permitido cortá-la, fazer buracos nela nem mesmo criar um vinco em sua superfície.

Intuitivamente, isso parecia absurdo. Mas a intuição estava errada, e Smale estava certo.

Pois bem, todos sabemos que, por mais que entortemos e giremos um balão, o lado de fora irá continuar do lado de fora e o lado de dentro irá continuar do lado de dentro. O trabalho de Smale não contradiz esse fato, pois permite um tipo de deformação que não podemos fazer num balão. Especificamente, a superfície pode atravessar a si mesma. Entretanto, deve fazê-lo suavemente, sem criar vincos. Se os vincos forem permitidos, a "eversão" da esfera, como é chamada, é fácil. Basta empurrar os hemisférios opostos um através do outro, deixando um tubo ao redor do equador, e continuar a empurrar até que o tubo encolha e desapareça. Entretanto, esse método cria um vinco cada vez mais marcado ao redor do equador, e as definições técnicas do teorema de Smale descartam essa possibilidade.

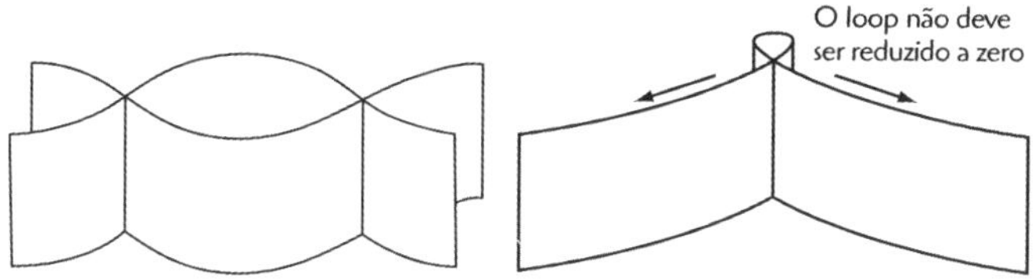

Isso é permitido... **...mas isso, não.**

Portanto, Smale estava certo, e a prova de seu teorema podia, em princípio, ser seguida passo a passo de modo a encontrarmos um método explícito para evertermos uma esfera. No entanto, na prática isso se mostrava complicado demais, e por muitos anos não se conhecia método específico algum. O primeiro método foi descoberto por Shapiro e Anthony Phillips, e constituiu o primeiro uso do que atualmente chamamos de modelos intermediários.

Os topologistas já sabem há muito tempo que algumas superfícies "só têm um lado". O exemplo mais conhecido é a fita de Möbius (*Almanaque das curiosidades matemáticas*, p.119), e outro é a garrafa de Klein (p.194). Uma esfera tem dois lados: podemos pintar o lado de dentro de vermelho e o lado de fora de azul, por exemplo. Mas se tentarmos fazer isso com a fita de Möbius ou com a garrafa de Klein, a tinta vermelha acabará se encontrando com a azul: as superfícies aparentemente "interna" e "externa" de qualquer região pequena acabam por se conectar em outras regiões da fita.

Entretanto, existe outra superfície de um lado só, o plano projetivo, que está bastante relacionado à esfera. De fato, podemos construí-lo da perpectiva matemática tomando uma esfera e fingindo que os pontos diametralmente opostos são um ponto só – "grudando-os", por assim dizer. A superfície resultante não pode ser representada num plano tridimensional sem atravessar a si mesma, mas pode ser "imersa" no espaço tridimensional, o que significa que partes dela podem atravessar outras partes suavemente.

Como o plano projetivo é uma esfera cujos pontos opostos foram colados, podemos separá-los, desgrudando os pares de pontos para formar uma esfera, o que cria duas camadas separadas, muito próximas. Uma delas é, com efeito, o lado de dentro da esfera, a outra é o lado de fora. No entanto, como o plano projetivo não tem um interior e um exterior, pode ser separado de duas maneiras diferentes. Se chamarmos as camadas de "vermelho" e "azul", à medida que separarmos as camadas de duas maneiras diferentes, a camada vermelha ficará por dentro em uma das maneiras e por fora em outra, enquanto a camada azul ficará por fora em uma e por dentro na outra.

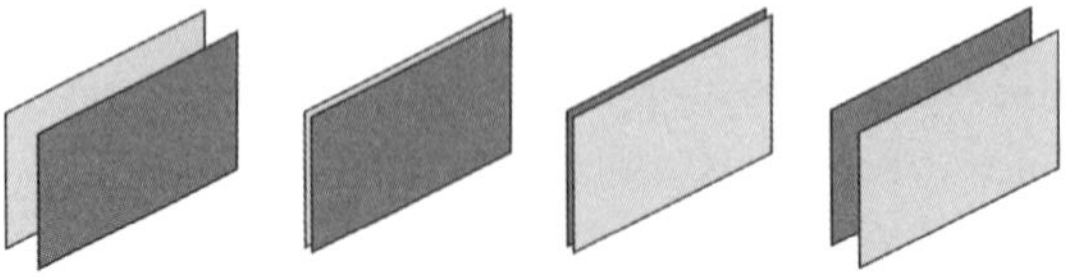

Como as camadas vermelha e azul trocam de posição no estágio intermediário.

A ideia para uma eversão específica, então, começa no *meio*, com um plano projetivo imerso. Se o separarmos de modo a criar uma esfera, teremos o vermelho por fora e o azul por dentro. A seguir deformamos essa esfera suavemente até que ela pareça uma esfera redonda normal, mostrando apenas sua superfície vermelha. Isso pode não ser fácil e nem sequer é evidente que possa ser feito, até tentarmos. No entanto, o método funciona.

Agora voltemos ao estágio intermédio, separando o plano projetivo da *outra* maneira, criando uma esfera com o azul por fora e o vermelho por dentro. Vamos deformar essa esfera suavemente até que ela pareça uma esfera redonda normal, de modo que somente sua superfície azul esteja visível.

Encaixamos essas duas deformações realizando a primeira delas no sentido contrário. Agora, uma esfera que é vermelha por fora e azul por dentro é deformada suavemente até que os pares de pontos opostos coincidam no plano projetivo intermédio. Passamos as camadas uma através da outra, separando-as conforme a segunda deformação. O resultado é uma esfera azul por fora e vermelha por dentro.

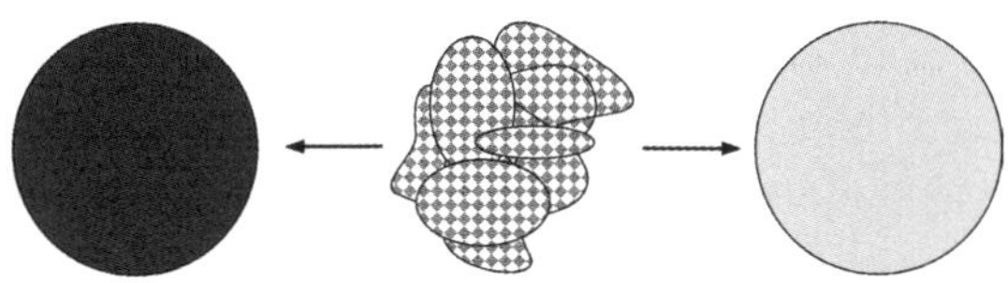

Separe o plano projetivo de duas maneiras diferentes...

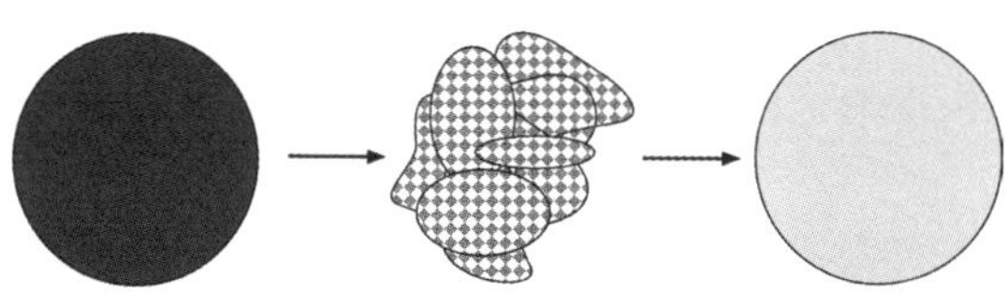

...depois inverta a primeira deformação e combine as duas.

São conhecidas muitas imersões diferentes do plano projetivo. Uma delas, bastante famosa, é a superfície de Boy. Em 1901, o grande matemático alemão David Hilbert apresentou um problema a seu estudante Werner Boy: prove que o plano projetivo *não pode* ser imerso no espaço tridimensional. Boy, assim como Smale, discordava de seu orientador. E assim como Smale, ele estava certo. Por essa descoberta, Boy ganhou uma superfície com seu nome.

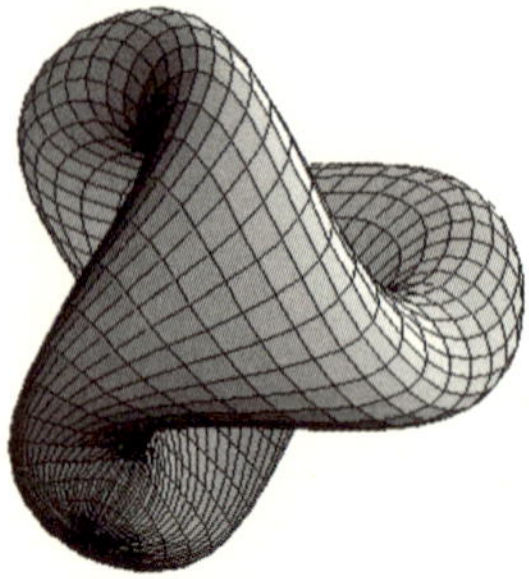

A superfície de Boy.

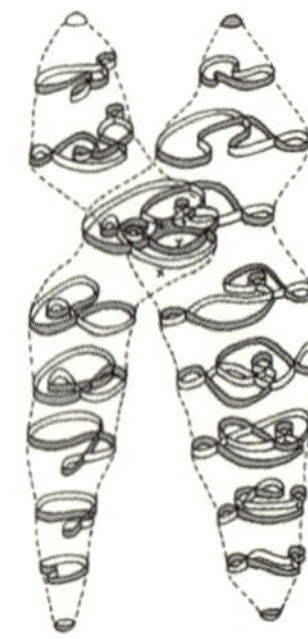

Um estágio avançado do método de Shapiro-Philips.

Um método completamente diferente de virarmos uma esfera do avesso surgiu a partir de algumas observações gerais feitas por William Thurston, um dos maiores geômetras vivos do planeta. Thurston bolou um método no qual a esfera é inicialmente corrugada, ficando um pouco parecida com uma tangerina exagerada da qual sobressaem muitos segmentos. Isso pode ser feito com uma deformação suave. A seguir, os polos norte e sul da tangerina são empurrados um através do outro, criando uma série de alças ao redor do equador. Todas as alças são giradas simultaneamente num ângulo de 180°. Os polos norte e sul são então separados, criando outra forma de tangerina, mas agora o interior e o exterior da esfera original foram trocados. Só o que resta é eliminarmos as corrugações.

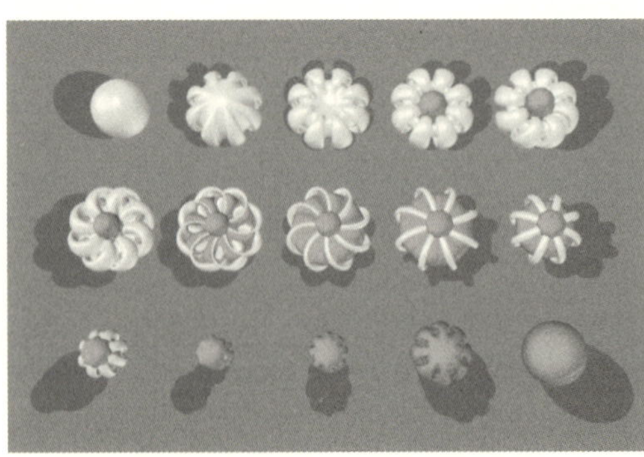

O método da corrugação de Thurston.

Todos estes métodos para virarmos uma esfera do avesso são seriamente complicados e difíceis de acompanhar, mesmo com muitas figuras e explicações. Se você quiser compreender melhor este tópico, existe um vídeo excelente em www.youtube.com/watch?v=xaVJR60t4Zg, que você poderá baixar e assistir quando bem entender. O vídeo foi produzido por matemáticos do Centro de Geometria da Universidade de Minnesota (que por infelicidade foi fechado) e explica exatamente como funcionam os vários métodos de eversão de esferas, com gráficos fantásticos feitos por computador.* Você poderá encontrar mais informações em: www.geom.uiuc.edu/docs/outreach/oi/.

É interessante notar que não podemos virar uma *circunferência* do avesso sem criarmos vincos – o que explica em parte por que as pessoas intuíram que seria impossível fazer o mesmo com uma esfera. Este truque em particular requer três dimensões, caso contrário, não teremos espaço para as manobras.

Divisão do bolo

Se você fizer 1, 2, 3 ou 4 cortes retos num bolo circular, o maior número de pedaços que conseguirá obter é 2, 4, 7 e 11, respectivamente (não é permitido mover os pedaços entre os cortes).

Qual o maior número de pedaços que podemos criar com 5 cortes?

Resposta na p.341

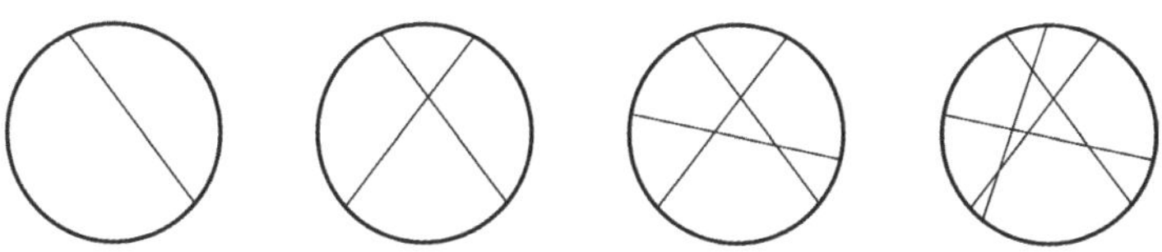

O maior número de pedaços com até quatro cortes.

* Há outros filmes sobre esse tema; basta jogar "sphere eversion" no Youtube. (N.T.)

A origem do símbolo pi

Em 1647, o matemático inglês William Oughtred escreveu δ/π para designar a razão entre o diâmetro de uma circunferência e seu perímetro. Neste caso, δ ("delta" em grego) é a primeira letra de "diâmetro", e π ("pi" em grego, claro) é a letra inicial de "perímetro" e "periferia". Isaac Barrow, outro matemático inglês, usou os mesmos símbolos em 1664. O matemático escocês David Gregory (sobrinho do famoso James Gregory) também escreveu π/ρ para designar a razão entre o perímetro de uma circunferência e seu raio (ρ é a letra grega "rô", que é a inicial de "raio"). Mas, para todos esses matemáticos, os símbolos designavam comprimentos diferentes, conforme o tamanho da circunferência.

Em 1706, o matemático galês William Jones usou π para denotar a razão entre o perímetro de uma circunferência e seu diâmetro, num trabalho que apresentava o resultado do cálculo de John Machin para o valor de π com 100 casas decimais.

No início da década de 1730, Euler usou os símbolos p e c, e a história poderia ter sido diferente, mas em 1736 ele mudou de ideia e passou a usar o símbolo π em seu sentido moderno. O símbolo começou a ser usado de maneira mais geral depois de 1748, quando Euler publicou *Introdução à análise do infinito*.

Sala dos espelhos

Se alguém acender um fósforo numa sala de espelhos, ele poderá ser visto (refletido tantas vezes quanto necessário) de qualquer outro local?

Deixe-me tornar a pergunta mais precisa. Restringimos nossa atenção a duas dimensões do espaço – o plano. Lembre-se de que quando um raio de luz acerta um espelho plano, ele é refletido no mesmo ângulo. Suponha que temos uma sala – um espaço poligonal – no plano, cujas paredes são espelhos planos. Uma fonte pontual de luz é colocada em algum lugar no interior da sala. Esta fonte sempre poderá ser vista, talvez depois de múltiplas reflexões, de qualquer outro ponto interior? A luz que acertar qualquer ângulo do polígono será absorvida e desaparecerá.

Victor Klee publicou esta questão em 1969, mas ela remonta a Ernst Straus, na década de 1950, se não antes. Em 1958, Lionel e Roger Penrose encontraram uma sala com uma parede curva para a qual a resposta é "não". Mas a pergunta para os polígonos permaneceu aberta até que George Tokarsky a solucionou em 1995. Novamente a resposta é "não". Ele encontrou muitas salas com essa propriedade: a figura mostra uma delas. A sala tem 26 lados e todos os ângulos se encontram sobre uma grade quadrada.

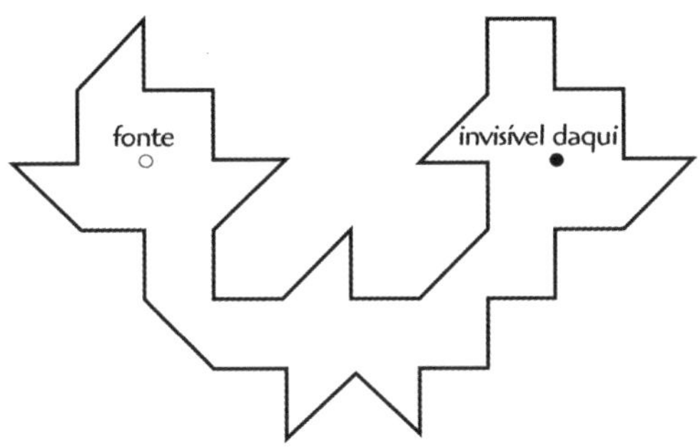

A sala dos espelhos de Tokarsky.

Asteroides gregos e troianos

Dois agrupamentos incomuns de asteroides ocupam uma órbita muito semelhante à de Júpiter. Ao contrário dos "agrupamentos" do cinturão de asteroides (p.131), estes aglomerados estão realmente aglomerados – os asteroides ficam juntos, num agrupamento. Ainda assim, continuam separados por enormes distâncias: o espaço é *grande*. Um desses grupos, o dos Gregos, espalha-se ao redor de uma posição 60° à frente de Júpiter; o outro aglomerado, o dos Troianos, fica 60° atrás do planeta. Os nomes de cada um dos asteroides se baseiam (principalmente) nos personagens da *Ilíada* de Homero, uma história sobre o cerco de Troia pelos gregos.

A descoberta dos Troianos, na década de 1900, confirmou uma previsão feita pelo matemático italiano Joseph Louis Lagrange em 1772. Ele calculou os efeitos combinados da gravidade e da força centrífuga num sistema solar em miniatura, que continha um sol e um planeta, numa órbita circular. O mesmo vale para qualquer sistema gravitacional de dois corpos com órbita circular, como a Terra e a Lua – ou ao menos serve como uma boa aproximação. Os cálculos de Lagrange mostraram que existem exatamente cinco pontos relativos a esses dois corpos nos quais a gravidade e a força centrífuga cancelam uma a outra, de modo que uma pequena massa localizada nesse ponto ficará em equilíbrio. Esses são os *pontos de Lagrange* L_1– L_5.

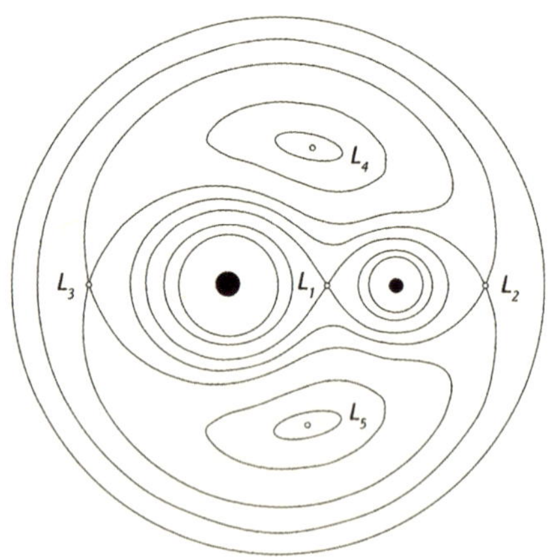

Os pontos de Lagrange e as curvas de nível de energia.

- L_1 se encontra entre o sol e o planeta.
- L_2 se encontra do lado do planeta, sobre uma linha que une o sol e o planeta.
- L_3 se encontra do lado do sol, sobre uma linha que une o sol e o planeta.
- L_4 se encontra na órbita do planeta, 60° à frente dele.
- L_5 se encontra na órbita do planeta, 60° atrás dele.

Para ser mais exato, por volta de 1750, Leonhard Euler provou a existência dos pontos L_1, L_2 e L_3, e Lagrange descobriu os outros dois. O cálculo de Lagrange foi parte da abordagem de uma questão mais geral, o movimento de três corpos sob gravidade. Isaac Newton havia mostrado que, para dois corpos, as órbitas são elipses, e era natural perguntar o que acontece com três corpos. Esse problema acabou por se mostrar muito difícil, e agora sabemos por quê: o movimento típico é caótico (*Almanaque das curiosidades matemáticas*, p.125).

Os pontos L_4 e L_5 são estáveis, desde que a massa do sol seja, no mínimo, de

$$\frac{25 + 3\sqrt{69}}{2} \approx 24.96$$

vezes a do planeta. Isto é, uma massa localizada num desses pontos se manterá próxima a eles mesmo que seja levemente perturbada. Os outros três pontos são instáveis. Nenhuma ocorrência natural de corpos orbitando nesses pontos era conhecida até os astrônomos perceberem que uma quantidade anormalmente alta de asteroides se localiza próximo aos pontos L_4 e L_5 do sistema Sol-Júpiter. Eles se espalham ao longo da órbita de Júpiter no mesmo formato de "banana" das curvas de nível da energia perto desses pontos. Desde então, foram encontrados outros casos:

- Os pontos L_4 e L_5 do sistema Sol-Terra contêm poeira interplanetária.
- Os pontos L_4 e L_5 do sistema Terra-Lua podem conter poeira interplanetária nas chamadas nuvens de Kordylewski.
- Os pontos L_4 e L_5 do sistema Sol-Netuno contêm objetos do cinturão de Kuiper, uma classe de corpos pequenos que atualmente inclui Plutão, dos quais a maioria tem órbita mais afastada que a de Plutão.
- Os pontos L_4 e L_5 do sistema Saturno-Tétis contêm as pequenas luas Telesto e Calipso.
- Os pontos L_4 e L_5 do sistema Saturno-Dione contêm as pequenas luas Helena e Polideuces.

Embora os outros três pontos de Lagrange sejam instáveis, estão cercados por órbitas estáveis, chamadas halos, portanto, uma sonda espacial ou algum outro artefato pode ser mantida perto desses pontos com um gasto muito pequeno de combustível. O Telescópio Espacial James Webb, sucessor do Telescópio Hubble, será posicionado no ponto L_2 do sistema Sol-Terra quando for lançado em 2013, ou depois disso. Esta localização mantém o Sol e a Terra na mesma direção, se vistos do telescópio, de modo que um único escudo fixo possa bloquear a radiação desses dois corpos, impedindo o aquecimento do satélite, que poderia afetar seus delicados instrumentos. O único ponto de Lagrange que ainda não foi utilizado em alguma missão espacial efetiva ou planejada é o L_3. Todos os cinco pontos foram explorados em diversas histórias de ficção científica.

Muitas outras informações sobre este tema podem ser encontradas em: en.wikipedia.org/wiki/Lagrangian_point.

Escorrega de moedas

Um bom jogo de botequim. Comece com seis moedas, numeradas de 1 a 6 e dispostas como na figura à esquerda. Vá escorregando uma de cada vez, sem mexer nas outras, rearrumando-as até formar a figura da direita, com a ordem numérica ilustrada.

Como podemos fazer isso movendo o menor número de moedas possível?

Resposta na p.341

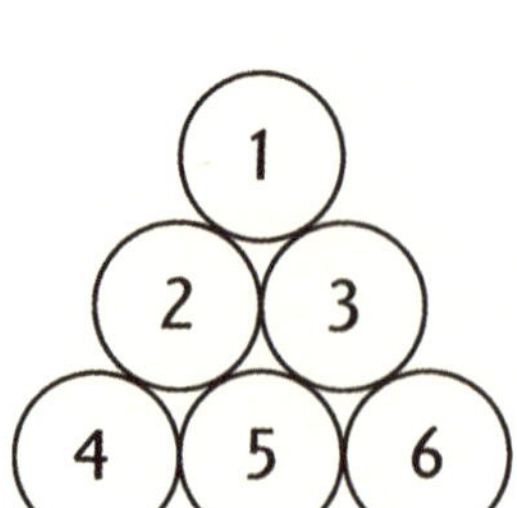

Comece assim...

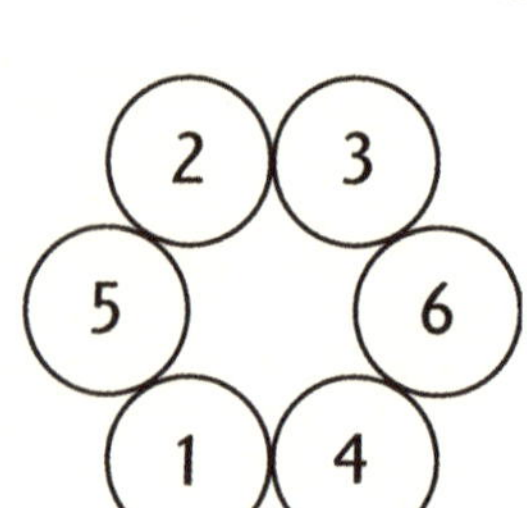

...e termine assim.

Imbatível!

...e agora o quê?

O capítulo 94 de *Heimskringla: História dos reis da Noruega*, de Snorri Sturluson – que você certamente conhece – conta a história de um jogo de azar disputado entre o rei Olavo I da Noruega* e o rei da Suécia,** para decidir qual país ficaria com a ilha de Hising.

Segundo Thorstein o Erudito, os dois reis concordaram em jogar um par de dados, e quem tirasse o valor mais alto ficaria com a ilha.

O rei da Suécia, que ganhara o direito de começar, jogou os dados e tirou um duplo seis.

– Não faz sentido o senhor jogar – afirmou ele. – Eu não tenho como perder.

– Ainda restam dois seis nos dados, meu senhor – respondeu Olavo, sacudindo os dados na mão. – E, para Deus, é uma questão insignificante fazer com que os dados caiam desse jeito.

Ele então jogou os dados...

O que você acha que aconteceu a seguir?

Resposta na p.342

* Este era Olavo Tryggvason, filho de Tryggve Olafsson, que foi rei de 995 a 1000. Antes do jogo de dados, Olavo havia pedido em casamento Sigrid a Orgulhosa, a rainha da Suécia, na tentativa de unificar a Escandinávia. Mas ela não estava interessada nisso.

** Que parece ter sido Olavo o Tesoureiro, pela data. Por sinal, ele era filho de Eric o Vitorioso e Sigrid a Orgulhosa. É um mundo pequeno.

O problema de Euclides

Diz a lenda que o grande geômetra Euclides compôs o seguinte problema.

Uma mula e um burro estavam cambaleando pela estrada, cada qual carregando vários sacos pesados idênticos. O burro começou a reclamar, soltando um terrível grunhido, até que a mula se encheu.

– Do que *você* está reclamando? Se me der um saco, vou carregar o dobro de sacos que você! E se eu lhe der um saco, carregaremos a mesma carga.

Quantos sacos o burro e a mula carregavam?

Resposta na p.342

O teorema do macaco infinito

Diz-se que, se um macaco se sentar na frente de uma máquina de escrever e ficar apertando teclas aleatórias, ele acabará por datilografar a obra completa de Shakespeare. Essa afirmação dramatiza dois fatos sobre as sequências aleatórias: qualquer coisa pode surgir e, portanto, o resultado *não precisa parecer aleatório*. O teorema do macaco infinito vai além, afirmando que, se o macaco continuar a datilografar para sempre, a probabilidade de que ele acabe por escrever qualquer texto específico é igual a 1.

Para testar essa proposição, tudo que precisamos são dois dados, de cores diferentes ou distinguíveis de alguma outra maneira, e uma tabela de símbolos. A última casa à direita representa um espaço.

segundo dado \ primeiro dado	1	2	3	4	5	6
1	A	B	C	D	E	F
2	G	H	I	J	K	L
3	M	N	O	P	Q	R
4	S	T	U	V	W	X
5	Y	Z	.	,	:	;
6	`	"	-	?	!	

Macaco simulado.

Jogue os dois dados, escolha o símbolo correspondente e anote-o. Por exemplo, se você jogar 4/1, vai obter a letra D. Siga em frente e veja quanto tempo leva até encontrar uma palavra razoável com, digamos, 3 ou mais letras. Sua experiência deve ser confirmada por dois cálculos:

- Em média, quantas jogadas seriam necessárias para obtermos as palavras REI LEAR, incluindo o espaço entre as palavras?
- Em média, quantas jogadas seriam necessárias para obtermos a obra completa de Shakespeare? Podemos presumir que sua obra contém 5 milhões de caracteres, todos incluídos na tabela. Isso não é verdade, mas vamos supor que seja.

Resposta na p.342

Em 2003, professores e estudantes do MediaLab, na Universidade de Plymouth, fizeram o experimento com macacos de verdade – seis macacos-de-Celebes – e um teclado de computador. Os sujeitos experimentais produziram cinco páginas de texto, que eram fundamentalmente assim:

SSSSSSSSSSSSSSSSSSSSSSSSSSSSSSSSS

E então destruíram completamente o teclado.

A afirmação matemática remonta a Émile Borel, num artigo de 1913, denominado "Mecânica estatística e irreversibilidade", e a seu livro *Le hasard*, de 1914. O escritor argentino Jorge Luis Borges rastreou a ideia subjacente, chegando a *Metafísica* de Aristóteles. O orador romano Cícero, nada impressionado com as ideias de Aristóteles, comparou a afirmação à crença de que, "se uma grande quantidade das 21 letras, compostas de ouro ou de qualquer outro material, fosse jogada no chão, as letras cairiam numa ordem que permitiria formar os *Anais de Ênio* de forma legível. Duvido que o acaso pudesse formar um único verso dessa obra".

Bem, a verdade é que não... A menos que usássemos uma quantidade *realmente* grande.

Macacos contra a evolução

O macaco datilógrafo já foi usado para atacar a teoria da evolução.* As mutações aleatórias do DNA são como o macaco. E embora seja verdade que o macaco, *no fim das contas*, vai acabar por datilografar qualquer coisa, também é verdade que ele não vai escrever nada remotamente interessante durante o tempo de vida do Universo. Pois bem, uma proteína fundamental como a hemoglobina, que transporta o oxigênio no nosso sangue, é especificada por mais de 1700 "letras" do DNA, dentre A, C, T, G. A chance de que esta molécula surja a partir de mutações aleatórias é tão minúscula que pode muito bem ser considerada igual a zero. Portanto, a evolução não pode ter criado a hemoglobina. Darwin estava errado, ela deve ter sido criada por Deus, QCD.

Essa crítica se mostra superficial e se baseia em diversas concepções errôneas. Uma delas é que a molécula de hemoglobina é um "alvo" que a evolução deve ter como objetivo. A questão é que a hemoglobina não é a única molécula que poderia transportar oxigênio, levando-o aonde seja necessário. A hemoglobina realiza essa função porque tem duas formas semelhantes, embora distintas. Numa delas, os átomos de oxigênio se ligam aos quatro átomos de ferro da molécula; na outra, não se ligam. A molécula se "dobra" ligeiramente de uma forma para a outra. A maior parte da molécula de hemoglobina não desempenha nenhuma função essencial nesse processo, embora sirva como um arcabouço adequadamente flexível para as partes que importam. Portanto, uma enorme variedade de outras moléculas poderia, em princípio, realizar o mesmo trabalho. A evolução natural criou uma delas, e isso foi plenamente suficiente. Bem, na verdade, a natureza criou diversas variantes, o que não faz mais que corroborar a ideia que estou apresentando.

* Segundo a qual um macaco efetivamente escreveu a obra completa de Shakespeare, ainda que não – para começo de conversa – numa máquina de escrever. Ele realizou o feito indiretamente, produzindo descendentes que evoluíram até se tornarem... Shakespeare. Esta é uma abordagem muito mais eficiente.

Entretanto, essa ideia por si só não reduz a probabilidade o bastante. A segunda ideia é que as moléculas biológicas não são criadas do nada todas as vezes: a evolução mantém uma biblioteca viva de moléculas, modificando-as ou combinando-as para criar novas moléculas. De fato, a hemoglobina é formada a partir de duas cópias de duas moléculas menores, as unidades alfa e beta. Além disso, essa estrutura modular ajuda a molécula combinada a se dobrar de maneira apropriada.

Uma analogia mais adequada, portanto, dá ao macaco um processador de texto e não uma máquina de escrever. E o processador de texto tem teclas "macro" que podem reproduzir uma série de toques combinados. Se o macaco criar uma macro sempre que escrever uma palavra razoável – de maneira análoga à evolução, que preserva qualquer coisa que funcione –, o computador do macaco logo irá construir um dicionário, podendo digitar sequências de palavras com facilidade por se concentrar nas teclas macro. A repetição do processo produz sequências de frases com sentido, e assim por diante. Isso talvez não gere a obra de Shakespeare, mas, em poucos anos, que dirá bilhões, o macaco com macros poderia escrever um artigo digno de ser lido no ônibus.

Dito isso, a evolução de algo que realize a função da hemoglobina leva muito tempo, mesmo quando quantidades descomunais de moléculas jogam esse jogo em paralelo – como fazem hoje e presumivelmente fizeram no passado distante. Foram necessários cerca de 3 bilhões de anos até que a evolução criasse a hemoglobina. No entanto, durante boa parte desse tempo, a molécula não teria tido nenhuma função útil – criaturas complexas capazes de sobreviver numa atmosfera tóxica contendo oxigênio não surgiram até que houvesse transcorrido aproximadamente 1,5 bilhão de anos, e as células sanguíneas surgiram muito depois disso. A hemoglobina surgiu bastante depressa, em termos geológicos, uma vez que o cenário estava pronto para que ela fizesse algo útil. Mas seu surgimento ocorreu graças a uma sequência de processos que combinaram moléculas pequenas para gerar moléculas maiores, que se combinaram em moléculas ainda maiores. A evolução não ficou por aí dando chutes aleatórios na esperança de acertar na loteria da hemoglobina, escolhendo as 1.700 letras ganhadoras do DNA.

Carta de referência universal

Prezado presidente do Comitê de Contratações,

Escrevo esta carta em referência ao sr. XXXXX, que se candidatou a um cargo em seu departamento.

Devo começar dizendo que não tenho palavras para expressar o quanto eu o recomendo.

De fato, não há nenhum outro aluno com o qual eu possa compará-lo da maneira adequada, e tenho certeza de que seu nível de conhecimentos matemáticos irá surpreendê-lo.

Sua dissertação é o tipo de trabalho que não esperamos ver nos dias de hoje. Ela certamente demonstra a extensão de sua capacidade.

Para concluir, deixe-me dizer que o senhor será um homem de sorte se conseguir que ele trabalhe em seu departamento.

Atenciosamente,

Dr. Pasqual Querum

Do boletim *Focus*, da Associação Matemática dos Estados Unidos.

Cobras e víboras

Este é um jogo para duas ou mais pessoas que possui características topológicas e combinatórias. Trata-se de uma ligeira modificação de um jogo inventado por Larry Black em 1960, chamado *Black Path Game* ("Jogo do caminho negro").

Comece desenhando uma grade numa folha de papel; 8 × 8 é um bom tamanho. Desenhe uma cruz no canto superior esquerdo. Remova o canto diagonalmente oposto – já vou explicar por quê.

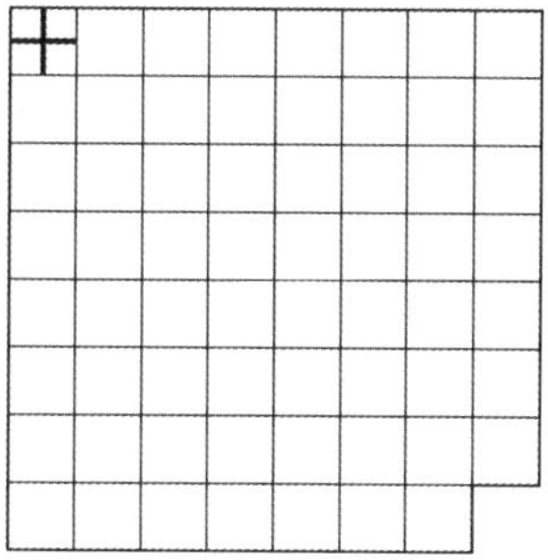

Posição inicial do jogo.

O primeiro jogador desenha um dos seguintes símbolos no quadrado ao lado do sinal +, horizontal ou verticalmente:

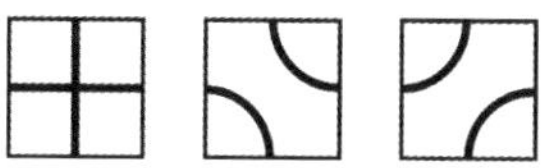

Símbolos a serem desenhados.

Os jogadores então se revezam desenhando um dos três símbolos – aquele que preferirem – no único quadrado que dá continuidade à "cobra" iniciada pelo primeiro jogador. A cobra pode cruzar a si mesma quando passar pelo símbolo +.

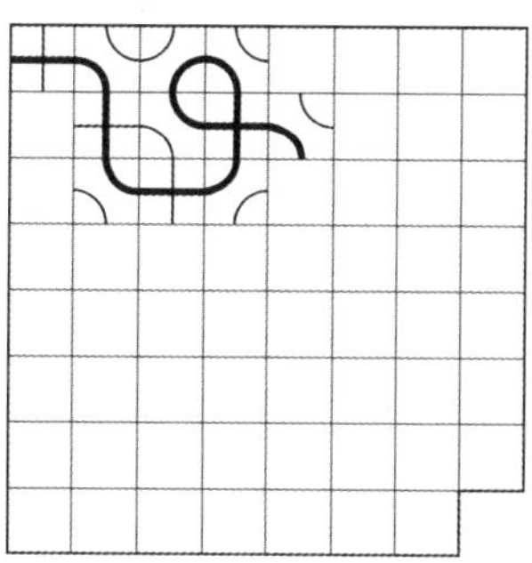

Estado do jogo após algumas jogadas. A cobra é a linha mais escura.

O primeiro jogador que fizer com que a cobra chegue à borda do tabuleiro, incluindo a reentrância no canto inferior direito, perde. A topologia da cobra implica que ela não poderá terminar num ponto dentro do quadrado grande, e não poderá criar uma circunferência fechada. Portanto deverá, em algum momento, terminar na borda.

Este é um jogo divertido, e você poderá se perguntar para que serve o canto removido. Se não eliminarmos esse canto, usando o tabuleiro completo de 8 × 8, existe uma estratégia simples que permite a um dos jogadores vencer sempre.

Quem deveria vencer, e como?

Resposta na p. 343

Números cruzados complicados

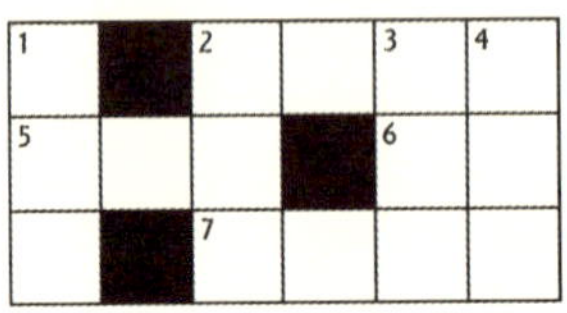

Preencha com as oito potências.

Eis um jogo de números cruzados com uma diferença – não vou lhe dar as dicas. Mas vou dizer que cada um dos números (2, 5, 6, 7 na horizontal; 1, 2, 3, 4 na vertical) é uma potência de um número inteiro, e as respostas incluem dois quadrados, um cubo, uma quinta potência, uma sexta potência, uma sétima potência, uma nona potência e uma décima segunda potência.

Bem, a sexta potência também é um cubo e um quadrado, porque $x^6 = (x^2)^3 = (x^3)^2$. Para evitar ambiguidades, quando digo que uma solução é alguma potência específica, isto significa que ela *não* é nenhuma potência mais alta. E não deve haver nenhum 0 à esquerda – portanto, 0008, por exemplo, não conta como o cubo de 2.

Resposta na p. 344

Lenços mágicos

Um mágico profissional como o Grande Whodunni nunca anda por aí sem um lenço, ou dez deles, podendo retirá-los indefinidamente de uma cartola, de uma caixa selada e vazia ou dos bolsos de um voluntário. Às vezes também aparece uma pomba, mas, para imitar esse truque em particular (que Whodunni aprendeu com o mágico norte-americano Edwin Tabor), tudo o que precisamos são dois lenços – de preferência de cores diferentes. Enrole cada um deles ao longo de sua diagonal, fazendo um rolo grosso de tecido de aproximadamente 30cm.

Agora siga as instruções e as figuras.

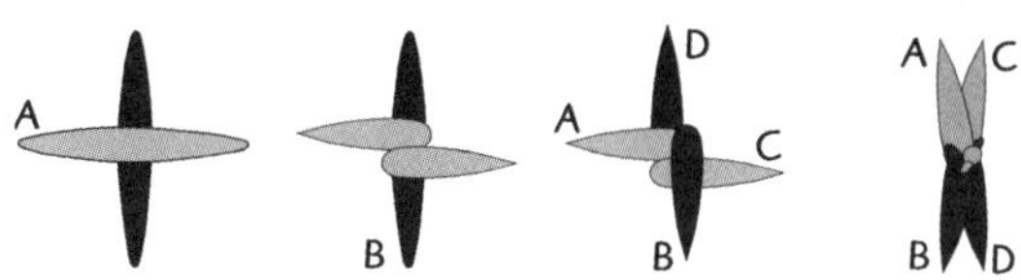

O truque do lenço.

1. Cruze os lenços, com a cor mais escura por baixo.
2. Passe a mão por baixo do lenço escuro, segure a extremidade A do lenço claro, puxe-a por baixo do lenço escuro e enrole-a pela frente do lenço escuro.
3. Passe a mão por baixo do lenço claro, agarre a extremidade B do lenço escuro, puxe-a por baixo do lenço claro e envolva-a pela frente do lenço claro.
4. Junte as extremidades B e D, fazendo-as passar por baixo do resto do lenço. Junte as extremidades A e C fazendo-as passar por cima do resto do lenço.

Agora os dois lenços estão todos enroscados. Segure as extremidades A e C juntas numa das mãos, e as extremidades B e D juntas na outra. Agora, afaste suas mãos com força.

O que acontece?

Resposta na p.344

Guia de simetria para blefadores

A palavra "simetria" muitas vezes é usada à toa, mas, na matemática, ela tem um significado preciso – e muito importante. Na linguagem cotidiana, dizemos que um objeto é simétrico se ele possuir uma forma elegante, ou boas proporções, ou (se ficarmos mais técnicos) se os lados esquerdo e direito do objeto forem iguais. A figura humana, por exemplo, tem o mesmo aspecto quando refletida num espelho.

O uso matemático para a palavra "simetria" é significativamente diferente e muito mais amplo: os matemáticos falam de "*uma* simetria" de um objeto, ou "*muitas* simetrias". Para os matemáticos, uma simetria não é um número, nem uma forma, e sim uma *transformação*. Trata-se de um jeito de mover um objeto, de modo que, ao terminarmos, parece que ele não foi alterado.

O gato (da esquerda) fica diferente se o girarmos...

...ou se o refletirmos...

...portanto ele não tem simetrias. Não, isso é mentira: ele tem *uma* simetria: deixe para lá. Esta é a *simetria trivial*, e todas as formas a possuem.

Um gato com dois rabos fica igual quando o refletimos, portanto ele tem um eixo de simetria de reflexão (linha cinza).

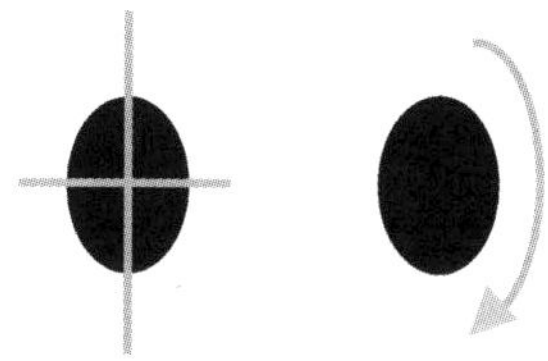

O corpo do gato tem dois eixos de simetria de reflexão, e também continua igual quando o giramos em 180°.

Quatro gatos sentados num quadrado são simétricos em rotações de 0° (trivial), 90°, 180° e 270°. Esta é uma simetria de rotação quádrupla.

O mesmo vale quando nos livramos dos gatos...

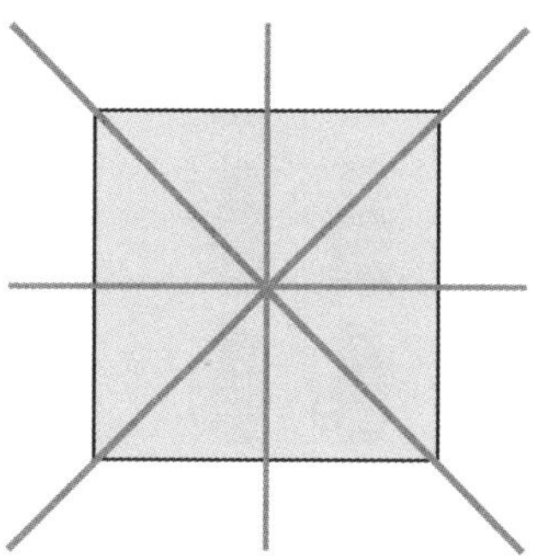

...mas agora temos quatro novos eixos de simetria de reflexão. Portanto, um quadrado tem *oito* simetrias diferentes.

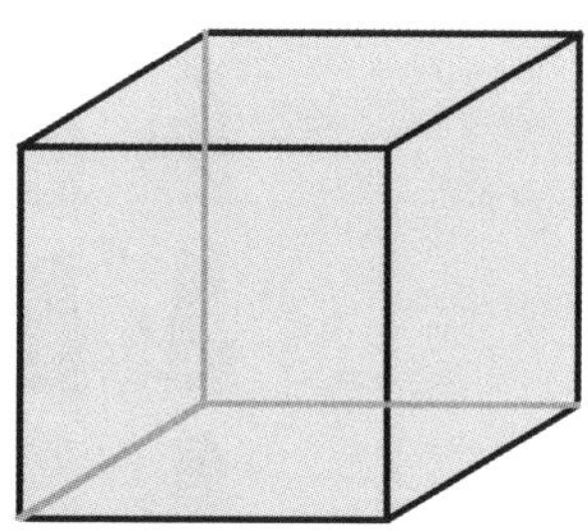

Um cubo tem 48 simetrias...

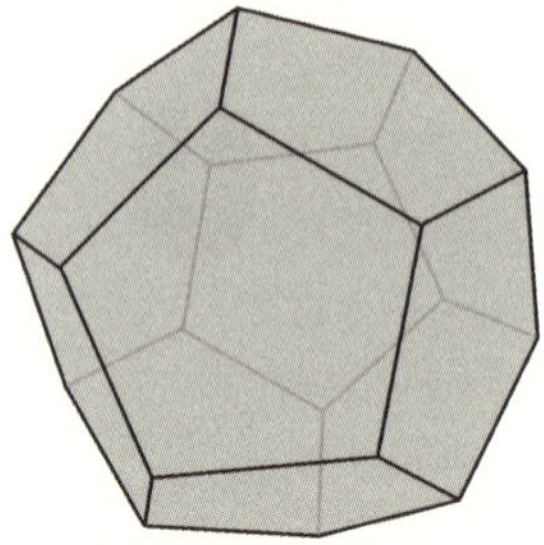

...e um dodecaedro tem 120.

Um círculo tem infinitas simetrias de rotação (qualquer ângulo) e infinitas simetrias de reflexão (qualquer diâmetro como eixo).

Se essa fila de gatos continuar infinitamente, terá simetrias de *translação*: podemos correr os gatos um número inteiro de espaços para a direita ou para a esquerda.

Um cristal de gato tem simetrias translacionais em duas direções diferentes.

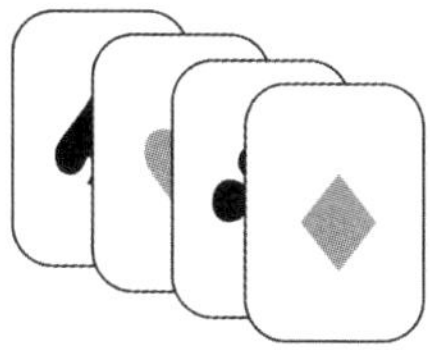

As simetrias não precisam ser movimentos. Embaralhar cartas é uma transformação...

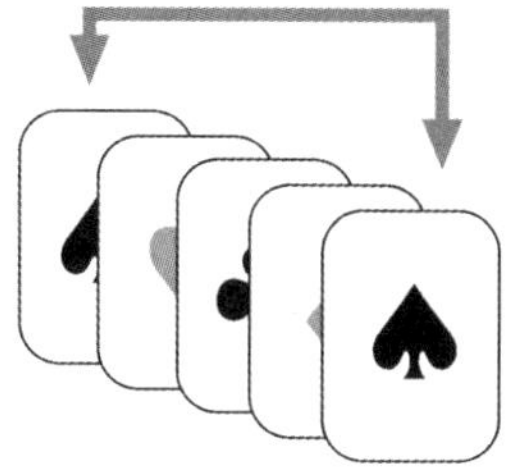

...e se algumas cartas forem idênticas, certas formas de embaralhá-las apenas trocarão as cartas idênticas de lugar – são as simetrias de permutação do baralho.

As simetrias dominam enormes áreas da matemática. São muitos gerais – não só as formas têm simetrias. Elas também estão presentes em sistemas numéricos, equações e processos de todo o tipo. As simetrias de uma "coisa" matemática nos dizem muito sobre ela. Por exemplo, Galois provou que não podemos resolver a equação geral de quinto grau por meio de uma fórmula algébrica, e a ideia fundamental de sua prova é que a equação geral de quinto grau tem os *tipos errados de simetria*.

As simetrias também são fundamentais na física. Elas classificam as estruturas atômicas dos cristais – existem 230 simetrias diferentes, ou 219, se considerarmos que as imagens em espelho são uma coisa só. As "leis da natureza" são extremamente simétricas, sobretudo porque as mesmas leis estão em ação em todos os pontos do espaço e em todos os instantes do tempo. As simetrias das leis nos dizem muito sobre as soluções. Tanto a física quântica quanto a relatividade se baseiam em princípios de simetria.

A simetria na frente/atrás de uma girafa caminhando. As patas da frente e de trás de cada lado tocam o chão juntas.

As simetrias surgem até na biologia. Muitas moléculas biologicamente importantes são simétricas, e as simetrias afetam seu funcionamento. Mas podemos encontrar simetrias na forma dos animais, em suas marcas e até no modo como eles se movem. Por exemplo, quando uma girafa caminha, ela mexe as duas patas esquerdas juntas, e depois as patas direitas. Portanto, as patas da frente fazem o mesmo que as de trás, como duas pessoas caminhando uma na frente da outra, no mesmo passo. A simetria neste caso é uma permutação: *troque as patas da frente com as de trás*.

Mas só faça isso de modo abstrato, por favor, caso contrário a girafa não vai gostar.

Século digital revisto

Innumeratus escreveu os nove algarismos diferentes de 0 na ordem, com espaços, desta forma:

1 2 3 4 5 6 7 8 9

– Quero que você... – começou ele.

– ... coloque símbolos aritméticos comuns de modo que o resultado seja 100 – continuou Mathophila. – Essa é fácil, estava no *Almanaque das curiosidades matemáticas* que você me deu no Natal, embora seja um desafio muito mais antigo.

E ela escreveu:

$$123 - 45 - 67 + 89 = 100$$

– Não, você roubou – disse Innumeratus. – Eu deixei *espaços*! Você não pode considerar 1 2 3 como se fossem 123, e...

– Ah. Então não é permitido concatenar símbolos.

– Isso. Não pode concalternulizar... sei lá.

Ela pensou um momento e escreveu:

$$(1 + 2 - 3 - 4) \times (5 - 6 - 7 - 8 - 9)$$

– Desculpe, sem parênteses – disse Innumeratus.

Mathophila deu de ombros e escreveu

$$1 + 2 \times 3 + 4 \times 5 - 6 + 7 + 8 \times 9$$

– Você não se importa se eu usar a regra de que a multiplicação precede a adição, por isso não preciso colocar parênteses ao redor de cada multiplicação, não é mesmo?

– Não, não tem problema. Mas... ah... Olhe, desculpe, mas a subtração também não é permitida.

Seguiu-se um silêncio.

– Não tenho certeza de que isso seja possível – disse Mathophila.

– Quer apostar? – perguntou Innumeratus, presunçoso.

O que Mathophila deve fazer?

Resposta na p.344

Uma infinidade de primos

Euclides provou que não existe o maior número primo. Eis uma maneira rápida de enxergarmos isso. Se p for primo, então $p! + 1$ não é divisível por nenhum dos números 2, 3, ..., p, pois quaisquer dessas divisões deixam resto 1. Portanto, todos os seus fatores primos são maiores que p. Aqui, $p! = p \times (p - 1) \times (p - 2) \times \ldots \times 3 \times 2 \times 1$.

A prova de Euclides era um pouquinho diferente. Ele a expressou geometricamente, e, em termos modernos, usou um exemplo típico para mostrar que, se tivermos qualquer lista finita de primos, podemos encontrar um primo maior multiplicando todos eles, somando 1 e então selecionando qualquer fator primo do resultado.

Isso sugere uma sequência interessante de primos, com a garantia de que todos serão diferentes:

$$p_1 = 2$$
$$p_2 = 3$$
$$\vdots$$

$$p_{n+1} = \text{o } \textit{menor} \text{ fator primo de } p_1 \times p_2 \times \ldots \times p_n + 1$$

Por exemplo,

p_3 = menor fator primo de 2 × 3 + 1 = 7, isto é, 7
p_4 = menor fator primo de 2 × 3 × 7 + 1 = 43, isto é, 43
p_5 = menor fator primo de 2 × 3 × 7 × 43 + 1 = 1807, isto é, 13 (porque 1807 = 13 × 139), e assim por diante.

Os primeiros termos são:

2, 3, 7, 43, 13, 53, 5, 6221671, 38709183810571, 139, 2801, 11, 17, 5471, 52662739, 23003, 30693651606209, 37, 1741, 1313797957,

e a sequência é bastante irregular. Ocasionalmente, o produto $p_1 \times p_2 \times \ldots \times p_n + 1$ é primo, e o tamanho cresce demais, mas, quando não for primo, o menor fator muitas vezes é bem pequeno. Esse comportamento é o que poderíamos esperar, por mais errático que ele seja.

Apesar de (ou talvez graças a) esta tendência de alternar loucamente entre números enormes e minúsculos, os primeiros 13 termos incluem os primeiros sete primos: 2, 3, 5, 7, 11, 13, 17. Isso suscita uma pergunta interessante, e sem dúvida difícil: será que *todos* os primos ocorrem em algum ponto dessa sequência?

Não faço ideia de como respondê-la, mas, se tivesse de chutar, diria que a resposta é afirmativa.

Um século em frações

O famoso criador de quebra-cabeças inglês, Henry Ernest Dudeney, comentou que a fração

$$91\frac{5.742}{638}$$

é igual a 100, usando cada algarismo de 1 a 9 exatamente uma vez. Ele encontrou 10 outras maneiras de conseguir esse resultado, e uma delas utiliza apenas um algarismo antes da parte fracionária. Qual era essa solução?

Resposta na p.345

Ah, isso explica tudo...

- Conhecimento é poder ou potência
- Tempo é dinheiro

Mas, por definição,

- potência = trabalho/tempo

Portanto,

- tempo = trabalho/potência

o que implica que

- dinheiro = trabalho/conhecimento

Portanto:

- Para uma quantidade fixa de trabalho, quanto mais sabemos, menos dinheiro ganhamos.

Vida, recursão e tudo o mais

Os leitores de *O guia do mochileiro das galáxias*, de Douglas Adams, devem se lembrar do importante papel desempenhado pelo número 42 – a resposta para a Grande Questão da Vida, do Universo e Tudo o Mais. A questão acabou sendo "quanto é 6 × 9?", o que foi vagamente frustrante. De qualquer forma, Adams escolheu o número 42 porque uma breve consulta com seus amigos sugeriu que esse era o número mais maçante em que eles conseguiam pensar.

É verdade que as propriedades interessantes do 42 não são tão aparentes, mas sabemos (*Almanaque das curiosidade matemáticas*, p.94) que todos os números são interessante. No entanto, a prova não é construtiva. Por isso fiquei feliz em descobrir uma ocorrência natural do 42 como um número interessante. Ele surge numa sequência de números apresentada por F. Göbel. Suponha que definamos

$$x_0 = 1$$

$$x_1 = \frac{1 + x_0^2}{1}$$

$$x_1 = \frac{1 + x_0^2 + x_1^2}{2}$$

$$\vdots$$

$$x_n = \frac{1 + x_0^2 + x_1^2 + \ldots + x_{n-1}^2}{n}$$

Não existe nenhuma razão óbvia por que x_n deva ser um número inteiro, mas os primeiros termos da sequência são

1, 2, 3, 5, 10, 28, 154, 3520, 1551880, 267593772160,

e assim realmente começamos a nos perguntar se, por algum milagre, todos os termos são números inteiros.

A verdade é, no mínimo, ainda mais milagrosa. Hendrik Lenstra colocou a equação no computador e descobriu que o primeiro termo que não é um número inteiro é x_{43}. Portanto, 42 é o maior número inteiro para o qual todos os termos da sequência, até esse número (inclusive), são inteiros.

Outras sequências desse tipo também parecem se comportar da mesma maneira – muitos números inteiros no começo, mas em algum ponto o padrão se rompe. Usando a mesma regra, mas com somas de cubos, o primeiro termo que não é um número inteiro é x_{89}. Com quartas potências, o primeiro não inteiro é x_{97}, com quintas potências é x_{214}, com sextas potências é o relativamente frágil x_{19}, mas com sétimas potências obtemos o incrível x_{239}. Portanto existe uma sequência com um belo padrão, na qual os primeiros 238 termos* são inteiros, mas o 239º não é.

Até onde eu saiba, ninguém entende por que essas sequências se comportam dessa maneira.

Falso, não enunciado, não provado

James Joseph Sylvester foi um matemático do século XIX especializado em álgebra e geometria. Boa parte de seu trabalho foi feita em parceria com Arthur Cayley, cuja ocupação principal era o direito. Cayley tinha uma memória fantástica e sabia praticamente tudo que estava acontecendo na matemática. Sylvester era o extremo oposto.

James Joseph Sylvester

Certa vez, o matemático americano William Pitt Durfee enviou alguns de seus trabalhos a Sylvester, mas foi informado de que o primeiro teorema contido ali era falso, e jamais havia sido enunciado, que dirá provado. Durfee apresentou um artigo cujo objetivo principal era provar o teorema em questão, sendo bem-sucedido na tarefa.

O artigo havia sido escrito por Sylvester.

* Neste caso, não estou contando x_0, embora também seja um número inteiro. Entretanto, trata-se de um ponto de partida arbitrário, o que é um motivo – não extremamente bom, mas ainda assim um motivo – para o omitirmos da contagem. Digo isso porque, se eu não o fizer, dezenas de leitores me escreverão para falar do assunto. De qualquer forma, se eu incluísse x_0, o 42 se tornaria 43, e a conexão gratuita com o *Guia do mochileiro das galáxias* se perderia.

Prove que 2 + 2 = 4

Por definição,

$$2 = 1 + 1$$
$$3 = 2 + 1$$
$$4 = 3 + 1$$

Portanto,

$$\begin{aligned} 2 + 2 &= (1 + 1) + (1 + 1) \\ &= ((1 + 1) + 1) + 1 \qquad (*) \\ &= (2 + 1) + 1 \\ &= 3 + 1 \\ &= 4 \end{aligned}$$

onde (*) é justificado pela propriedade associativa.

$$(a + b) + c = a + (b + c)$$

com $a = (1 + 1)$, $b = 1$, $c = 1$.

Ver nota da p.345

Cortando a rosquinha

Se cortarmos essa rosquinha com três cortes retos, qual o maior número de peças que poderemos criar? (Não é permitido mover as peças entre os cortes.)

Resposta na p.345

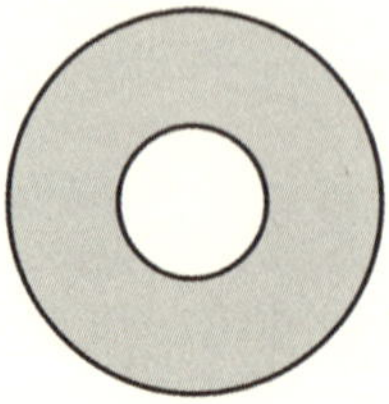

Quantos pedaços podemos formar com três cortes?

O número de tangência

Se tentarmos cercar uma moeda circular com moedas do mesmo tipo, de modo que todas as outras moedas toquem a primeira, logo descobriremos que exatamente seis moedas se encaixam ao redor da primeira.

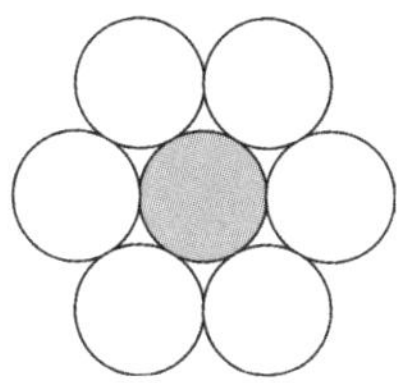

Em duas dimensões, o número tangencial é 6.

Isso não é uma grande novidade para maioria de nós, mas leva a um conceito que se mostra importante na teoria dos códigos digitais, além de ser matematicamente interessante por si só. Uma moeda é um círculo, que é uma forma em duas dimensões, portanto acabamos de ver que *o número de tangência* no espaço bidimensional é igual a 6. No espaço n-dimensional, o número de tangência é, da mesma forma, definido como o maior número de $(n - 1)$-esferas unitárias não sobrepostas que podem tocar ("tangenciar") uma $(n - 1)$-esfera unitária. Neste caso, uma $(n - 1)$-esfera é o análogo natural de uma circunferência (1-esfera) ou de uma esfera (2-esfera). O número cai de n para $n - 1$, porque, embora uma esfera, digamos, viva no espaço tridimensional, sua superfície possui apenas duas dimensões. E uma circunferência é uma curva (portanto 1D) num espaço 2D, o plano. A $(n - 1)$-esfera unitária, de fato, contém todos os pontos do espaço n-dimensional que se encontram a distância 1 de algum ponto fixo, o centro da $(n - 1)$-esfera.

O valor exato do número de tangência é conhecido em muito poucas dimensões: 1, 2, 3, 4, 8 e 24, efetivamente. No espaço 1D, que é uma reta, uma 0-esfera é um par de pontos separados por duas unidades (o *diâmetro* de uma n-esfera unitária é 2). Portanto o número de tangência em 1D é 2: um para a esquerda, um para a direita. Acabamos de ver que, no espaço 2D, o número de tangência é 6. E quanto a dimensões maiores?

No espaço 3D, é fácil fazer com que 12 esferas tangenciem uma só esfera: podemos fazê-lo com bolas de pingue-pongue e pontos de cola. Mas a arrumação é "frouxa", deixando bastante espaço para que as esferas se mexam. Será que podemos encaixar uma 13ª esfera? Em 1694, David Gregory, matemático escocês, achou que isso seria possível; ninguém menos do que Isaac Newton discordou. A questão era tão delicada que não foi resolvida até 1874, quando se demonstrou que Newton estava certo. Portanto o número de tangência no espaço 3D é 12.

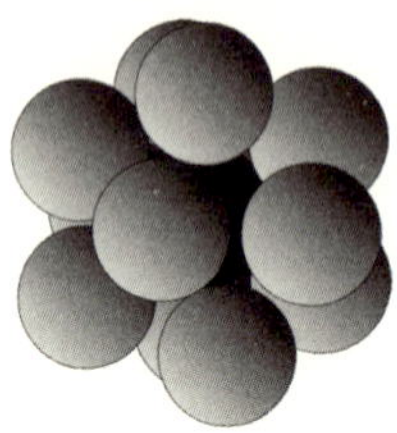

Em 3 dimensões, o número tangencial é 12.

No espaço 4D, temos uma história parecida, sendo relativamente fácil encontrar um arranjo de 24 3-esferas em contato, mas sobra bastante espaço para que talvez encaixássemos uma 25ª. Essa lacuna acabou resolvida por Oleg Musin, em 2003: a resposta é 24.

Na maioria das dimensões maiores, os matemáticos sabem que algum número particular de esferas de tangência é possível, pois podem encontrar tal acomodação, e que algum outro número geralmente muito maior é impossível, por várias razões indiretas. Esses números são chamados de limite inferior e limite superior do número de tangência, que deve estar localizado entre eles.

Em apenas dois casos além de 4D, os limites inferior e superior conhecidos coincidem, e seu valor comum é, portanto, o número de tangência. Essas dimensões são 8 e 24, nas quais o número de tangência é, respectivamente, 240 e 196.650. Nessas dimensões, existem duas estruturas análogas, de dimensões maiores e altamente simétricas, de grades de quadrados ou, de maneira mais geral, grades de paralelogramos. Essas estruturas especiais são conhecidas como E_8 (ou reticulado de Coxeter-Todd) e como reticulado de Leech, e as esferas podem ser posicionadas em pontos adequados do reticulado. Por uma coincidência quase milagrosa, os limites superiores do número de tangência que puderam ser provados nessas dimensões são iguais aos limites inferiores fornecidos por esses reticulados especiais.

O estado atual da brincadeira pode ser resumido numa tabela, na qual usei números em negrito para as dimensões nas quais a resposta exata é conhecida:

Dimensão	Limite inferior	Limite superior	Dimensão	Limite inferior	Limite superior
1	**2**	**2**	13	1.130	2.233
2	**6**	**6**	14	1.528	3.492
3	**12**	**12**	15	2.564	5.431
4	**24**	**24**	16	4.320	8.313
5	40	45	17	5.346	12.215
6	72	78	18	7.398	17.877
7	126	135	19	10.688	25.901
8	**240**	**240**	20	17.400	37.974
9	306	366	21	27.720	56.852
10	500	567	22	49.896	86.537
11	582	915	23	93.150	128.096
12	840	1.416	**24**	**196.560**	**196.560**

Os limites inferiores mais bem conhecidos, para todas as dimensões até 40 e algumas dimensões maiores, podem ser encontrados em: www.research.att.com/~njas/lattices/kiss.html.

O número de tangência para arranjos regulares, nos quais os centros de todas as esferas se encontram num reticulado, é conhecido exatamente para as dimensões 1 a 9, além de 24. Em 1, 2, 3, 4, 8 e 24 dimensões, é o valor mostrado na tabela. Para 5, 6, 7 e 9 dimensões, esse valor é, respectivamente, 40, 72, 126 e 272 (o valor 306 em 9 dimensões mostrado na tabela não se refere a um arranjo regular).

Gira pião

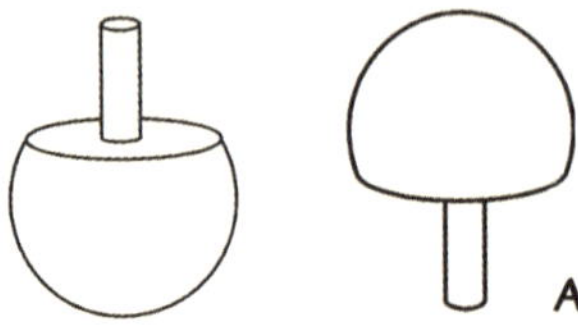

As duas posições do pião.

Podemos construir um pião cortando um pedaço de uma esfera e acrescentando um "toco" cilíndrico. Quando giramos um pião como esse – com bastante velocidade –, ele vira de cabeça para baixo. Muitos de nós já brincamos com um pião assim, mas existe uma questão na qual possivelmente não pensamos. Suponha que, quando giramos o pião, enquanto ele ainda está com o toco para cima, ele gire em sentido horário, visto de cima. Essa é a direção natural para os destros.

Quando o pião vira de cabeça para baixo, em que direção irá girar?

Resposta na p.345

Quando é que um nó não está atado?

Os topologistas estudam coisas como os nós, e tentam descobrir se dois nós são "topologicamente equivalentes", isto é, podem ser deformados de modo que um se transforme no outro. Ou não. Para fazer isso, eles inventam "invariantes" inteligentes, que são iguais para nós equivalentes, mas que podem ou não ser iguais para dois nós não equivalentes. Portanto, nós com invariantes diferentes são certamente diferentes topologicàmente, mas nós com os mesmos invariantes podem ou não ser diferentes do ponto de vista topológico.

Essa é uma questão um tanto emaranhada. A maior parte dos invariantes úteis não é perfeita: é mais ou menos como utilizar "par/ímpar" para distinguir as idades das pessoas. Se a idade de Eva for par e a idade de Ollie for ímpar, sabemos que suas idades devem ser diferentes, mesmo que não saibamos quais *são* elas. Mas se a idade de Evangeline for par e a idade de Everett for par, suas idades talvez sejam iguais (por exemplo, 24 e 24) ou talvez não (24 e 52). Assim, neste caso, não temos como saber.

Às vezes os topologistas dão sorte, e o invariante é bom o suficiente para lhes dizer quando um nó não está efetivamente atado, mesmo que não nos permita distinguir de maneira confiável todos os nós diferentes. Um caso em questão é o chamado "grupo de nós", um dos primeiros invariantes de nós descobertos. Estou falando sobre isso não por causa da topologia, que é bastante técnica, e sim porque, em 1972, no fanzine matemático *Manifold*, a questão inspirou um poema que resumia as qualidades e defeitos do grupo de nós. Seu título era "Knode":

A knot and
Another
knot may
not be the
same knot, though
the knot group of
the knot and the
other knot's
knot group
differ not; BUT
if the knot group
of a knot
is the knot group
of the not
knotted
knot, then
the knot is
not
*knotted**

* O poema, totalmente calcado na fonética do inglês, é intraduzível, motivo pelo qual ... não traduzimos. (N.T.)

A origem do símbolo de fatorial

O primeiro símbolo para "fatorial de n", que é

$$n \times (n - 1) \times (n - 2) \times \ldots \times 3 \times 2 \times 1$$

foi

$$\underline{n|}$$

mas era um símbolo difícil de imprimir. Assim, em 1808, o matemático francês Christian Kramp decidiu mudá-lo para

$$n!$$

mais fácil de imprimir. A versão antiquada rapidamente saiu de moda, sendo um dos muitos exemplos em que as questões práticas de impressão afetaram o simbolismo matemático.

Juniper Green

– Vamos jogar um jogo com números – disse Mathophila.

Innumeratus, o bobão de sempre, mordeu a isca.

– Que tipo de jogo?

Mathophila colocou sobre a mesa cartas numeradas de 1 a 100, com os números para cima.*

– Vou mostrar as regras a você.

Ela escreveu:

* Para jogar você terá de fazer um conjunto de cartas – não sei de ninguém que as venda. Vale o esforço.

- Os jogadores se revezam escolhendo uma carta. A carta escolhida é retirada e não pode ser usada novamente.
- Exceto na jogada de abertura, o número escolhido deve ser um divisor exato do anterior ou um múltiplo exato.
- O primeiro jogador que não conseguir obedecer às regras, perde.

– Muito bem – disse Innumeratus. – Você começa.

– Bem, na verdade... – Mathophila começou a dizer, mas então parou. – Ah, muito bem.

Ela apanhou a carta 97 e a descartou.

Depois de fazer algumas contas nos dedos, Innumeratus disse:

– Esse número é primo, não é?

Como Mathophila fez que sim, ele acrescentou.

– Então eu tenho de escolher a carta 1.

– Isso. O único divisor que resta é o 97, que já foi descartado. O menor múltiplo é 194, que é alto demais.

Assim, Innumeratus escolheu a carta 1 e a descartou.

Mathophila sorriu e escolheu o 89.

– Você perdeu.

– Esse também é primo? – perguntou Innumeratus, que às vezes se mostrava bastante inteligente.

– É.

– Então tenho que escolher o 1 outra vez... Ah! Não posso, já foi – Innumeratus fez uma pausa. – É um jogo bem idiota. O primeiro jogador sempre ganha.

– É verdade, essa é a chamada tática do golpe duplo.

Innumeratus pensou por um momento.

– Muito bem, agora eu começo. Vou escolher um primo – e escolheu a carta 47.

Mathophila, desprezando o 1, escolheu o número 94.

– Opa – exclamou Innumeratus. – Eu não tinha pensado nisso.

– O golpe duplo só funciona com números primos altos. Maiores que 50, que é a metade de 100.

– Certo. Então agora tenho que escolher o 2. Pois se eu escolher o 1, você vai escolher o 97 outra vez. Ou o 89. E eu perco.

Portanto ele escolheu o 2. E acabou perdendo.

– Ainda é um jogo idiota – reclamou. – Eu deveria ter começado com o 97.

– É verdade. Mas foi você que insistiu em jogar antes que eu disses-se a *quarta* regra, que tem o objetivo de impedir os golpes duplos.

Então Mathophila escreveu:

- A jogada de abertura deve ser um número par.

– Agora é um jogo razoável – disse Mathophila. E os dois ficaram jogando por bastante tempo, sem se preocuparem muito com a tática, o que ilustra muito bem as regras.

Jogada	Mathophila	Innumeratus	Comentários
1	48		Número par, conforme a regra 4
2		96	Duplica a escolha de Mathophila
3	32		Um terço da escolha de Innumeratus
4		64	Innumeratus é forçado a escolher uma potência de 2
5	16		Mathophila também
6		80	Multiplicado por 5
7	10		Dividido por 8
8		70	Multiplicado por 7
9	35		Metade
10		5	As únicas opções são 7 ou 5 (ou 1, que leva à derrota)
11	25		
12		75	As opções são 50, 75 e 100
13	3		
14		81	

Jogada	Mathophila	Innumeratus	Comentários
15	9		Somente 27 e 9 estão disponíveis
16		27	Jogada ruim!
17	54		Jogada forçada, pois 1 perde
18		2	18 seria uma jogada melhor
19	62		Variante inspirada no golpe duplo
20		31	Forçado
21	93		Única escolha, ainda que boa
22		1	Jogada forçada, e perde, porque...
23	97		Na prática este é um golpe duplo – 93 não é primo, mas o 31 foi já foi usado

Sugiro que você pare de ler neste ponto, faça um baralho e jogue por algum tempo. Vou pedir que bole uma estratégia vencedora, e é mais fácil se você já tiver jogado o jogo. De qualquer forma, é muito divertido.

Já jogou? Agora podemos entrar na teoria. Vamos examinar uma versão simplificada, na qual as cartas vão de 1 a 40. É mais fácil começar assim.

Algumas jogadas de abertura levam a uma derrota muito rápida. Por exemplo:

Jogada	Mathophila	Innumeratus	Comentários
1	38		
2		19	Como o 38 já foi, este número atua como um grande número primo
3	1		Forçado
4		37	Mathophila perde

Uma jogada de abertura com o número 34 sofre o mesmo destino.

É melhor evitar de todo alguns números – como o 1 no jogo com 100 cartas. Suponha que Mathophila faça a besteira de jogar o 5. Nesse caso, Innumeratus se vinga:

Jogada	Mathophila	Innumeratus	Comentários
n	5		
$n + 1$		25	
$n + 2$	1		Forçado, levando à derrota

Note que o 25 ainda *deve* estar disponível quando necessário, aqui, a despeito de qualquer jogada anterior, pois só pode ser escolhido se o jogador anterior jogar 1 ou 5.

Temos aqui uma pista para uma estratégia vencedora. Mathophila sabe que estará em apuros se escolher o 5, portanto ela deve tentar fazer com que Innumeratus se veja forçado a escolher o 5. Como pode obrigá-lo a isso? Bem, se Innumeratus escolher o 7, ela poderá escolher o 35, então Innumeratus terá de escolher o 1 ou o 5, que levam à derrota.

Sim, mas ela pode forçar Innumeratus a jogar o 7? Bem, se Innumeratus escolher o 3, Mathophila pode escolher o 21, forçando Innumeratus a escolher o 7. Sim, mas como ela obriga Innumeratus a escolher o 3? Bem, se ele escolher o 13, Mathophila escolhe o 39... Mathophila pode ficar construindo sequências hipotéticas de jogadas, fazendo com que cada uma delas force uma resposta de Innumeratus e levando-o a uma derrota inevitável. A grande pergunta é: ela conseguirá prender Innumeratus a uma dessas sequências?

Em alguma etapa alguém terá de escolher um número par, portanto devemos pensar na carta 2. Essa carta é crucial, pois se Innumeratus escolher o 2, Mathophila poderá escolher o 26, forçando Innumeratus a cair na armadilha do número 13. Chegamos então à jogada essencial: como Mathophila pode forçar Innumeratus a escolher o número 2?

Ela deve jogar um número par, e, quanto mais divisores esse número tiver, maior será a quantidade de escolhas disponíveis para Innumeratus, que poderá talvez escapar da armadilha. De qualquer forma, isso também complica a análise. Vamos nos ater ao mais simples. Suponha que Mathophila comece com 22, que é o dobro de um primo (pequeno). Então Innumeratus deve escolher o 2, caindo na armadilha de Mathophila – a longa sequência de jogadas forçadas descrita acima –, ou então deverá escolher o 11. Se Mathophila jogar 1, ela perde, portanto ela escolhe o 33. Agora, o 11 já foi usado, por isso Innumeratus é forçado a escolher o 3 – e a armadilha é ativada. Já sabemos como Mathophila pode vencer quando Innumeratus cair nessa. Desta forma, Mathophila *certamente* ganhará se começar com o 22.

As coisas provavelmente estão um pouco confusas a esta altura, portanto, aqui vai um resumo da estratégia vencedora de Mathophila. Os dois pares de coluna lidam com as duas alternativas disponíveis para Innumeratus. Para simplificar, presumi que os dois jogadores sempre irão evitar o 1, pois ele leva a uma derrota instantânea. Eliminando essa escolha, praticamente todas as jogadas são forçadas.

Jogada	Mathophila	Innumeratus	Mathophila	Innumeratus
1	22		22	
2		11		2
3	33		26	
4		3		13
5	21		39	
6		7		3
7	35		21	
8		5		7
9	25		35	
10		Derrota		5
11			25	
12				Derrota

Existe ao menos uma outra jogada de abertura que permite que Mathophila force uma vitória: se ela escolher o 26, o jogo irá progredir de forma parecida, mas algumas das jogadas serão trocadas.

As características fundamentais da estratégia de Mathophila são os números primos 11 e 13. Sua jogada de abertura é o dobro de um desses primos: 22 ou 26. Isso força Innumeratus a responder com 2 – e nesse momento Mathophila está feliz e contente – ou com um número primo. Neste caso Mathophila responde com três vezes o primo, forçando Innumeratus a escolher o 3 – e ela está feliz e contente de novo.

Portanto, Mathophila também se livra de problemas porque, além do dobro do primo, existe exatamente um outro múltiplo desse primo na faixa numérica do jogo, quer dizer, 33 ou 39. Isso dá a ela uma via de escape. Podemos chamar esses números de primos *médios* – eles se encontram entre um terço e um quarto do número de cartas. Se Mathophila escolher o dobro de um primo médio, Innumeratus deverá escolher esse primo, então ela escolhe três vezes o primo, forçando Innumeratus a escolher o número 3.

Eis duas perguntas para você:

- Mathophila poderá vencer usando alguma outra estratégia?
- Existe alguma estratégia vencedora análoga para o jogo com 100 cartas, e quem vence?

Para ficarmos mais ambiciosos, considere o jogo JG-n com as mesmas regras, usando um número inteiro arbitrário n de cartas. Como não é possível empatar, e como todo jogo termina depois de um número finito de jogadas, a teoria dos jogos implica que deve haver uma estratégia vencedora para Mathophila ou para Innumeratus.

- Usando uma estratégia perfeita, quem vence o jogo JG-n, supondo que Mathophila jogue primeiro?

A resposta certamente depende de n. Mathophila ganha quando n é igual a 3 ou 8, enquanto Innumeratus vence quando $n = 1, 2, 4, 5, 6, 7, 9$. E quanto a $n = 100$? E quanto a todos os valores de n de 10 a 99? Você consegue responder a todas essas perguntas?

Resposta na p.346

Metapiada matemática

Um engenheiro, um físico e um matemático se viram dentro de uma piada bastante semelhante a muitas das que você já deve ter ouvido, mas não se deram conta imediatamente de onde estavam.* Depois de fazer um cálculo apressado num pedacinho de papel, o engenheiro descobriu o que havia acontecido e começou a rir baixinho. Pouco depois, o físico intuiu onde eles estavam, com base numa analogia livre com uma partícula confinada numa caixa, e soltou uma gargalhada exagerada. O matemático, entretanto, não pareceu achar nenhuma graça na situação. Por fim, os outros lhe perguntaram por quê.

– Notei imediatamente que eu estava em algum tipo de história – respondeu. – Entretanto, só depois de notar certas características estruturais típicas, pude perceber que a história era uma piada. No entanto, essa piada é uma consequência trivial demais do caso geral para ter qualquer valor cômico.

Além da quarta dimensão

Os físicos estão em busca de uma "teoria de tudo" que unifique os dois pilares da física moderna, a relatividade e a mecânica quântica, consertando certas inconsistências entre essas duas teorias. A procura fez com que os cientistas especulassem que nosso conhecido espaço tridimensional (3D) não é nem um pouco 3D, e sim 10D ou talvez 11D. As dimensões adicionais servem como um local onde as partículas fundamentais podem vibrar (como uma corda de violino), gerando assim números quânticos como, por exemplo, o spin e a carga (que são como as notas produzidas pelas cordas de violino). Bem, talvez você pense que muito dificilmente todos estariam tão equivocados, e por tanto tempo,

* Eles acharam que fosse um bar.

sobre algo tão básico quanto à dimensionalidade do espaço. E, de qualquer forma, não há dúvida de que o espaço é espaço, e não pode ter 10 dimensões, pois não resta nenhum espaço para colocarmos outras 7, depois que já lidamos com as primeiras 3.

No entanto, as coisas não são tão simples. Os matemáticos inventaram geometrias logicamente consistentes com 4, 5, 6, ou até infinitas dimensões. Qualquer número que quisermos, inclusive 10. Portanto, diante disso, o nosso espaço 3D não tem nada de sagrado. Talvez seja um acidente histórico, que poderia ter sido diferente se o Universo começasse de novo. Ou talvez, no fim das contas, seja sagrado, a única possibilidade para razões que ainda não compreendemos. Ou, então, talvez não *seja* efetivamente 3D, apesar das aparências. E mesmo que seja, não temos nenhum motivo para esperar que seja o belo e ordenado espaço 3D de Euclides. De fato, graças à teoria geral da relatividade de Einstein, pensamos que o espaço é curvo de maneiras que Euclides jamais teria imaginado, e meio que misturado com pedaços de tempo.

Um século e meio atrás, a Inglaterra vitoriana deparou com um problema semelhante, o conceito igualmente desconcertante da quarta dimensão. Os matemáticos a haviam encontrado enquanto procuravam algo diferente: William Rowan Hamilton tinha passado décadas em busca de uma álgebra natural do espaço 3D, tanto quanto os números complexos são uma álgebra natural do espaço 2D, mas se viu forçado a se contentar com um álgebra natural do espaço 4D, que ele chamou de quatérnios. Os cientistas estavam descobrindo que o pensamento em 4D os ajudava a resolver uma boa parte da física. Os espiritualistas, que alegavam colocar as pessoas em contato com os mortos, perceberam que a quarta dimensão era um ótimo local para situar o "mundo dos espíritos", pois não podemos ir para lá verificar se os espíritos existem, mas eles podem nos ver a partir de sua posição privilegiada, se realmente existirem. O mesmo valia para os fantasmas, outra obsessão vitoriana; eles poderiam aparecer dessa dimensão extra e então desaparecer de volta para lá. E aqueles que chamamos atualmente de "teólogos do hiperespaço" rapidamente perceberam as vantagens de colocar Deus na quarta dimensão. Dali, Ele poderia observar todas as partes de Sua criação, mantendo-se fora dela – assim como podemos enxergar uma página impressa inteira com um só olhar, sem estarmos entranhados no papel.

Todo esse interesse foi relativamente suavizado por uma visão contrária: a quarta dimensão não existe, e efetivamente *não pode* existir. Ela é inconcebível. O debate conseguiu turvar duas questões distintas: a estrutura do espaço físico e a possibilidade de espaços matemáticos logicamente consistentes que se diferenciem do modelo ortodoxo tridimensional. Os filósofos entraram em cena, em sua maior parte defendendo o modelo 3D ortodoxo – o que foi um pouco surpreendente, dado sua propensão a afirmar que nada realmente existe, e que tudo o que percebemos é uma ilusão.

Um educado clérigo e diretor de uma importante escola para garotos, Edwin Abbott Abbott – isto, dois Abbott, para distingui-lo de seu pai, Edwin Abbott –, acabou por entrar nesse ninho de vespas intelectual. Em 1884, Abbott publicou um dos livros mais curiosos e originais já escritos, uma fantasia matemática chamada *Flatland*, ou *Planolândia*.

Edwin Abbott Abbott...

...e seu livro.

Abbott encontrou uma maneira inteligente de fazer com que seus companheiros vitorianos aceitassem a possibilidade de uma quarta dimensão, elaborando calmamente uma analogia na qual criaturas 2D, que viviam num mundo 2D, consideraram a própria ideia do espaço

3D inconcebível, até herética – e só então jogava o 4D na cara de seus leitores, depois de já tê-los amaciado um pouco. Seu herói, que tem o modesto nome de A. Quadrado,* leva uma vida monótona com sua esposa linear e filhos poligonais numa casa pentagonal do universo 2D de Planolândia, que é um plano euclidiano. Abbott também entremeou algumas sátiras mordazes sobre a opressão das mulheres e dos pobres na sociedade vitoriana. E algumas citações de Shakespeare, além de algumas alusões a Aristóteles.

De todo modo, A. Quadrado vive no universo 2D e não consegue conceber nenhum outro. É assim que as coisas são, é assim que sempre foram e é assim que sempre serão. E, de todo modo, a terceira dimensão é uma heresia religiosa, e a classe sacerdotal das Circunferências irá cair em cima de qualquer pessoa que se atreva a mencioná-la. E assim, A. Quadrado segue sua vida maçante, até que um dia tem uma epifania e se torna totalmente convertido à noção de um mundo 3D. A mudança de espírito é desencadeada pela visita da... Esfera.

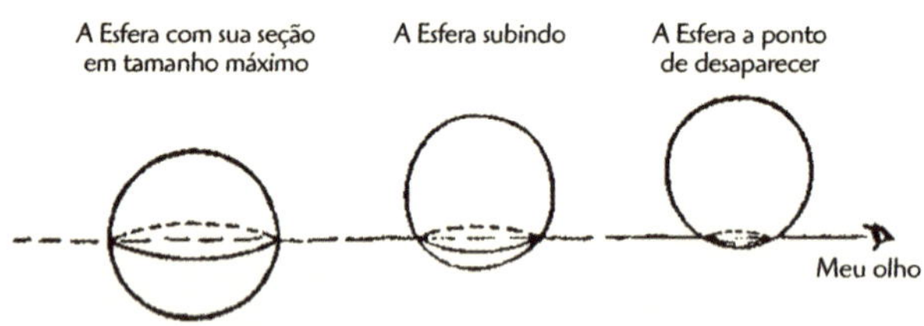

A. Quadrado encontra a Esfera.

Pois bem, as limitações de sua natureza 2D o impedem de enxergar a esfera como um objeto único. Em vez disso, ele vê as circunferências** nas quais ela se encontra com seu mundo plano. Um ponto se materializa do nada numa sala vazia. Ele então cresce, formando uma circunferência, se expande numa circunferência maior, depois encolhe até voltar

* Abbott Abbott = A^2?

* Ele também vê as circunferências "de lado". Assim como nós só vemos uma projeção 2D – ou um par de projeções em estéreo – de um objeto 3D.

a ser um ponto e desaparece. (Entenderam por que os caça-fantasmas vitorianos gostavam da ideia do 4D?) Ele acredita que a esfera é uma espécie de sacerdote, mas um sacerdote capaz de modificar seu tamanho. Nós, da Espaçolândia, temos o privilégio de visualizar a geometria: uma esfera de tamanho fixo passa através do plano de Planolândia, e a interseção se altera ao longo do processo.

Agora, diz Abbott – embora não com estas palavras –, um vitoriano da Espaçolândia, tentando contemplar a quarta dimensão, encontra-se na mesma posição de A. Quadrado ao tentar contemplar a terceira. Protestos sobre a ordem natural, ou sobre a suposta impossibilidade de dimensões adicionais, não têm mais importância na Espaçolândia que na Planolândia. Abbott confina sua discussão matemática à enumeração das arestas e vértices de um cubo, e de um hipercubo 4D, mas expõe a ideia de maneira bastante incisiva.

Por analogia, se nós, da Espaçolândia, encontrarmos uma hiperesfera da quarta dimensão, enxergaríamos apenas a sequência de esferas que surge quando ela encontra nosso espaço 3D. Assim como A. Quadrado, vemos um ponto se materializar do nada numa sala vazia. Ele então cresce, formando uma esfera, expande-se numa esfera maior e encolhe de volta a um ponto, desaparecendo. (Entendeu ainda melhor por que os caça-fantasmas vitorianos gostavam da ideia do 4D?)

Podemos transformar essa analogia geométrica frouxa em álgebra sólida, usando coordenadas. Estamos habituados a expressar um ponto no espaço usando dois números (x, y). Da mesma forma, os pontos no espaço podem ser expressos como triplas (x, y, z). Neste ponto, nosso conhecido espaço 3D fica sem novas direções, mas, matematicamente, podemos explorar o comportamento das quádruplas (x, y, z, w), e é isso que os matemáticos chamam de espaço 4D. Esse espaço compreende *todas* as quádruplas possíveis, não apenas uma. E ele possui uma "geometria" natural, pois podemos definir distâncias usando uma extensão do teorema de Pitágoras, e, uma vez que temos as distâncias, também temos ângulos, circunferências e a maior parte das coisas que associamos à geometria. Agora podemos entender o que são as hiperesferas, hipercubos e todo tipo de objeto geométrico adorável. Tudo se encaixa maravilhosamente bem, e, depois que nos acostumamos com a linguagem, esses novos espaços começam a parecer tão reais quanto aquele em que vivemos.

Por volta de 1900, os físicos e os matemáticos perceberam de repente as vantagens de pensar no tempo como uma (e não como "a") quarta dimensão. Em pouco tempo, todos falavam muito alegremente do espaço-tempo 4D. Hoje, os criadores de videogames falam de gráficos 4D, ou seja, gráficos 3D que se *mexem*. Se analisarmos o encontro de A. Quadrado com a Esfera como um filme, estaremos efetivamente usando o tempo como um substituto para uma terceira dimensão espacial. Nosso próprio encontro com uma hiperesfera pode ser visualizado usando o tempo como um substituto para uma quarta dimensão espacial.

Entretanto, trata-se de um substituto, não da realidade. A Esfera da terceira dimensão existia, inalterada, à medida que o tempo passava. Apenas sua interseção com a Planolândia mudou com o tempo. Além disso, o tempo não é o único substituto para uma dimensão extra de espaço. Poderíamos utilizar cores, temperatura ou uma quantidade física inteiramente nova.

Por exemplo, suponha que a dimensão da "cor" varie do amarelo para o azul, passando pelos tons intermediários de verde, e que o Universo seja um plano no qual se mexem figuras coloridas. Graças a um truque da percepção, elas interagem e enxergam uma à outra somente quando têm a mesma cor. Agora, as criaturas verdes iriam imitar a Planolândia. O mesmo valeria para as amarelas e para as azuis. Mas esses "três mundos paralelos" são realmente paralelos – no sentido de que não se encontram. Eles estão separados ao longo da "dimensão cor". Assim, uma esfera poderia ser representada como um ponto amarelo cercado de circunferências que se tornam cada vez mais verdes à medida que se expandem, e depois encolhem novamente até formarem um ponto azul. Da nossa perspectiva 3D, poderíamos separá-las "ao longo da dimensão cor" e enxergar a coisa toda como uma esfera geométrica convencional, com tons de cor paralelos ao seu equador. Mas não precisamos fazê-lo: a imagem colorida é perfeitamente adequada.

Quando chamamos o conjunto de quádruplas de números de *espaço*, estamos enfatizando os análogos 4D da geometria tradicional 3D. Entretanto, os números que aparecem na quádrupla (x, y, z, w) não precisam ser medidas espaciais no sentido habitual. Eles poderiam, por exemplo, ser coordenadas

(preço, cor, peso, temperatura)

no espaço de todos os casacos de lã, de modo que a cor variasse numa escala numérica que vai do amarelo (0) ao azul (1). Um casaco de lã específico, com coordenadas

(27,43; 0,62; 1,37; 22,61)

teria

preço = $27,43
cor = azul-esverdeado
peso = 1,37kg
temperatura = 22,61°C

Portanto, embora um casaco de lã seja um objeto 3D, estamos representando algumas de suas características fundamentais num espaço matemático 4D. Resumidamente, o espaço casaco de lã é 4D.

Os economistas usam essa abordagem para representar o estado da economia do país, mas agora eles trabalham, por exemplo, num espaço com um milhão de dimensões, cujas coordenadas mostram o preço de um milhão de produtos. Os astrônomos representam as localizações e as velocidades dos oito planetas do sistema solar* usando seis números para cada planeta – três para a localização e outros três para a velocidade. Dessa forma, o estado dos planetas, a qualquer momento específico, define um ponto num espaço de 48 dimensões.

Assim como A. Quadrado descobriu – para sua incredulidade inicial – que seu mundo 2D era, na verdade, apenas parte de um universo de maiores dimensões, os físicos estão começando a se perguntar se o mesmo se aplica ao nosso mundo 3D. Segundo a teoria das cordas – bem, uma versão popular de muitas teorias das cordas diferentes –,

* Oh! Pobre Plutão.

o espaço pode, na verdade, ser 10D. O número 10 não é uma escolha arbitrária, mas acontece que esse tipo de "teoria de tudo" só funciona em 10 dimensões.

Naturalmente, a teoria das cordas pode não corresponder à realidade. Mas a ciência já nos ensinou muitas vezes que o mundo é mais complicado do que aquilo que percebemos. Se um dia a relatividade e a teoria quântica forem unificadas, nossa visão do mundo terá de mudar, assim como mudou no momento em que essas duas teorias foram propostas pela primeira vez.

Tudo muito bem, mas: por que não enxergamos essas dimensões faltantes?

Existem pelo menos três respostas possíveis.

- Elas não existem, e a teoria das cordas está errada.
- Elas existem, mas estão enroscadas num espaço tão pequeno que não podemos enxergá-las. A distância, uma mangueira parece 1D, mas de perto ela tem uma seção transversal circular, acrescentando mais duas dimensões. Se essa seção transversal fosse muito, muito pequena – muito menor que o diâmetro de um elétron, por exemplo –, a mangueira seria convincentemente 1D, a menos que desenvolvêssemos técnicas experimentais muito delicadas para buscar essas dimensões ocultas. Agora, substitua a mangueira por nosso espaço aparentemente 3D, e a seção transversal circular, por uma esfera 7D igualmente minúscula, e você irá captar a ideia.
- Nosso espaço realmente é 3D, mas está inserido dentro de um espaço 10D que o cerca – e nós não percebemos esse espaço maior porque não podemos enxergar essas dimensões nem nos mexer nelas. Assim como A. Quadrado estava confinado ao plano de Planolândia, talvez estejamos confinados à fatia 3D desse espaço 10D. Matematicamente, esse tipo de comportamento é inteiramente natural: os sistemas dinâmicos muitas vezes têm "subespaços invariantes", e qualquer coisa que viva nesses subespaços não poderá escapar deles. Tente se mover para o passado para vislumbrar o que quero dizer. Os físicos gostam de chamar esses subespaços de "branas", termo derivado de *membrane*, passando por *m*-branas, um subespaço *m*-dimensional.

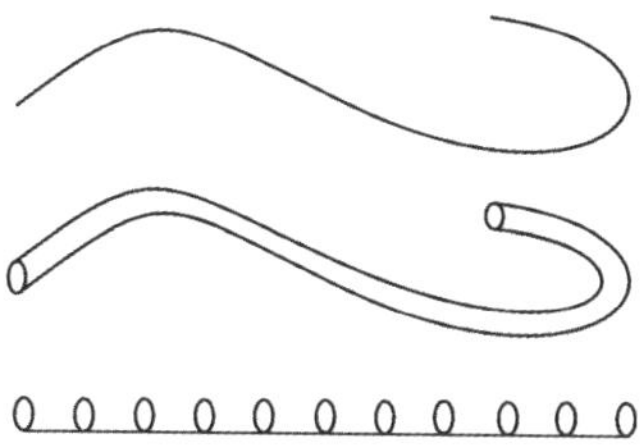

Uma mangueira parece ser 1D, mas, quando a vemos mais de perto, ela claramente tem duas outras dimensões. Podemos desenhá-la esquematicamente como uma reta com circunferências ligadas a cada ponto.

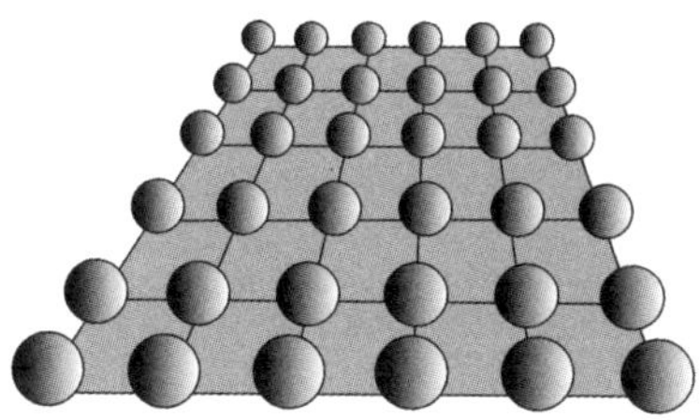

Dimensões adicionais do espaço (aqui, o plano 2D) mostradas esquematicamente como esferas. Na teoria das cordas, as esferas têm mais dimensões que aquelas que podemos desenhar. As esferas comportam vibrações quânticas, que conferem propriedades como o spin e a carga às partículas.

Todo esse papo sobre "dimensões ocultas" pode ser desnecessariamente místico. Os físicos nos apresentaram coisas bem semelhantes muito tempo atrás, mas ninguém começou a tagarelar sobre aumentar a dimensão do espaço. Um campo eletromagnético – que usamos para emitir sinais de rádio, TV e telefones celulares – possui seis coordenadas adicionais para cada ponto no espaço: três para a força e direção do campo magnético e outras três para a força e direção do campo elétrico. As equações de Maxwell para o eletromagnetismo são naturalmente definidas num espaço 9D.

Portanto as 7 dimensões necessárias para a teoria das cordas não precisam ser efetivamente *espaciais* em qualquer sentido compreensível. Elas talvez sejam – de fato, *são* – novas quantidades físicas, como cor ou temperatura, que entram nas equações da teoria das cordas. Portanto, falar delas como dimensões ocultas do *espaço* faz com que a teoria das cordas pareça mais misteriosa do que realmente é.

A trança de Slade

Na década de 1880, o médium americano Henry Slade costumava convencer as pessoas de que tinha acesso à quarta dimensão – o "mundo dos espíritos" – usando uma fita de couro que tinha dois cortes. Ele pedia a alguém que fizesse uma marca no couro, para evitar substituições. A seguir, segurava essa fita debaixo de uma mesa por alguns instantes e, então, a apresentava de novo – trançada!

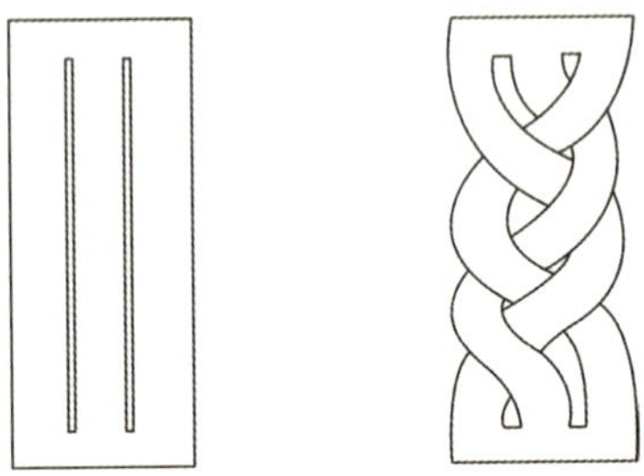

Comece assim... **...e termine assim.**

No espaço 4D, as fitas podem ser passadas uma sobre a outra e trançadas, fazendo com que uma delas passe temporariamente à quarta dimensão, colocando-a na posição correta e, então, puxando-a de volta para o espaço 3D habitual. Era isso que Slade dizia e, dessa forma, alegava provar que tinha acesso à quarta dimensão.

Como ele conseguia fazer isso?

Resposta na p.347

Evite os vizinhos

Coloque cada um dos algarismos 1 a 8 nos oito círculos, de modo que algarismos vizinhos (isto é, aqueles cuja diferença é 1) não se encontrem em círculos vizinhos (conectados diretamente por uma linha).

Resposta na p.348

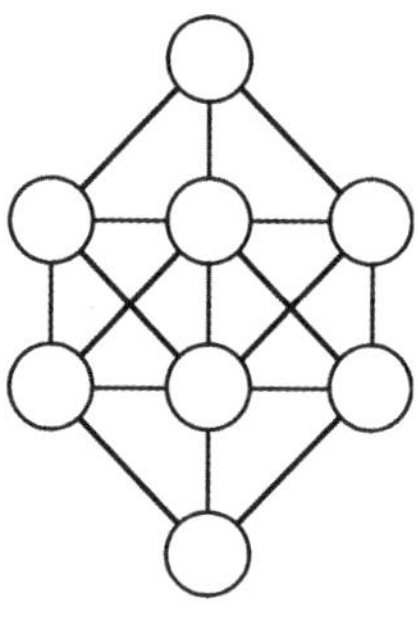

Mantenha os vizinhos afastados.

Mudança de carreira

Um matemático que havia passado toda sua vida fazendo pesquisa em matemática pura – começando com álgebra topológica, depois um pouco de geometria algébrica, depois um pouco de topologia geométrica, pensando em mudar para topologia algébrica ou talvez álgebra geométrica – começou a se perguntar se talvez não fosse a hora de fazer algo mais evidentemente prático. Ele sabia que essas disciplinas tinham aplicações, mas nunca havia trabalhado com elas, preferindo os desafios intelectuais do pensamento abstrato.

Ele nunca fora *contra* a matemática aplicada, veja bem – apenas nunca a havia praticado.

Talvez, pensou, *seja hora de mudar*.

Semanas se passaram e ele ainda não havia transformado seus pensamentos em ações. A perspectiva de lidar com o mundo real o deixava muito nervoso. Ele nunca havia feito isso antes. Mas a ideia ainda assim lhe parecia interessante. O problema era arrumar coragem para dar o salto.

Um dia, caminhando pelo corredor do Departamento de Matemática, ele viu um cartaz numa porta. "Seminário sobre engrenagens – hoje, às 14h." Consultou o relógio: 13h56. Será que teria coragem? Será que realmente conseguiria... *entrar*? Era um grande passo. Na agonia da indecisão, ficou parado em frente à porta, avançando e recuando, ouvindo os sons do palestrante que se preparava para iniciar a conferência. Finalmente, às 13h59, ele juntou coragem, abriu a porta e se sentou numa cadeira vazia. Finalmente iniciaria sua nova carreira nas aplicações práticas da matemática!

O palestrante pegou suas anotações, pigarreou e começou.

– A teoria das engrenagens com um número *inteiro* de dentes é bem conhecida...

Roda que rola não pega velocidade

Uma roda com 1m de raio vai rodando por uma estrada horizontal plana a uma velocidade constante de 10m por segundo, sem derrapar e sem quicar. Num instante fixo de tempo, algum ponto da roda está estacionário? Em caso afirmativo, qual?

Suponha que a roda é um disco circular, a estrada é uma linha reta e a roda se encontra no plano vertical. "Estacionário" significa que a velocidade instantânea é igual a 0.

Resposta na p.348

O problema da colocação de pontos

Você tem uma reta de tamanho unitário, cujos pontos inicial e final, 0 e 1, estão faltando, e um suprimento ilimitado de pontos – como de costume. Você deve colocar os pontos sucessivamente sobre a reta, de modo que:

- O segundo e o primeiro pontos se encontrem em metades diferentes da reta. (Para evitar ambiguidades, o ponto médio em $1/2$ é excluído: nenhum ponto poderá cair exatamente nessa posição. Portanto, uma "metade" vai de 0 a $1/2$, excluindo ambos, e a outra metade vai de $1/2$ a 1, excluindo ambos.)
- O terceiro, o primeiro e o segundo pontos se encontram todos em terços diferentes da reta. (Para evitar ambiguidades, os pontos $1/3$ e $2/3$ foram excluídos.)
- O quarto ponto e o primeiro, segundo e terceiro pontos se encontram todos em quartos diferentes da reta. (Os pontos $1/4$ e $3/4$ foram excluídos agora – lembre-se, já excluímos o ponto $1/2$.)

Agora siga em frente, obedecendo, para cada n maior, a seguinte regra:

- O n-ésimo ponto e os pontos $n - 1$ anteriores se encontram todos em diferentes $1/n$ avos da reta. (Todos os pontos m/n, para $m = 0, 1, 2, \ldots, n$, são excluídos.)

Entendeu? Agora a pergunta: por quanto tempo podemos continuar este processo?

À primeira vista, a resposta parece ser: pelo tempo que quisermos. Afinal de contas, podemos dividir a reta em pedaços cada vez menores, e escolher pontos em qualquer desses pedaços, conforme apropriado.

Realmente não espero que encontre a resposta correta neste caso, mas não quero entregá-la de bandeja, por isso você a encontrará na p.349. É interessante tentar colocar os primeiros cinco ou seis pontos. Mesmo assim, não é tão fácil quanto parece.

Xadrez na Planolândia

Na *Planolândia* (p.271), o mundo é um plano e seus habitantes são figuras geométricas. Os habitantes da Planolândia jogam suas próprias versões de jogos da Espaçolândia, e um deles é o xadrez. O tabuleiro de xadrez na Planolândia tem oito casas de comprimento e cada jogador tem três peças: rei, cavalo e torre, começando na posição indicada.

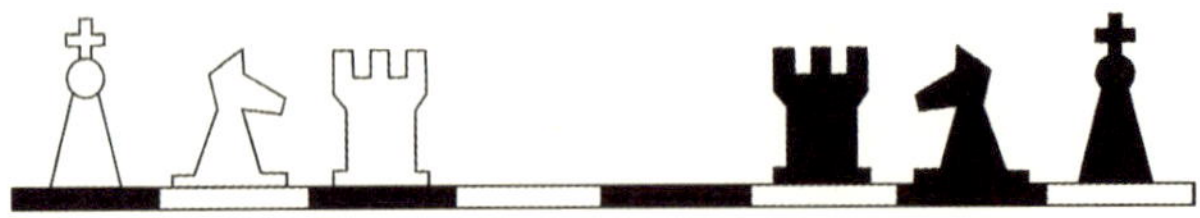

Posição inicial de um jogo de xadrez na Planolândia.

As regras são parecidas com a do xadrez da Espaçolândia, tendo em mente as limitações geométricas da Planolândia. Todas as três peças podem andar para a esquerda ou para a direita, se houver um espaço disponível. Todas as jogadas devem terminar numa casa vazia, ou numa casa ocupada por uma peça inimiga, que é então retirada do tabuleiro – "comida".

- O *rei* (a peça que tem uma cruz na cabeça) anda apenas uma casa de cada vez e não pode se colocar em "xeque" – uma casa que já esteja ameaçada por um inimigo.
- O *cavalo* (em forma de cavalo) anda pulando a casa adjacente, que pode estar vazia ou ocupada, caindo na casa seguinte. Portanto, ele termina a duas casas de onde começou.
- A *torre* (em forma de castelo) pode andar ao longo de qualquer número de casas não ocupadas.

Se não restar nenhuma jogada válida para um jogador, o jogo termina em empate por afogamento. Se um jogador ameaçar o rei adversário e o rei não tiver como escapar, trata-se de um xeque-mate, e o jogo termina.

Se o branco jogar primeiro e os dois jogadores adotarem uma estratégia perfeita, quem irá vencer?

Resposta na p.349

A loteria infinita

A loteria infinita utiliza um número infinito de sacos que levam os números 1, 2, 3, 4 e assim por diante. Cada saco contém um número infinito de bolas, cada uma contendo um número correspondente.

Você recebe uma grande caixa. Nela, poderá colocar a quantidade de bolas que quiser, escolhidas de qualquer um dos sacos. Existe apenas uma condição: o número total deve ser finito.

Agora você deverá trocar as bolas da caixa. Poderá retirar uma bola, descartando-a, e substituí-la por quantas bolas quiser, desde que tenham números menores. Por exemplo, se descartar uma bola que leve o número 100, poderá então acrescentar 10 milhões de bolas que levem o número 99, 17 bilhões com o número 98 e assim por diante. Portanto, não existe um limite superior para a quantidade de bolas que poderão substituir a bola solitária com o número 100.

Você deve continuar esse processo. Em cada etapa, poderá substituir a bola descartada por qualquer combinação de bolas que quiser, desde que seu número seja finito e que elas sempre levem números menores que a bola descartada. Se retirar a bola com o número 1, não poderá substituí-la, pois não há bolas com números menores.

Se você acabar por ficar sem bolas e esvaziar a caixa, perderá. Se continuar removendo bolas para sempre – isto é, se nunca ficar sem bolas –, ganhará.

Mas *é possível* ganhar na loteria infinita? Em caso afirmativo, como?

Resposta na p.350

Navios se cruzam...

Nos tempos em que as pessoas atravessavam o Atlântico em cruzeiros, um navio zarpava de Londres todos os dias às 16h rumo a Nova York, chegando exatamente 7 dias depois.

Todo dia no mesmo horário (11h, pelo fuso horário), um navio zarpava de Nova York em direção a Londres, chegando exatamente 7 dias depois.

Todos os navios seguiam a mesma rota, desviando um pouco para evitar colisões ao se encontrarem.

Com quantos navios vindos de Londres cada navio que parte de Nova York se encontra durante sua viagem transatlântica, *sem* contar os que chegam ao porto exatamente no momento em que o navio está partindo, nem os que saem do porto exatamente no momento em que o navio está chegando?

Resposta na p.351

O maior número é 42

Os matemáticos muitas vezes usam uma técnica chamada prova por contradição. A ideia é que, para provar que algum enunciado é verdadeiro, começamos supondo que ele seja falso, e então passamos a derivar várias consequências lógicas. Se alguma dessas consequências levar a uma impossibilidade lógica – uma contradição –, então nossa suposição de que o enunciado é falso não poderá ser correta. Portanto o enunciado é verdadeiro.

Você talvez conheça essa ideia pelo nome usado por Euclides, a expressão em latim *reductio ad absurdum* – redução ao absurdo.

Por exemplo, para provar que os porcos não têm asas, primeiro supomos que eles as têm e deduzimos que os porcos voam. Mas sabemos que eles não voam, portanto, isso é uma impossibilidade lógica. Portanto, é falso que os porcos têm asas, portanto eles não as têm.

Entendeu?

Vou usar agora a prova por contradição para mostrar que o maior número inteiro é 42.

Seja n o maior número inteiro e suponha, por contradição, que n não é 42. Então $n > 42$, portanto $(n - 42)^3 > 0$, cuja expansão gera

$$n^3 - 126n^2 + 5.292n - 74.088 > 0$$

Somando n a cada lado,

$n^3 - 162n^2 + 5.293n - 74.088 > n$

Mas a expressão do lado esquerdo é um número inteiro. Uma vez que ele é maior que n, que supomos ser o *maior* número inteiro, chegamos a uma contradição.

Portanto, o enunciado é falso, e o maior número inteiro não é 42. Portanto *é* 42!

Claramente há algo de errado aqui – mas o quê?

Resposta na p.351

Uma história futura da matemática

2087 O teorema perdido de Fermat é reencontrando no verso de um velho hinário nos arquivos secretos do Vaticano.

2132 Uma definição geral de "vida" é formulada no Congresso Intercontinental de Biomatemáticos.

2133 Kashin e Chypsz provam que a vida não pode existir.

2156 Cheeseburger e Fritas provam que ao menos uma das constantes de Euler, o número de Feigenbaum, e a dimensão fractal do Universo são irracionais.

2222 A consistência da matemática é estabelecida – é a consistência do pudim de sagu frio.

2237 Marqès e Spinoza provam que a indecidibilidade da indecidibilidade da indecidibilidade da indecidibilidade do problema P = NP? é indecidível.

2238 Pyotr-Jane Dumczyk refuta a hipótese de Riemann, mostrando que existem ao menos 42 zeros $\sigma + it$ da função zeta com $\sigma \neq 1/2$ e $t < \exp \exp \exp \exp \exp ((\pi^e + e^\pi) \log 42)$.

2240 O teorema perdido de Fermat se perde novamente.

2241 A conjectura da salsicha é provada em todas as dimensões, exceto na quinta, com a possível exceção do caso em 14 dimensões, em que a prova continua controversa por parecer fácil demais.

2299 Os homens fazem contato com alienígenas do planeta Grumpius, cuja matemática inclui uma classificação completa de todas as topologias possíveis dos fluxos turbulentos, mas que ficou estancada durante as últimas cinco revoluções galácticas por sua incapacidade de resolver o problema 1 + 1 = ?.

2299 A solução do problema 1 + 1 = ? por Martha Snodgrass, uma garotinha de seis anos nascida em Woking, inicia uma nova era de cooperação entre terráqueos e grumpianos.

2300 Formulação dos 744 problemas de Dilbert no Congresso Interestelar de Matemáticos.

2301 Os grumpianos vão embora, em virtude do início da temporada de críquete.

2408 Riculus Fergle utiliza o ortocálculo grumpiano para mostrar que todos os problemas de Dilbert são equivalentes entre si, reduzindo assim toda a matemática a uma única fórmula curta.*

2417 Vasto Intelecto, o computador de supercordas de DNA, é reprovado no teste de Turing por uma questão técnica, mas, de todo modo, se declara inteligente.

2417 Vastíssimo Intelecto inventa a técnica da prova assistida por seres humanos, usando-a para provar a fórmula final de Fergle, tendo os problemas de Dilbert como corolários.

2417 Vastissíssimo Intelecto descobre inconsistências no sistema operacional do cérebro humano, e todas as provas assistidas por homens são declaradas inválidas.

7999 Grunt Snortsen inventa a contagem nos dedos dos pés; o Reino das Máquinas chega um fim abrupto.**

---

* A famosa €♋♍☾^{42}. Mais uma constante.

** Snortsen havia perdido um dedo do pé num encontro com uma caixa registradora desvairada.

11.868 A redescoberta da matemática, agora em base 9.

0 Reformulação do calendário.

1302* A fórmula final de Fergle é provada, desta vez corretamente, e a matemática *para*.

1302** Diculus Snergle pergunta o que aconteceria se permitíssemos que a constante arbitrária da fórmula final de Fergle fosse uma variável, e a matemática recomeça.

---

* 17 de maio, 14h46.

** 17 de maio, 14h47.

Seção superlativa de soluções sorrateiras e simpáticos suplementos

Na qual o leitor perspicaz ou perplexo poderá procurar respostas para as perguntas que, hoje, possuem respostas... E mais fatos e curiosidades gratuitas que podem facilitar seu posterior deleite e entendimento.

Curiosidade na calculadora 1

(8 × 8) + 13 = 77
(8 × 88) + 13 = 717
(8 × 888) + 13 = 7117
(8 × 8888) + 13 = 71117
(8 × 88888) + 13 = 711117
(8 × 888888) + 13 = 7111117
(8 × 8888888) + 13 = 71111117
(8 × 88888888) + 13 = 711111117

Ano de cabeça para baixo

Passado: 1961; *Futuro*: 6009.

Se você insistir em colocar uma voltinha no 7, corrija estes números para 2007 e 2117.

Dezesseis fósforos

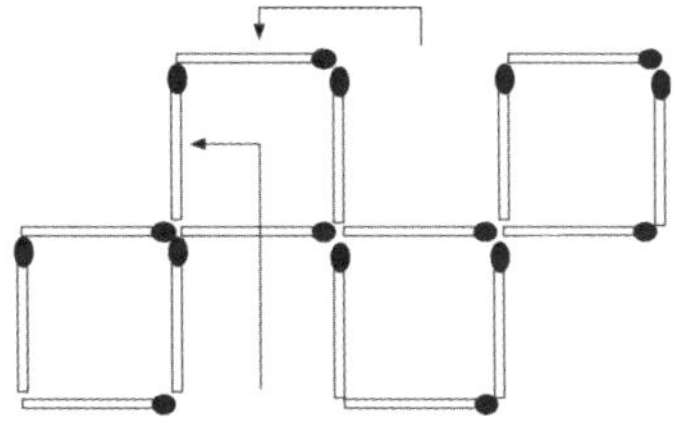

Mexa estes dois.

Engolindo elefantes

A dedução é falsa.

Suponha, apenas para ilustrarmos o argumento, que os elefantes são fáceis de engolir. Então, a terceira afirmação do problema nos diz que os elefantes comem mel. A segunda nos diz então que os elefantes sabem tocar gaita de fole. Por outro lado, a primeira afirmação nos diz que os elefantes usam calças cor-de-rosa e, nesse caso, a quarta nos diz que os elefantes *não sabem* tocar gaita de fole. Portanto temos uma contradição lógica. A única saída é considerar que os elefantes não são fáceis de engolir.

Existe um método sistemático para resolver essas questões. Primeiro, transforme tudo em símbolos. Seja

E a afirmação: "É um elefante."
M a afirmação: "Come mel."
F a afirmação: "É fácil de engolir".
R a afirmação: "Usa calças cor-de-rosa."
G a afirmação: "Sabe tocar gaita de fole."

Usamos os símbolos lógicos

$\Rightarrow$ que significa "implica"
$\neg$ que significa "não".

Assim, as quatro primeiras afirmações dizem:

$E \Rightarrow R$
$M \Rightarrow G$
$F \Rightarrow M$
$R \Rightarrow \neg G$

Precisamos de duas leis da lógica matemática:

$X \Rightarrow Y$ é o mesmo que $\neg Y \Rightarrow \neg X$
Se $X \Rightarrow Y \Rightarrow Z$, então $X \Rightarrow Z$

Usando estas leis, podemos escrever as condições da seguinte forma:

$$E \Rightarrow R \Rightarrow \neg G \Rightarrow \neg M \Rightarrow \neg F$$

portanto $E \Rightarrow \neg F$. Isto é, os elefantes não são fáceis de engolir.

Esta lista de atributos sugere ainda outra maneira de respondermos à pergunta: pense num elefante (E) que (R) usa calças cor-de-rosa, ($\neg$ G) não toca gaita de fole, ($\neg$ M) não come mel e ($\neg$ F) não é fácil de engolir. Com isso, todas as quatro afirmações do problema são verdadeiras, mas "os elefantes são fáceis de engolir" é falsa.

Círculo mágico

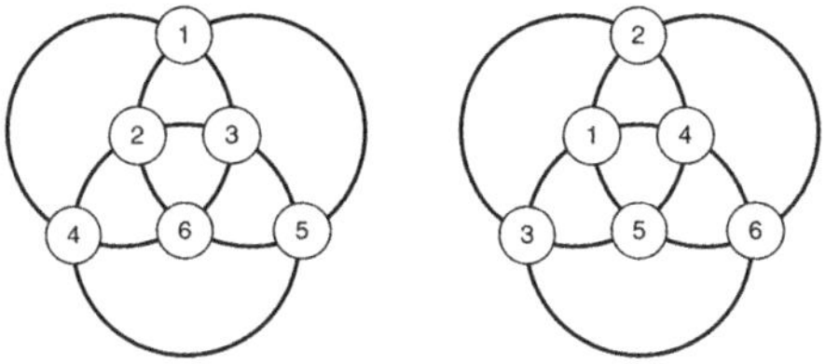

Esses arranjos, ou suas rotações e reflexões.

Adivinhação numérica

A explicação para o truque da calculadora de Whodunni utiliza um pouco de álgebra.

Suponha que você more numa casa de número x, nasceu no ano y e fez z aniversários este ano, o que é 0 ou 1, conforme a data. Então, as etapas sucessivas deste truque são as seguintes:

- Digite o número de sua casa: x
- Multiplique por 2: $2x$
- Some 42: $2x + 42$
- Multiplique por 50: $50(2x + 42) = 100x + 2100$
- Subtraia o ano de seu nascimento: $100x + 2100 - y$
- Subtraia 50: $100x + 2050 - y$
- Some o número de aniversários que você já teve este ano: $100x + 2050 - y + z$
- Subtraia 42: $100x + 2008 - y + z$

Se estivermos fazendo o truque em 2009, então $2008 - y$ é o número de anos que já passaram desde o ano em que você nasceu menos um. Somar o número de aniversários que você já fez este ano deixa as coisas dessa maneira se você ainda não completou anos, mas soma 1 se você já completou. O resultado sempre é a sua idade. (Pense nisso. Se você nasceu um ano atrás, mas ainda não fez aniversário este ano, sua idade é 0. Depois do seu aniversário, é 1.)

Portanto o resultado final é $100x$ + sua idade. Assim, contanto que sua idade esteja entre 1 e 99, os dois últimos algarismos serão sua idade (escrita com um zero na frente se sua idade for de 1 a 9). Removendo esses algarismos e dividindo por 100, que é o mesmo que observar apenas os algarismos restantes, dá x – o número da sua casa.

Se você tiver mais de 99 anos, os dois últimos algarismos não poderão ser a sua idade. Vai haver um algarismo extra (que, excluindo-se milagres médicos, será 1). Portanto sua idade será 1 seguido pelos dois últimos algarismos. E o número da sua casa será o resto dos algarismos, exceto esses dois, *menos um*.

Se sua idade for 0, o truque ainda funciona desde que contemos o dia do seu nascimento como um aniversário. O seu zero-ésimo aniversário, de fato. Mas geralmente não fazemos isso, e por essa razão excluí a idade 0.

Para modificar o truque para qualquer outro ano, por exemplo, $2009 + a$, basta trocarmos a etapa final por "subtraia $42 - a$". Assim, em 2010 devemos subtrair 41, em 2011 devemos subtrair 40 e assim por diante. Se você estiver lendo isto depois de 2051, transforme isto em "some $a - 42$". É a mesma coisa, mas vai soar mais razoável.

• • Segredos do ábaco

Para subtrair (por exemplo) um número de três algarismos $[x][y][z]$, que é o mesmo que $100x + 10y + z$, temos de formar o complemento $[10 - x][10 - y]$ $[10 - z]$, que é o mesmo que $100(10 - x) + 10(10 - y) + (10 - z)$. Isso é igual a $1.000 - 100x + 100 - 10y + 10 - z$, ou $1.110 - (100x + 10y + z)$. Assim, somar o complemento é o mesmo que subtrair o número original, mas somando 1.110. Para nos livrarmos dele, subtraia 1 das posições 4, 3 e 2, mas não da posição 1.

• • O tesouro do Barba-Ruiva

Barba-Ruiva encontrará a pilhagem perdida 128 passos ao norte da pedra.

A cada etapa o dedo do pirata poderá andar para a esquerda ou para a direita – duas escolhas. Portanto, o número de caminhos ao longo da figura se duplica a cada fileira adicional. Existem 8 fileiras, e apenas um T inicial, portanto o número de caminhos diferentes é $1 \times 2 \times 2 \times 2 \times 2 \times 2 \times 2 \times 2 = 128$.

Se substituirmos cada letra pelo número de caminhos que leva até ela, obtemos uma famosa engenhoca matemática, o triângulo de Pascal:

Soma
T – 1 ———————— 1
E – 2 ———————— 1 1
S – 4 ———————— 1 2 1
O – 8 ———————— 1 3 3 1
U – 16 ———————— 1 4 6 4 1
R – 32 ———————— 1 5 10 10 5 1
O – 64 ———————— 1 6 15 20 15 6 1
S – 128 ———————— 1 7 21 35 35 21 7 1

onde cada número é a soma dos dois números acima, à esquerda e à direita, exceto nos lados, onde todos os números são 1. Se somarmos as fileiras, vamos obter as potências de dois: 1, 2, 4, 8, 16, 32, 64, 128. Assim, esta é outra maneira – bastante parecida – de chegarmos à mesma resposta.

• • Estrelas e cortes

Dobre o papel ao meio (por exemplo, ao longo da linha vertical na minha figura) e, a seguir, dobre-o alternadamente ao longo das outras retas para formar um zigue-zague, como se fosse um leque. Depois, corte-o ao longo de uma linha inclinada e desdobre o papel. Desenhei a silhueta da estrela para mostrar como ela se relaciona com as dobras.

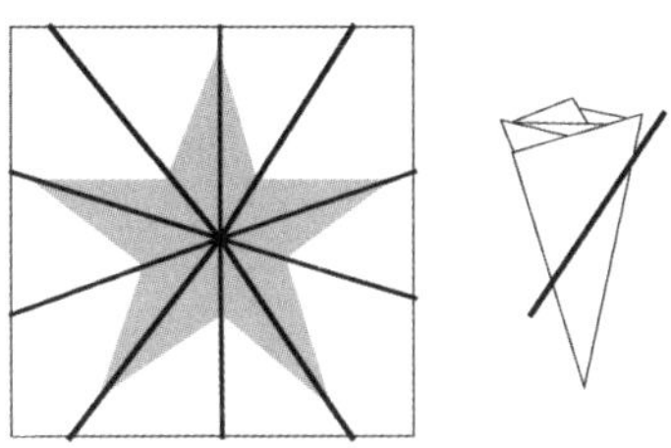

Dobre... ...e corte.

Sim, *é possível* fazer uma estrela de seis pontas da mesma forma. Na verdade, é ainda mais fácil: dobre primeiro o papel em quartos, depois dobre o resultado ao longo das duas retas que dividem o ângulo reto em três partes. Assim como no caso da estrela de cinco pontas, você deve fazer o corte no ângulo certo. Não se preocupe, comitês são assim mesmo.

O problema de Collatz-Syracuse-Ulam

Os ciclos que aparecem com zeros ou números negativos são:

- $0 \to 0$
- $-1 \to -2 \to -1$
- $-5 \to -14 \to -7 \to -20 \to -10 \to -5$
- $-17 \to -50 \to -25 \to -74 \to -37 \to -110 \to -55 \to -164 \to -82 \to -41 \to -122 \to -61 \to -182 \to -91 \to -272 \to -136 \to -68 \to -34 \to -17$

O dilema do joalheiro

As peças contêm 8, 7, 6, 6, 5, 5, 5, 4 e 3 elos. Em vez de romper um elo de cada pedaço, rompemos todos os 8 elos da peça maior, usando-os para unir as outras 8 partes: custo total de $24. Mas existe uma maneira mais barata. Quebre as peças de tamanho 4 e 3 em elos separados, usando-os para unir as outras 7 peças. Agora, o custo total é de $21.

O que Seamus não sabia

Não, ele não agita as patas loucamente para explorar a resistência do ar para criar uma força, como ocorre como as asas dos pássaros. Em vez disso, o gato consegue alterar sua orientação sem causar alterações em seu momento angular em nenhum instante.

- *Posição inicial*: gato de cabeça para baixo, estacionário, momento angular igual a zero.
- *Posição final*: gato de cabeça para cima, estacionário, momento angular igual a zero.

Não temos nenhuma contradição aqui, mas é claro que existe algo entre as duas posições, quando o gato começa a girar. O problema é que ele não faz isso. Isto é, não gira. Um gato não é um corpo rígido.* Em 1894, o médico francês Étienne Jules Marey tirou uma série de fotografias de um gato em queda.

* Exceto quando estamos tentando colocá-lo numa caixa para levá-lo ao veterinário.

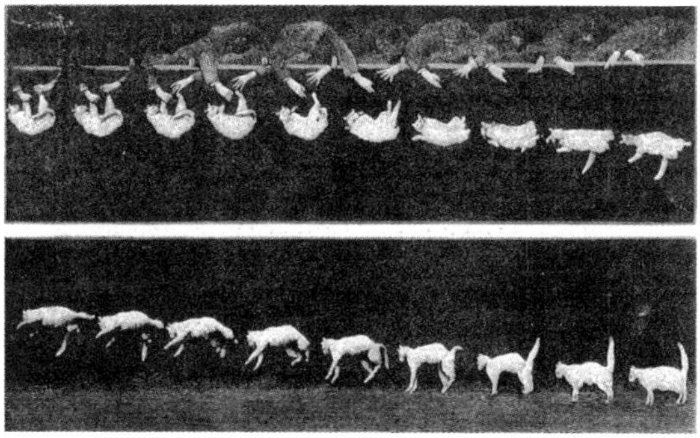

O experimento do gato de Marey.

O segredo foi então revelado. Como o gato não é um corpo rígido, ele não precisa girar o corpo todo *simultaneamente*. A seguir, apresento a receita do gato para girar no ar mantendo o momento angular igual a zero o tempo todo:

- Encolha as patas da frente e estique as de trás.
- Gire a metade da frente do corpo para um lado, e a de trás lentamente para o outro lado. As duas metades se movem com momento angular oposto, portanto o total continua igual a zero.
- Estique as patas da frente e encolha as de trás.
- Gire a metade de trás rapidamente para alinhá-la com a metade da frente, enquanto a metade da frente gira lentamente no sentido oposto. De novo, as duas metades se movem com momento angular oposto, portanto o total continua igual a zero.
- O rabo também pode se mexer, e em geral se mexe, auxiliando o processo, pois serve como um reservatório útil de momento angular sobressalente.

Foto recente de um gato em queda.

• • O cachorro de Lincoln

Bem, o cachorro talvez tenha perdido o rabo, ou algumas patas, ou talvez seja um mutante com seis patas e cinco rabos... Evasivas à parte, esta é uma boa questão para distinguir os matemáticos dos políticos. Lincoln fez essa pergunta no contexto da escravidão, apresentando-a a um adversário político que defendia a ideia de que a escravidão era uma forma de proteção, tentando dizer que ela era benigna. A resposta de Lincoln foi: "O cachorro tem quatro patas – chamar o rabo de pata não o transforma numa pata." Com isso, ele queria dizer que chamar a escravidão de proteção não a *transforma* em proteção, o que, naquele contexto, era bastante adequado. A famosa frase de Barack Obama sobre "colocar batom num porco" ilustrava a mesma ideia, embora seus adversários tenham optado por interpretá-la como um insulto a Sarah Palin.*

No entanto, ignorando o contexto, a maioria dos matemáticos teria de discordar do presidente Lincoln, ao responder "cinco". Se mudarmos o nome do rabo, chamando-o de pata, isso serve como uma redefinição temporária da terminologia, o que é comum na matemática. Por exemplo, na álgebra, "o" desconhecido geralmente é denotado por x, mas o valor de x difere de um problema para outro. Se x era 17 no dever de casa da semana passada, não precisa continuar a ser 17 eternamente. A convenção habitual é que uma redefinição temporária *continua válida* até ser explicitamente cancelada, ou até que o contexto deixe claro que ela foi cancelada.

De fato, os matemáticos de hábito vão mais longe, redefinindo de modo permanente certas terminologias importantes, em geral para torná-las mais gerais. Conceitos como número, geometria, espaço e dimensão são alguns exemplos; seu significado mudou repetidamente com o avanço da disciplina.

Assim, para os matemáticos, se concordarmos em chamar um rabo de pata pelo resto da discussão – o que a pergunta de Lincoln presume tacitamente, caso contrário a pergunta não merece ser feita –, então o significado de "pata" foi *alterado*, incluindo agora os rabos. Portanto, sr. presidente, o cachorro tem *cinco* patas, conforme sua própria redefinição.

E o que acontece com a posição política de Lincoln? Ela permanece intacta, mas por um motivo diferente. Quando o adversário de Lincoln afirmou que a escravidão era proteção, ele redefiniu proteção pelo restante da discus-

* Isso foi injusto com os porcos, além de ignorar uma longa tradição de porcarias políticas, entre elas o livro *Lipstick on a Pig: Winning in the No-Spin Era by Someone Who Knows the Game*, de Victoria Clarke, secretária assistente do governo de George W. Bush. Veja: en.wikipedia.org/wiki/Lipstick_on_a_pig.

são, portanto as propriedades normalmente associadas à proteção talvez não se apliquem mais. Em particular, o novo significado não implica que a escravidão seja um ato de bondade.

Os dados de Whodunni

Os dados deram 5, 1 e 3.

Se os dados mostrarem as letras a, b e c, o cálculo irá gerar os números

$$2a + 5$$
$$5(2a + 5) + b = 10a + b + 25$$
$$10(10a + b + 25) + c = 100a + 10b + c + 250$$

Portanto Whodunni subtraiu 250 de 763, ficando com 513 – os números dos três dados. Basta subtrairmos 2 do primeiro algarismo da resposta, 5 do segundo e não mexer no terceiro – fácil.

A conjectura do fole

A fórmula de Heron se aplica a um triângulo de lados a, b, c e área x. Seja s a metade do perímetro:

$$s = \frac{1}{2}(a + b + c)$$

Então Heron provou que

$$x = \sqrt{s(s - a)(s - b)(s - c)}$$

Elevando esta equação ao quadrado e reorganizando os termos, obtemos

$$16x^2 + a^4 + b^4 + c^4 - 2a^2b^2 - 2a^2c^2 - 2b^2c^2 = 0$$

Esta é uma equação polinomial que relaciona a área de x aos três lados a, b, c.

Cubos de algarismos

Os outros números de três algarismos que são iguais à soma dos cubos de seus algarismos são 370, 371 e 407.

Se os algarismos forem a, b, c, teremos de resolver

$$100a + 10b + c = a^3 + b^3 + c^3$$

com $0 \leq a, b, c \leq 9$ e $a > 0$. São 900 possibilidades, portanto uma busca sistemática irá encontrar a resposta.

Podemos reduzir o trabalho empregando alguns truques bastante simples. Por exemplo, se dividirmos um cubo perfeito por 9, o resto será 0, 1 ou 8. Se dividirmos 100 ou 10 por 9, o resto será 1. Portanto $a + b + c$ e $a^3 + b^3 + c^3$ deixam o mesmo resto depois de serem divididos por 9. Eliminando os casos em que os algarismos são muito pequenos ou muito grandes, $a + b + c$ deve ser igual a um desses resultados: 7, 8, 9, 10, 11, 16, 17, 18, 19, 20. Depois disso... Bom, você captou a ideia. É um pouco trabalhoso, mas pode ser feito. Talvez exista uma maneira melhor.

• • Ordem no caos

Existem muitas soluções (geralmente existem muitas ou nenhuma). Apresento aqui uma para cada quebra-cabeça:

- SHIP-SHOP-SHOT-SOOT-ROOT-ROOK-ROCK-DOCK.
- ORDER-OLDER-ELDER-EIDER-CIDER-CODER-CODES-CORES-SORES-SORTS-SOOTS-SPOTS-SHOTS-SHOPS-SHIPS-CHIPS-CHAPS-CHAOS.

Se você estiver se perguntando o que significam EIDER e SOOTS, o primeiro é um tipo de pato, e o segundo deriva do verbo *to soot*, que significa "cobrir com fuligem". Ambas estão no dicionário oficial do jogo de palavras cruzadas Scrabble®.*

Bem, eu prometi apresentar alguma matemática, e até agora não tratamos disso.

Na verdade, todos esses quebra-cabeças tratam de redes (também chamadas grafos), que são conjuntos de pontos unidos por linhas. Os pontos representam objetos, e as linhas são as conexões entre eles. No problema SHIP-DOCK, os objetos são palavras de quatro letras, e as palavras podem ser conectadas entre si se diferirem em apenas uma letra (numa posição específica). Todos os quebra-cabeças com palavras de quatro letras como estas se reduzem à mesma questão geral: a palavra inicial está conectada à palavra final por algum caminho na rede de todas as palavras de quatro letras possíveis?

* Uma solução possível para o quebra-cabeça com palavras em português é: GATO-GALO-GELO-PELO-PEÃO-LEÃO. (N.T.)

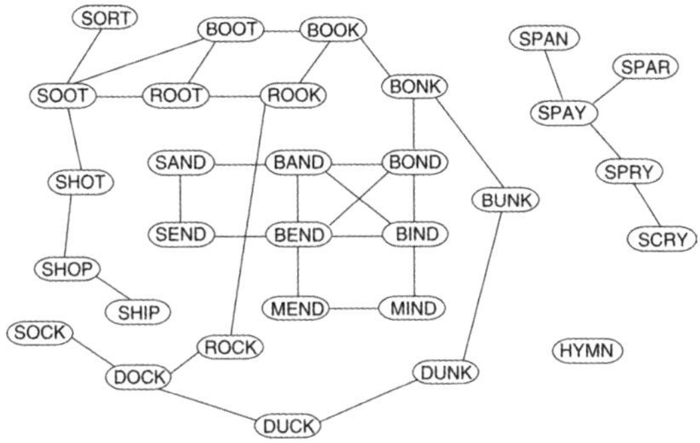

Conecte SHIP a DOCK.

A figura mostra uma parte muito pequena dessa rede – suficiente para encontrarmos uma resposta.

Existem algoritmos (procedimentos) computadorizados para encontrarmos caminhos entre quaisquer dois nodos de uma rede, e a matemática em questão logo se torna profunda e difícil. Um ponto relativamente simples é que toda a rede se divide em um ou mais componentes, e todas as palavras de um componente estão conectadas a todas as outras por algum caminho. No momento em que conseguimos ligar uma palavra a um desses componentes, podemos facilmente ligá-la a todas as outras palavras do componente.

Quantos componentes existem? Um teorema provado por Paul Erdös e Alfred Rényi em 1960 implica que se, em média, cada palavra estiver ligada a uma quantidade suficiente de outras palavras – acima de uma quantidade crítica –, deveríamos encontrar um componente gigante contendo quase todas as palavras, restando apenas alguns poucos componentes muito menores. E é isso o que acontece. O componente gigante geralmente deixa algumas partes de fora – por exemplo, se conseguirmos encontrar uma palavra isolada, que não tenha vizinhos imediatos, essa palavra sozinha formará um componente desconectado de todo o resto.

E quanto a uma palavra obscura como SCRY (que significa "cristalomancia")? Ela estará isolada? Não, SCRY está ligada a SPRY, depois a SPAY, depois SPAR, SPAN… e daí ela claramente já "escapou", com muitas ligações possíveis, portanto, é de se esperar que se conecte ao componente gigante, embora minha figura não mostre como. Na verdade, SPAY-SPAT-SPOT-SHOT já resolve o problema. É por isso que provavelmente só existe um componente gigante. Por ser muito grande, qualquer palavra que esteja ligada a uma quantidade razoável de outras palavras terá mais e mais ligações possíveis, e em algum momento esse caminho se encontrará com o componente gigante.

Ted Johnson analisou a rede de palavras de quatro letras, com uma pequena alteração na definição do que constitui uma ligação: também é permitido inverter a palavra. Isso provavelmente afeta muito pouco o componente, ou nada, pois relativamente poucas palavras têm algum sentido quando invertidas.

Ele obteve uma lista de palavras de quatro letras num dicionário, encontrando um total de 4.776. Usando métodos matemáticos (o módulo Graph da linguagem de programação Perl), Johnson descobriu que algumas palavras estão isoladas (como HYMN, segundo o dicionário Scrabble) ou formam pares isolados. Outro pequeno componente contém apenas oito palavras. Com isso, restavam 4.439: Um componente gigante com 4.436 Palavras, e outro menor com três – TYUM, TIUM, TUUM. Essas palavras não estão no dicionário Scrabble, mas *tuum* é uma palavra literária vinda do latim, que significa "teu", como na frase "*meum and tuum*" – "meu e teu". Sinto-me inclinado a descartar as outras duas e contar *tuum* como uma palavra isolada. Os resultados de Johnson estão disponíveis em users.rcn.com/ted.johnson/fourletter.htm.

Se você brincar com a rede, vai começar a notar algumas características estruturais regulares. O grupo de palavras BAND, BEND, BIND, BOND é um exemplo: todas estão ligadas às outras. Isso ocorre porque todas as alterações envolvem a letra na mesma posição, que é a segunda a partir da esquerda. Os biólogos que trabalham com redes genéticas chamam as sub-redes pequenas e comuns de "motivos". Também existem motivos de cinco palavras. Um exemplo é: MARE, MERE, MIRE, MORE, MURE.

Um motivo mais significativo na rede de palavras é uma série de três palavras como SHOT-SOOT-SORT, com duas vogais na palavra do meio. As vogais são cruciais. A maioria das mudanças de uma só letra troca uma consoante por outra consoante ou uma vogal por outra vogal. Se todas as mudanças fossem assim, as posições das vogais nunca se alterariam. Assim, seria impossível passar de SHIP, que tem uma vogal na posição 3, para DOCK, que tem a vogal na posição 2. Mas às vezes ocorrem trocas de consoantes por vogais ou de vogais por consoantes. Uma sequência como SHOT-SOOT-SORT, efetivamente, modifica a posição da vogal, por introduzir uma nova e depois eliminar a primeira.

Ao passarmos de ORDER a CHAOS, o maior problema é modificar as posições das vogais. É justamente aí que entram EIDER e SOOTS. Mas perceba que, embora as palavras inicial e final tenham uma vogal na posição 4, algumas das palavras intermediárias não têm. Às vezes temos que tomar um desvio para chegar aonde queremos.

Desde que sejamos pouco estritos quanto ao que constitui uma vogal, toda palavra em inglês contém ao menos uma. As vogais típicas são AEIOU, claro. Mas o Y em SPRY age como uma vogal, e o Y muitas vezes é incluído na lista de vogais. O mesmo vale para o W na palavra galesa CWM (que entra na rede de palavras de quatro letras se usarmos o plural CWMS). Se definirmos as vogais dessa maneira, ou se excluirmos as palavras sem vogais, o teorema ship-dock é válido. Este teorema afirma que, ao passarmos de SHIP a DOCK, alguma palavra intermediária deve conter duas vogais.

Por quê? Em cada etapa só é possível trocar no máximo uma vogal, e se a vogal não for trocada, permanecerá na mesma posição. Se a contagem de vogais sempre for igual a 1, a vogal de SHIP teria que ficar na terceira posição – mas a vogal de DOCK fica na segunda posição. Portanto, a contagem de vogais deve mudar. Vejamos a primeira palavra em que a contagem se altera. A contagem começa em 1 e se altera em 1, o que leva a 2 ou 0. Mas a possibilidade 0 foi descartada por nossa convenção sobre o que constitui uma vogal ou uma palavra permitida, portanto a próxima palavra deverá ter 2 vogais. O mesmo teorema é válido para palavras de qualquer extensão. Se a palavra inicial tiver uma vogal no lugar em que a palavra final tem uma consoante, ou vice-versa, em algum ponto iremos encontrar duas ou mais vogais. Por que mais? Por causa de exemplos como ARISE-AROSE, em que as palavras inicial e final têm mais de duas vogais.

O teorema da bola cabeluda

Sim, uma bola cabeluda pode ser penteada de modo a ficar lisa em todos os pontos exceto um. A ideia é aproximar os dois redemoinhos da figura até que eles coincidam.

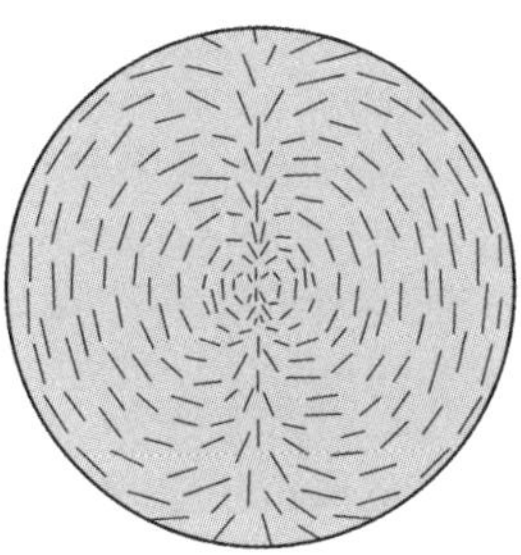

Junte os dois tufos num polo.

Vira-vira de xícaras

Jogo das xícaras 1

Este aqui é impossível, e a prova novamente se encontra na paridade. Começamos com um número par de xícaras viradas para cima (0) e terminamos com um número ímpar (11). Mas estamos invertendo um número par de xícaras de cada vez, e isso implica que a paridade não pode mudar.

Jogo das xícaras 2

Desta vez existe uma solução, e a mais curta utiliza quatro jogadas.

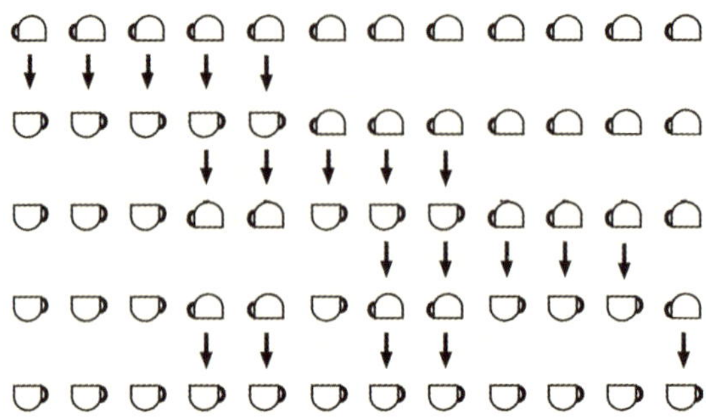

Como inverter 12 xícaras, 5 de cada vez.

Existe uma versão geral usando n xícaras, de início todas viradas para baixo, onde cada jogada inverte precisamente m xícaras. A paridade descarta qualquer solução em que n seja ímpar e m seja par. Em todos os outros casos existem soluções. Man-Keung Siu e eu provamos que a solução mais curta depende de m e n de uma maneira surpreendentemente complicada, e existem seis casos diferentes. Só para constar, as respostas são:

n par, m par, $2m \leq n$:	$\lceil n/m \rceil$
n par, m par, $2m > n$:	1 se $m = n$, 3 se $m < n$
n par, m ímpar, $2m \leq n$:	$2\lceil n/2m \rceil$
n par, m ímpar, $2m > n$:	$2\lceil n/2(n-m) \rceil$
n ímpar, m ímpar, $2m \leq n$:	$2\lceil (n-m)/2m \rceil + 1$
n ímpar, m ímpar, $2m > n$:	1 se $m = n$, 3 se $m < n$

Onde $\lceil x \rceil$ é a *função teto*: o menor número inteiro maior ou igual a x.

Códigos secretos

Frequências típicas do uso das letras em português:

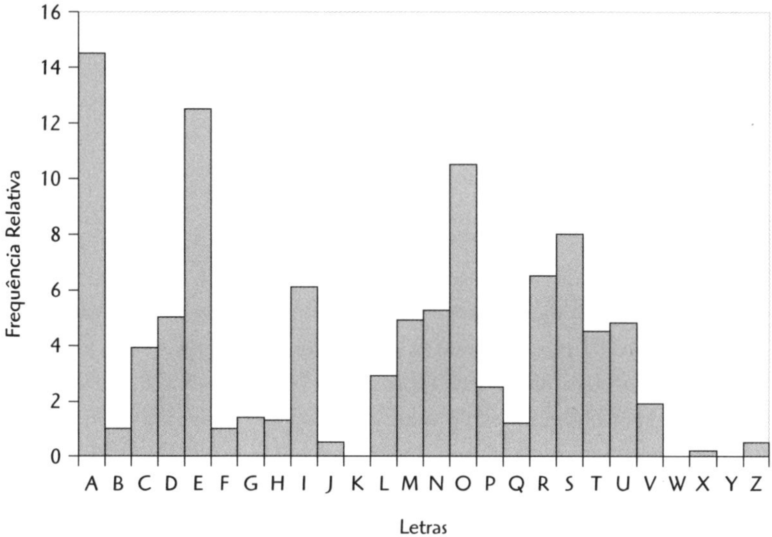

Códigos secretos revelados ao público

O procedimento geral do sistema de criptografia RSA é o seguinte:

- Escolha, e não mude mais de ideia, dois números primos p e q. Eles devem ser realmente grandes, com 100 ou até 200 algarismos cada. Encontre o produto pq.
- Escolha um número inteiro c (de codificação) entre 1 e $(p - 1)(q - 1)$ que não seja múltiplo de p nem q.

Agora Alice, que está enviando a mensagem N para Bob, faz o seguinte:

- Codifica a mensagem N como N^c (mod pq).
- Transmite a mensagem.

Neste ponto, nem Alice sabe como decodificar a mensagem. Ela sabe o que enviou, claro. Graças a Euler, e a alguns cálculos preliminares feitos quando o código foi montado, Bob conhece um fato crucial que Alice não conhece:

- Existe um único número inteiro d (de decodificação) na mesma faixa, para o qual

$$dc \equiv 1(\text{mod}(p - 1)(q - 1))$$

e Bob sabe o valor de d. Agora ele pode decodificar a mensagem de Alice N^c (mod pq) elevando-a à potência d:

- Forme $(N^c)^d$ (mod pq)

O teorema de Euler nos diz que

$$(N^c)^d \equiv N^{cd} \equiv N(\text{mod } pq)$$

portanto Bob recuperou a mensagem N.

Em termos práticos, é relativamente fácil escolher p e q, calcular pq e dizer a Alice o valor de pq – além do valor da potência codificante c. Entretanto, se todos esquecessem os valores de p e q, seria impossível calculá-los novamente! Assim, com os grandes números primos utilizados, Alice não tem como deduzi-los a partir de seu produto. O mesmo vale para qualquer outra pessoa que não conheça a informação secreta que Bob detém.

• • Calendário mágico

x	x+1	x+2
x+7	x+8	x+9
x+14	x+15	x+16

Os números sempre têm este padrão.

Se o menor número é x, então os números no quadrado de 3 × 3 são x, $x + 1$, $x + 2$, $x + 7$, $x + 8$, $x + 9$, $x + 14$, $x + 15$, $x + 16$. A soma destes números é $9x + 72 = 9(x + 8)$. O voluntário diz a Whodunni o valor de x. Assim, tudo o que Whodunni tem de fazer é somar 8 e então multiplicar por 9. Uma maneira rápida de multiplicar um número por 9 é colocar um zero no final e então subtrair o número.

Quando o número escolhido é 11, Whodunni soma 8, obtendo 19 e então calcula 190 – 19 = 171.

A regra do onze

O maior número é 9.876.524.130. O menor é 1.024.375.869 (lembre-se de não começar com 0).

Como encontramos esses números? Tendo o teste em mente, devemos dividir os algarismos de 0 a 9 em dois conjuntos diferentes de cinco, de modo que a diferença das somas desses dois conjuntos seja um múltiplo de 11. De fato, podemos provar que a diferença deve ser 11 ou −11, da seguinte maneira. Sejam as somas em questão a e b. Então $a - b$ é algum múltiplo de 11. Mas $a + b$ é a soma de todos os algarismos de 0 a 9, que é 45. Agora $a - b = (a + b) - 2b = 45 - 2b$. Como 45 é ímpar e $2b$ é par, $a - b$ tem de ser ímpar. Portanto poderá ser qualquer um dos números 11, 33, 55, ... ou seus negativos −11, −33, −55,... . Entretanto, tanto a como b se encontram entre $0 + 1 + 2 + 3 + 4 = 10$ e $9 + 8 + 7 + 6 + 5 = 35$. Portanto sua diferença se encontra entre −25 e 25. Isso reduz as possibilidades para 11 e −11.

Agora podemos resolver as equações $a - b = 11$, $a + b = 45$ (ou $a - b = -11$, $a + b = 45$) para a e b. O resultado é que $a = 28$, $b = 17$ ou $a = 17$, $b = 28$. Falta ainda encontrarmos todas as maneiras possíveis de escrever 17 como uma soma de cinco algarismos diferentes. Podemos fazer uma pesquisa sistemática, tendo em mente que os algarismos em questão não podem ser muito grandes. Por exemplo, $2 + 3 + 4 + 5 + 6 = 20$ já é grande demais, portanto o menor algarismo deve ser 0 ou 1, e assim por diante. O resultado é que um dos conjuntos de cinco algarismos deve ser um destes:

01259, 01268, 01349, 01358, 01367, 01457,
02348, 02357, 02456, 12347, 12356

O outro conjunto de cinco algarismos deve ser formado pelos algarismos restantes, isto é:

34678, 34579, 25678, 24679, 24589, 23689
15679, 14689, 13789, 05689, 04789

respectivamente.

Para encontrar o maior múltiplo de 11 usando todos os dez algarismos, devemos intercalar os dois conjuntos, fazendo com que todos os algarismos sejam os maiores possíveis começando do lado esquerdo. Podemos começar com **9**8**7**6**5** usando os pares 34**579** e 01268 (e apenas esses). Usei números em negrito e sublinhados para mostrar quais algarismos vêm de quais conjuntos. Continuamos usando as maiores possibilidades disponíveis (o chamado *algoritmo guloso*) e obtemos **9**8**7**6**5**2**4**1**3**0.

O menor número é um pouco mais difícil de encontrar. Não podemos começar com o 0, portanto 1 será a nossa melhor aposta. Este número deve ser seguido por 0, se possível, e depois 2, 3 e assim por diante. Se tentarmos começar com **10234** ficamos presos, porque o único conjunto listado que contém 1, 2 e 4 é 12347, mas este conjunto também contém o 3, que deveria estar no outro conjunto. De fato, começar com **1023** não funciona, pois qualquer coisa que contenha 12 também irá conter 0 ou 3, mas estes números devem estar no outro conjunto. Portanto, a menor possibilidade seguinte é começar com **1024**, e o menor de todos começaria com **10243**. Isso obriga um conjunto a ser 12356 e o outro a ser 04789. Intercalando estes algarismos na ordem, obtemos 1024375869 como a menor possibilidade.

O menor múltiplo de 11 em que a diferença $a - b$ não seja zero é 209. Se você experimentar os primeiros múltiplos de 11, como 11, 22, 33 e assim por diante, $a - b$ obviamente será 0 até no mínimo 99, pois $a = b$. O múltiplo seguinte, 110, também tem $a = b$, portanto o mesmo vale para 121, 132, 143, 154, 165, 176, 187, 198. Mas 209 tem $a = 11$, $b = 0$, portanto este é o menor caso.

Multiplicação de algarismos

2	1	9		2	7	3		3	2	7
4	3	8		5	4	6		6	5	4
6	5	7		8	1	9		9	8	1

Conhecimentos comuns

Se tivermos três monges, todos eles com manchas na cabeça, o raciocínio será o seguinte.

Agostinho pensa: "Se *eu* não estiver manchado, então Benedito verá uma mancha em Cirilo, mas não em mim. Portanto, irá se perguntar se *ele* está manchado." E então pensará o seguinte: "Se eu, Benedito, não estiver manchado, Cirilo verá que nem Agostinho nem eu estamos manchados, por isso deduzirá rapidamente que *ele* está manchado. Mas Cirilo, que é um excelente lógico, ainda não está envergonhado. Portanto, eu devo estar manchado."

Agora Agostinho pensa: "Como Benedito também é um excelente lógico e teve bastante tempo para pensar nisso, mas ainda assim não está envergonhado, então eu, Agostinho, devo estar manchado." Nesse ponto, Agostinho fica vermelho – assim como Benedito e Cirilo, que seguiram linhas de raciocínio semelhantes.

Agora suponha, por exemplo, que só temos dois monges, dos quais apenas Benedito está manchado. Quando o abade faz seu anúncio, Benedito vê que Agostinho não está manchado, deduz que ele deve estar manchado e, ao primeiro toque da campainha, levanta a mão. Agostinho não o faz, pois nesse ponto, ele ainda não tem certeza se está manchado ou não.

A seguir, pense em três monges; suponha que Benedito e Cirilo estão manchados, mas Agostinho não está.

Benedito vê apenas uma mancha, na cabeça de Cirilo. Ele raciocina que se ele, Benedito, não estiver manchado, então Cirilo não verá nenhuma mancha. Portanto, Cirilo irá levantar a mão após o primeiro toque. Mas Cirilo não o faz (logo veremos por quê), portanto Benedito sabe agora que deve estar manchado. Por isso levanta a mão no segundo toque.

Cirilo está numa posição idêntica à de Benedito, pois ele também vê apenas uma mancha, em Benedito. Por isso, não levanta a mão depois do primeiro toque, mas a levanta no segundo.

Agostinho está numa posição bastante diferente. Ele vê duas manchas, uma em Benedito e uma em Cirilo, e se pergunta se ele, Agostinho, também está manchado. Se estiver, todos os três estarão manchados, e ele sabe, a partir da versão anterior do problema, que todos irão esperar até o terceiro toque e então levantarão as mãos. Por isso ele não levanta a mão, e nem poderia, nos toques 1 e 2. Então os outros dois levantam as mãos: nesse momento, ele sabe que não está manchado.

Novamente, podemos encontrar uma prova completa por indução, pensando no caso geral com n monges, dos quais m estão manchados. Vou poupar você dos detalhes.

• • O problema da cebola em conserva

Havia 31 cebolas em conserva.

Suponha que existam a cebolas em conserva no início, b depois que o primeiro viajante terminou de comer, c depois que o segundo viajante terminou de comer e d depois que o terceiro viajante terminou de comer. Então,

$$b = 2(a - 1)/3, \; c = 2(b - 2)/3, \; d = 2(c - 3)/3$$

que podemos reescrever como

$$a = 3b/2 + 1, \; b = 3c/2 + 2, \; c = 3d/2 + 3$$

sabemos que $d = 6$. Fazendo o caminho inverso, $c = 12$, $b = 20$, $a = 31$.

Adivinhe a carta

Em cada etapa, quando Whodunni pega as cartas, ele se assegura de que o monte escolhido seja colocado entre os outros dois. Graças a isso, a carta escolhida se dirige progressivamente para o meio da pilha de cartas. Assim, na última jogada, a carta escolhida estará exatamente no meio da pilha escolhida.

E agora com um baralho completo

A primeira parte do truque é equivalente a perguntarmos em qual coluna a carta escolhida está na segunda jogada. Conhecendo a coluna, e depois de lhe dizerem a fileira, Whodunni consegue identificar a carta com facilidade.

Esse truque é meio claro, mas pode ser camuflado para se tornar menos óbvio. Talvez seja melhor realizá-lo com 30 cartas, distribuídas primeiro em 6 fileiras de 5 e depois em 5 fileiras de 6. Ele funciona com ab cartas distribuídas em a fileiras de b e depois em b fileiras de a, para quaisquer números inteiros a e b.

Retangulando o quadrado

Eu conheço ao menos duas soluções diferentes, sem contar rotações ou reflexões. A primeira foi encontrada por M. den Hertog, a segunda por Bertie Smith. Na primeira, os retângulos têm lados 1×6, 2×10, 3×9, 4×7 e 5×8. Na segunda, os lados são 1×9, 2×8, 3×6, 4×7 e 5×10.

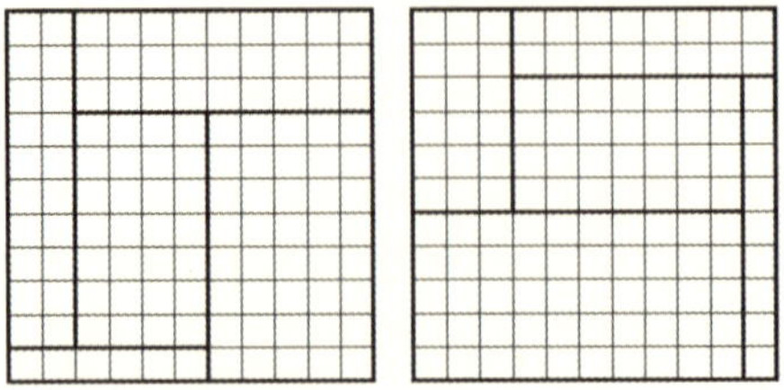

Soluções encontradas por Den Hertog e Smith.

O X marca o lugar

Do Ponto da Desesperança: 113. Da baía do Bucaneiro: 99. Da colina do Alfanje: 85.

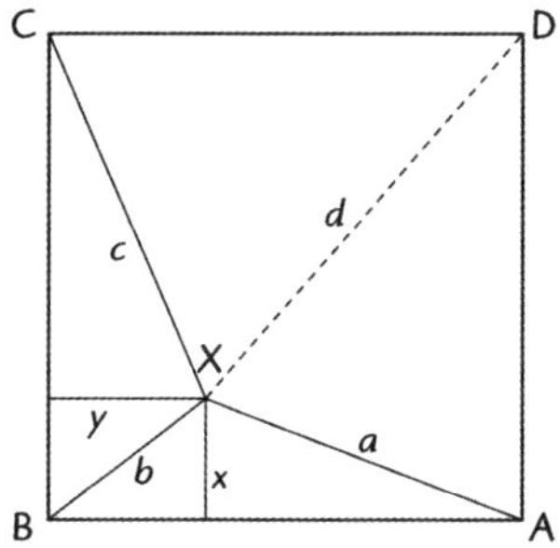

Distâncias do mapa de Barba-Ruiva.

A figura mostra as três distâncias necessárias: a, b, c. Destas, conhecemos $b = 99$. Seja $s = 140$ o lado do quadrado. Considere dois outros comprimentos x e y conforme ilustrados. Então, o teorema de Pitágoras nos diz que

$$a^2 = x^2 + (s - y)^2 = x^2 + s^2 - 2sy + y^2$$
$$c^2 = y^2 + (s - x)^2 = y^2 + s^2 - 2sx + x^2$$
$$b^2 = x^2 + y^2$$

O primeiro passo é nos livrarmos de x e y. Subtraia a terceira equação da primeira e da segunda, obtendo

$$2sy = s^2 + b^2 - a^2$$
$$2sx = s^2 + b^2 - c^2$$

Portanto,

$$(s^2 + b^2 - a^2)^2 + (s^2 + b^2 - c^2)^2 = 4s^2 (x^2 + y^2) = 4s^2b^2$$

Esta é a relação fundamental entre a, b, c e s.
Substitua os valores conhecidos $s = 140$ e $b = 99$, ficando com

$$(29.401 - a^2)^2 + (29.401 - c^2)^2 = 27.720^2 = (2^3 \times 3^2 \times 5 \times 7 \times 11)^2$$

Agora, a pista nos diz que $29.401 - a^2$ e $29.401 - c^2$ são ambos múltiplos de 7. (A afirmação correspondente é falsa para os fatores 2 e 5, mas verdadeira para 3 e 11.) Considerando o fator 7 (um truque semelhante funciona para 3 e 11), observamos que

$$29.401 = 4.200 \times 7 + 1$$

Portanto $1 - a^2$ e $1 - c^2$ são ambos múltiplos de 7. Isto é, a^2 e c^2 têm a forma $7k + 1$ ou $7k - 1$, para números inteiros k adequados.

Agora é questão de testarmos os valores possíveis de a, checando inicialmente se

$$23.800^2 - (29.401 - a^2)^2$$

é um quadrado perfeito e, em caso afirmativo, se o c correspondente é um número inteiro. A questão sobre os múltiplos de 7 reduz o trabalho, pois os únicos valores de a que precisamos checar são

$$1, \quad 6, \quad 8, \quad 13, \quad 15, \quad 20, \quad 22$$

e assim por diante. Podemos parar quando c ficar menor que a, pois, nesse caso, estaremos testando os mesmos cálculos, apenas trocando a e c.

Para o caso $7k + 1$ encontramos $a = 85$, $c = 113$ quando $k = 12$; também existe a solução $a = 113$, $c = 85$, trocando a e c quando $k = 16$. Não existe solução para o caso $7k - 1$.

Como as instruções no verso do mapa dizem que a pedra mais próxima é C, queremos que $c < a$, portanto $a = 113$ e $c = 85$.

Essa é uma das maneiras de chegarmos à resposta, mas a questão matemática é mais profunda.

Este problema é um caso especial do problema das quatro distâncias: será que existe um quadrado cujo lado seja um número inteiro, e um ponto cujas distâncias, a partir dos quatro ângulos do quadrado, sejam todas números inteiros? Ninguém sabe a resposta. Por muito tempo, ninguém sabia sequer se três dessas distâncias podiam ser números inteiros.

Já derivamos uma relação entre s, a, b e c:

$$(s^2 + b^2 - a^2)^2 + (s^2 + b^2 - c^2)^2 = (2bs)^2$$

A quarta distância d (ilustrada por uma linha pontilhada na minha figura) deve satisfazer

$$a^2 + c^2 = b^2 + d^2$$

J.A.H. Hunter descobriu uma fórmula que gera algumas (mas não todas) soluções para a primeira equação:

$$a = m^2 - 2mn + 2n^2$$
$$b = m^2 + 2n^2$$
$$c = m^2 + 2mn + 2n^2$$
$$s^2 = 2m^2 (m^2 + 4n^2)$$

e observou que s é um número inteiro desde que consideremos

$$m = 2(u^2 + 2uv - v^2)$$
$$n = u^2 - 2uv - v^2$$

para números inteiros u e v.

A escolha $u = 2$, $v = 1$ leva a $s = 280$, $a = 170$, $b = 198$, $c = 226$ e podemos remover o fator 2 para obter $s = 140$, $a = 85$, $b = 99$, $c = 113$. Neste caso, o quarto lado é $d = \sqrt{10193}$ que não é um número inteiro, nem sequer racional. De fato, sabemos que, na fórmula de Hunter, a quarta distância d nunca pode ser racional, portanto essa fórmula por si só não resolve o problema das quatro distâncias. Entretanto, existem soluções para o problema das três distâncias que não surgem da fórmula de Hunter.

Esse problema atormentador tem conexões profundas com as superfícies de Kummer na geometria algébrica: veja Richard K. Guy, *Unsolved Problems in Number Theory*.

O que vem a ser a antimatéria?

A equação de Dirac para o elétron é a seguinte:

$$\left\{p_0 + \frac{e}{c}A_0 - \rho_1\left(\boldsymbol{\sigma}, \mathbf{p} + \frac{e}{c}\mathbf{A}\right) - \rho_3 mc\right\}\psi = 0$$

onde

ψ é a função de onda quântica do elétron
A_0 é o potencial escalar do campo eletromagnético
$\mathbf{A}$ é o potencial vetorial do campo eletromagnético
$\boldsymbol{\rho} = (\rho_0, \rho_1, \rho_2, \rho_3)$ é o momento vetorial do elétron
$\boldsymbol{\sigma} = (\sigma_1, \sigma_2, \sigma_3)$ é uma lista de três matrizes de 4×4 do spin
$\mathbf{r} = (r_1, r_2, r_3)$ é uma lista de três matrizes de 4×4 que se anticomutam com $\sigma_1, \sigma_2, \sigma_3$
e é a carga do elétron
m é a massa do elétron
c é a velocidade da luz

Captou? Resolvi incluir a equação apenas para mostrar que ela não é nem um pouco óbvia, e porque senti que estaria trapaceando se a deixasse de fora. Todo mundo escreve $E = mc^2$, até Stephen Hawking,* e é feio discriminar fórmulas com base em sua complexidade. Dirac passa quase quatro páginas de *Os*

* Em *Uma breve história do tempo*, onde ele menciona os conselhos de sua editora, segundo a qual cada fórmula reduz as vendas do livro pela metade. Portanto, ele poderia ter vendido *o dobro* de livros. Incrível.

princípios da mecânica quântica explicando como ele a derivou, e a maioria das 250 páginas anteriores expondo as ideias relacionadas a ela.

• • A Torre de Pizza

Com cinco caixas, o sobressalente máximo é 1,30455. Com seis caixas, é 1,4367. As pilhas ficam assim:

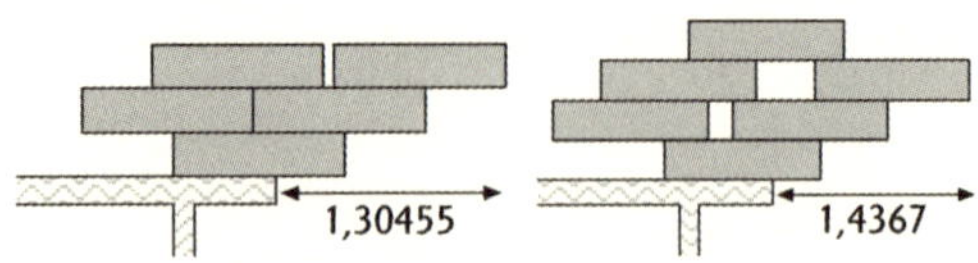

Sobressalentes máximos com cinco e seis caixas.

O artigo de Paterson e Zwick é "Overhang", *American Mathematical Monthly*, vol.116, jan 2009, p.19-44.

• • A Trattoria do Pizzágoras

As áreas das três pizzas são (mini) 9π, (midi) 16π, e (máxi) 25π, portanto a maxipizza tem uma área igual à soma das outras duas. Se a maxipizza for dividida ao meio, Alvin e Brenda poderão pegar um pedaço cada um ($^{25\pi}/_2$). Isso deixa as duas outras pizzas para serem dividas entre Casimir e Desdêmona. Isso pode ser feito retirando-se $^{7\pi}/_2$ da midipizza e dando esse pedaço mais a minipizza a Casimir ($9\pi + {}^{7\pi}/_2 = {}^{25\pi}/_2$). Desdêmona pega o pedaço maior da midipizza ($16\pi - {}^{7\pi}/_2 = {}^{25\pi}/_2$).

Existem muitas maneiras de dividirmos a midipizza. A maneira tradicional consiste em colocá-la sobre o centro da midipizza, fazer um traço ao redor da metade de sua circunferência e, então, unir as extremidades à borda da midipizza. Mas podemos cortar qualquer forma com área $^{7\pi}/_2$. E o corte que divide a maxipizza ao meio não precisa ser um diâmetro – pode ser curvo.

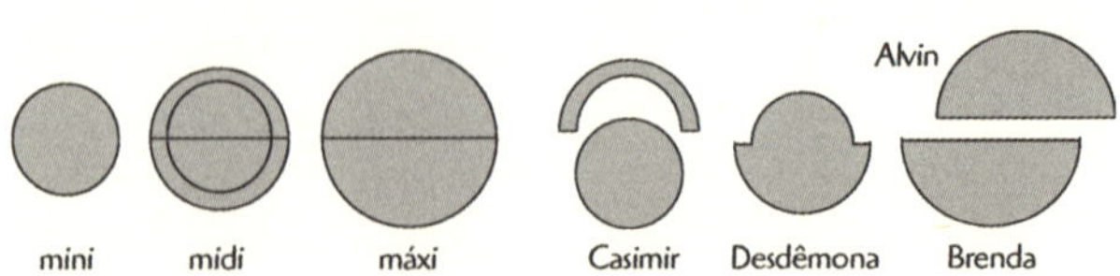

Corte as três pizzas como é mostrado à esquerda, e divida-as como à direita.

Moldura de ouros

Existem dez respostas essencialmente distintas, nas quais, por exemplo, trocar o ás pelo sete do lado direito não conta como uma resposta diferente, pois trata-se de uma simples transformação que obviamente gera a mesma soma. Existem duas respostas com soma 18, quatro com soma 19, duas com soma 20 e duas com soma 22. Eis aqui uma delas.

Uma das dez respostas: todas as somas dão 18.

Ordem de despejo

Você poderá resolver esse problema por tentativa e erro, ou então listando todos os estados e despejos possíveis, encontrando então um caminho que vá do estado inicial ao estado final desejado. Eis aqui uma solução, que utiliza 9 despejos (dois deles estão combinados na segunda figura). Existe uma solução mais curta, que vou derivar num instante.

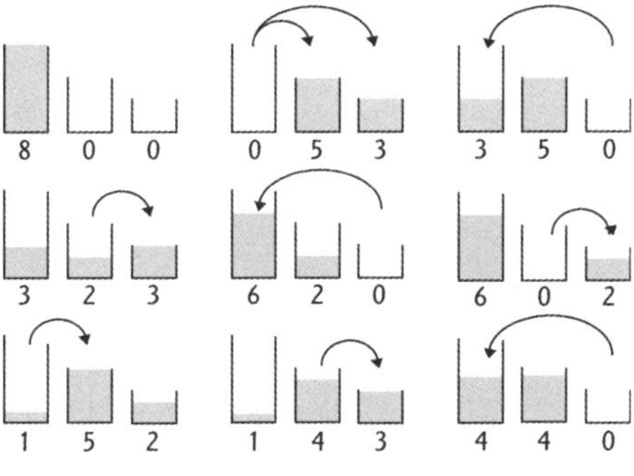

Uma forma de dividir a água.

No entanto, existe um método mais sistemático, que parece ter sido publicado pela primeira vez por M.C.K. Tweedie em 1939. Ele utiliza uma grade de triângulos equiláteros, que os engenheiros chamam de papel isométrico e os matemáticos chamam de coordenadas trilineares.

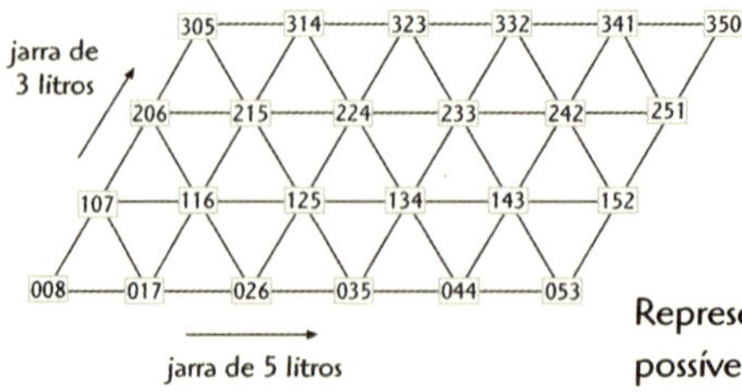

Representando os estados possíveis das jarras.

Nesse caso, os três números em cada caixa indicam o volume contido em cada jarra, em ordem (jarra de 3 litros, jarra de 5 litros, jarra de 8 litros). Assim, por exemplo, 251 significa que a jarra de 3 litros contém 2 litros, a jarra de 5 litros contém 5 litros e a jarra de 8 litros contém 1 litro. Se você observar o primeiro número, a linha de baixo da minha figura sempre começa em 0, a linha acima começa em 1, e assim por diante. Da mesma forma, o segundo número é igual a 0, 1, 2, 3, ... da esquerda para a direita em cada fileira. Assim, as duas setas da figura são "eixos de coordenadas" para a quantidade contida na jarra de 3 litros e na jarra de 5 litros.

E quanto à jarra de 8 litros? Como o volume total de água é sempre igual a 8 litros, o terceiro número sempre é determinado pelos dois primeiros. Basta somá-los e subtrair o resultado de 8. Mas temos um belo padrão aqui. Graças à geometria do papel isométrico, o terceiro número é constante ao longo das linhas que se inclinam para cima e para a esquerda – isto é, o terceiro sistema de linhas na figura. Por exemplo, observe a linha que passa por 035, 125, 215, 305.

Se representarmos os possíveis "estados" das jarras – quanto cada jarra contém – desta maneira, então todos os despejos possíveis de qualquer estado para qualquer outro assumem uma forma geométrica simples, como vou explicar.

Em primeiro lugar, observe que os estados nos quais alguma jarra está inteiramente cheia ou vazia – que são os estados permitidos pelos despejos – são precisamente os que se encontram nas bordas da figura.

Os despejos possíveis, começando em algum estado (necessariamente na borda), correspondem a caminharmos ao longo de uma linha até chegarmos à borda seguinte. Se começarmos num canto e nos movermos ao longo da borda (por exemplo, de 008 a 053), não podemos parar em algum ponto do caminho – temos de seguir até o canto seguinte.

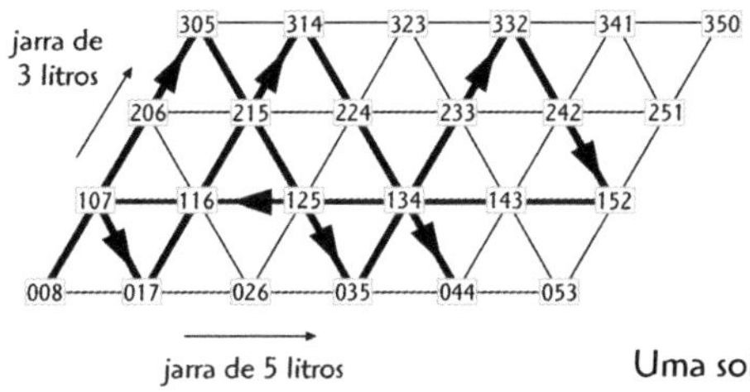

Uma solução.

Portanto, podemos resolver o problema começando em 008 (canto inferior esquerdo) e correndo pelo paralelogramo como uma bola de sinuca. A seta mostra o que acontece: passamos pelos estados

008, 305, 035, 332, 152, 107, 017, 314, 044

e vemos que este é o estado final que desejamos, por isso paramos.

Esta é exatamente a solução mostrada acima. Mas existe *outra*:

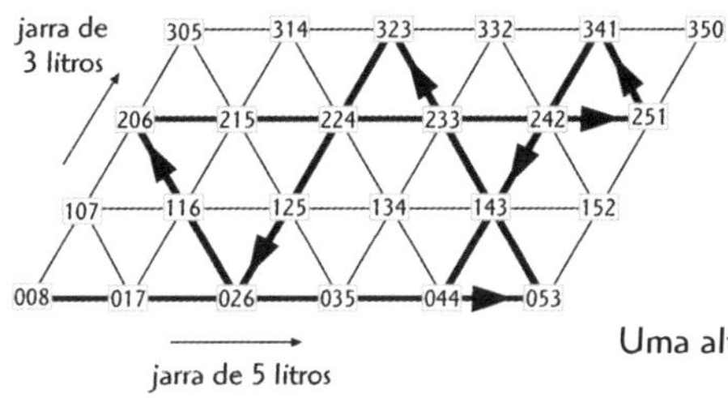

Uma alternativa.

Agora, a sequência é

008, 053, 323, 026, 206, 251, 341, 044

que utiliza 7 despejos em vez de 9. Você talvez tenha encontrado essa solução.

• • Meali Mente e os avatares sagrados

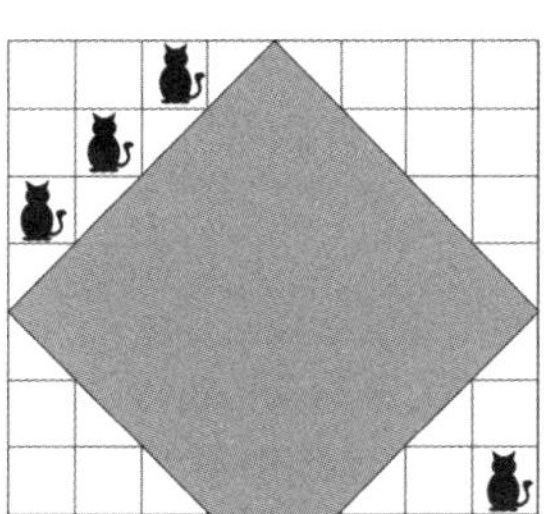

Como abrir espaço para o maior colchão.

Lembre-se, os avatares "vigiam" todas as outras almofadas, caso contrário, o colchão poderia ser maior.

• • Tiro ao alvo

Tuck acertou o anel mais externo (cinza claro), enquanto Robin acertou os três anéis internos (cinza escuro).

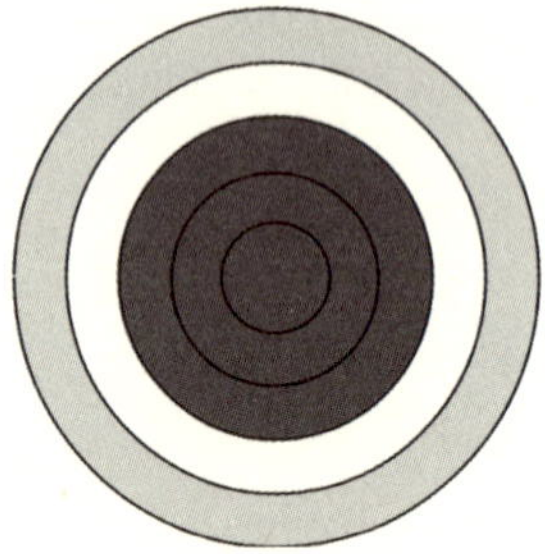

Os anéis acertados por Robin e Tuck.

As áreas dos círculos sucessivos são πr^2, onde $r = 1, 2, 3, 4, 5$, respectivamente:

$\pi, \quad 4\pi, \quad 9\pi, \quad 16\pi, \quad 25\pi$

As áreas dos anéis são as diferenças entre estas áreas:

$\pi, \quad 3\pi, \quad 5\pi, \quad 7\pi, \quad 9\pi$

Essas áreas são π multiplicado por números inteiros ímpares consecutivos. Os números de Robin são menores ou iguais aos de Tuck, pois as flechas de Robin estão mais próximas do centro. Os dois conjuntos de números inteiros ímpares devem gerar a mesma soma. A única possibilidade é $1 + 3 + 5 = 9$.

Ponto extra: seis anéis. O sexto anel tem área 11π, portanto $1 + 3 + 7 = 11$ é uma segunda solução.

Mais um ponto extra: oito anéis. Os números ímpares de Robin devem ser consecutivos, assim como os de Tuck. Os próximos dois anéis têm áreas 13π, 15π, e $3 + 5 + 7 = 15$ é uma segunda solução com números ímpares consecutivos.

• • É só uma fase que estou passando

AC é exatamente igual a ½AB. Os momentos em que esses crescentes aparecem são ⅙ e ⅚ ao longo do ciclo lunar, começando na Lua nova. (E não ¼ e ¾!)

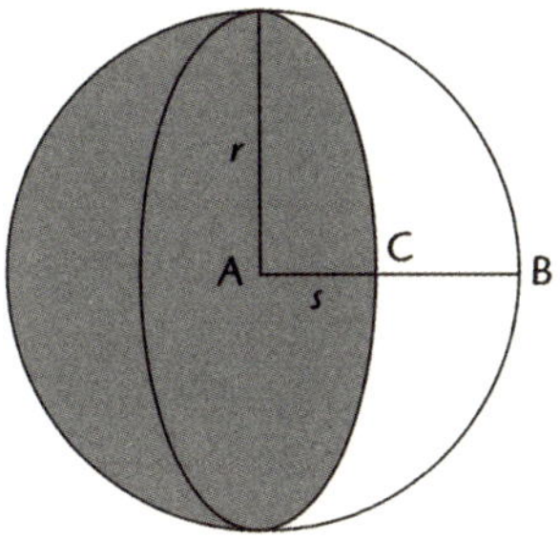

Quando a área do minguante é igual a um quarto da área do disco.

A borda interior do minguante é a metade de uma elipse (*Almanaque das curiosidades matemáticas,* p.240). A elipse completa é mostrada na figura. O minguante branco tem ¼ da área do círculo quando a elipse tem ½ da área do círculo. Seja AB = *r*, AC = *s*. A área do círculo é πr^2. A área da elipse é πab, onde *a* e *b* são "semieixos" – a metade das distâncias nas direções mais comprida e mais estreita. Neste caso, $a = r$ e $b = s$. Portanto, queremos $\pi rs = \frac{1}{2}\pi r^2$, portanto $s = \frac{1}{2}r$.

Para descobrirmos o momento em que estes minguantes ocorrem, temos que ver a Lua "de cima". O centro da Terra se encontra em E; sua órbita é mostrada como o círculo maior, mas não em escala. A luz do Sol S ilumina a metade da Lua, deixando a outra metade escura (mostrada aqui em cinza). A Lua nova ocorre quando o centro da Lua está no ponto O.

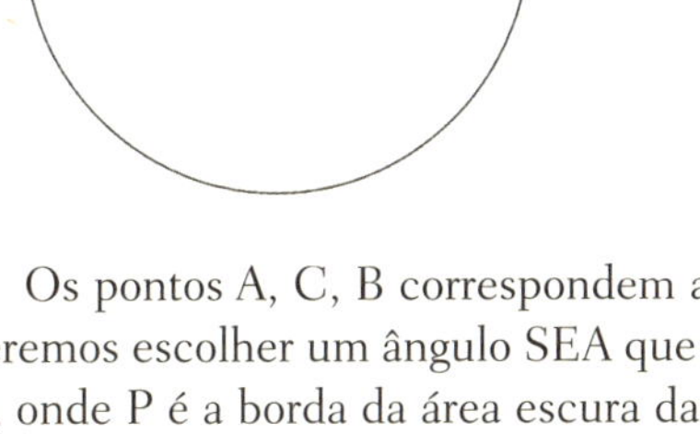

Geometria da órbita lunar.

Os pontos A, C, B correspondem aos que estão ilustrados na pergunta, e queremos escolher um ângulo SEA que faça com que C seja o ponto médio de AB, onde P é a borda da área escura da Lua e FPC é paralelo a EA (o pressuposto da projeção paralela). Então BP = AP (pois o triângulo APB é isósceles), mas AP = AB pois ambos são raios da Lua. Portanto o triângulo APB, na verdade, é equilátero, então o ângulo PAB = 60°. Portanto o ângulo PAE = 30° e o ângulo SEA = 60°, um sexto de um círculo inteiro. A Lua, portanto, se encontra a ⅙ de um ciclo a partir da Lua nova.

Existe uma posição correspondente em ⅚ do ciclo, obtida pela reflexão da figura sobre a reta ES.

Como Dudeney cozinhou Loyd

- O problema apresentado no livro infantil parece impossível em virtude da paridade (par/ímpar). Todos os números são ímpares, e a soma de seis números ímpares precisa ser par, e não 21. A resposta de Gardner consistiu em cozinhar seu próprio problema, virando a página de cabeça para baixo e marcando os três 6 e os três 1 que aparecem então. Entretanto, um leitor, Howard Wilkerson, circulou todos os 3, um dos 1 e, a seguir, fez um grande círculo ao redor dos outros dois 1 (ou seja, 11). Na minha opinião, esta é uma forma mais elegante de cozinhar o problema.
- A construção de Loyd leva a um retângulo que, embora seja quase quadrado, tem lados de tamanhos diferentes. Se a mitra for feita com um quadrado de lado 1, o que lhe dá uma área de ¾, o "quadrado" de Loyd mede $\frac{6}{7}$ na horizontal por ⅞ na vertical.
- A solução de Dudeney com cinco peças, que é exata se os comprimentos forem escolhidos corretamente, tem este aspecto:

A solução de Dudeney.

Ninguém conhece uma dissecção da mitra em quatro peças para formar um quadrado, e ela provavelmente não existe, mas sua existência ainda não foi descartada.

Cozinhando com água

O que eu *realmente* deveria ter dito, para ser supercauteloso, era que "não é permitido passar *canos* através de uma casa ou de uma companhia". Como David Uphill comentou, existe uma maneira de resolver o problema se as palavras forem interpretadas literalmente, mesmo que não seja permitido passar tubos através das casas. Eu modifiquei ligeiramente a sugestão dele para que se adequasse melhor à minha pergunta. Ela utiliza dois grandes tanques de água para passar os canos de água através de duas das casas. Os tubos jamais *entram* nas casas, muito menos as atravessam.

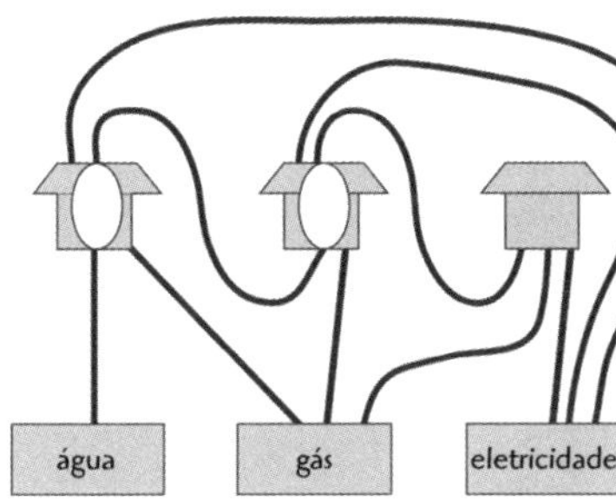

Como cozinhar o problema.

Hmm... Se você achar que esses tanques parecem grandes tubos, apenas com outro nome, o que foi a minha primeira reação, então a arrumação não cumpre as condições. É por isso que eu a considero uma forma de cozinhar o problema. Mas é uma forma bastante engenhosa, que merece ser mais conhecida.

Curiosidade na calculadora 2

Quando multiplicamos 0588235294117647 por 2, 3, 4, 5, ..., 16, encontramos a mesma sequência de algarismos, na mesma ordem cíclica. Isto é, temos de começar num lugar diferente, e quando chegamos ao final, continuamos do começo. Especificamente,

0588235294117647 × 2 = 1176470588235294
0588235294117647 × 3 = 1764705882352941
0588235294117647 × 4 = 2352941176470588
0588235294117647 × 5 = 2941176470588235
0588235294117647 × 6 = 3529411764705882
0588235294117647 × 7 = 4117647058823529
0588235294117647 × 8 = 4705882352941176

0588235294117647 × 9 = 5294117647058823
0588235294117647 × 10 = 5882352941176470
0588235294117647 × 11 = 6470588235294117
0588235294117647 × 12 = 7058823529411764
0588235294117647 × 13 = 7647058823529411
0588235294117647 × 14 = 8235294117647058
0588235294117647 × 15 = 8823529411764705
0588235294117647 × 16 = 9411764705882352

Da minha segunda pergunta:

0588235294117647 × 17 = 9999999999999999

A origem deste número notável é a expansão decimal da fração $1/17$, que é

0,0588235294117647 0588235294117647
0588235294117647...

repetindo-se indefinidamente.

O que é maior?

Fazendo os cálculos diretos, $e^{\pi} = 23{,}1407$, enquanto $\pi^{e} = 22{,}4592$. Portanto $e^{\pi} > \pi^{e}$.

Na verdade, existe um resultado mais geral: $e^{x} \geq x^{e}$ para qualquer número $x \geq 0$, e a igualdade se mantém se e somente se $x = e$. Portanto, não apenas $e^{\pi} > \pi^{e}$, mas $e^{2} > 2^{e}$, $e^{3} > 3^{e}$, $e^{4} > 4^{e}$, $e^{\sqrt{2}} > (\sqrt{2})^{e}$, e efetivamente $e^{999} > 999^{e}$. A prova mais simples utiliza o cálculo, e aqui está ela para quem quiser conhecer os detalhes. A prova também ajuda a explicar por que e^{π} e π^{e} têm valores tão próximos.

Seja $y = x^{e}e^{-x}$, onde $x \geq 0$. Encontramos os pontos estacionários (máximo, mínimo etc.) definindo $dy/dx = 0$. Agora

$$\frac{dy}{dx} = (ex^{e-1} - x^{e})e^{-x}$$

que é zero em $x = 0$ e $x = e$, e em nenhum outro ponto. O valor de y em $x = 0$ é $y = 0$, que é claramente um mínimo; o valor em $x = e$ é $y = 1$. Isto é, de fato, um máximo. Para entender por que, calcule a segunda derivada

$$\frac{d^2y}{dx^2} = \left[e(e-1)x^{e-2} - 2ex^{e-1} + x^{e}\right]e^{-x}$$

em $x = e$. Seu valor é -1, que é negativo, portanto $x = e$ é um máximo, e o valor máximo de y é 1.

Portanto $x^e e^{-x} \leq 1$ para todo $x \geq 0$, com igualdade somente na máxima única $x = e$. Multiplique os dois lados por e^x, obtendo

$$x^e \leq e^x$$

para todo $x \geq 0$, com igualdade somente quando $x = e$. Pronto!

O gráfico da função $y = x^e e^{-x}$ tem um único pico em $x = e$, caindo para zero à medida que x cresce para o infinito.

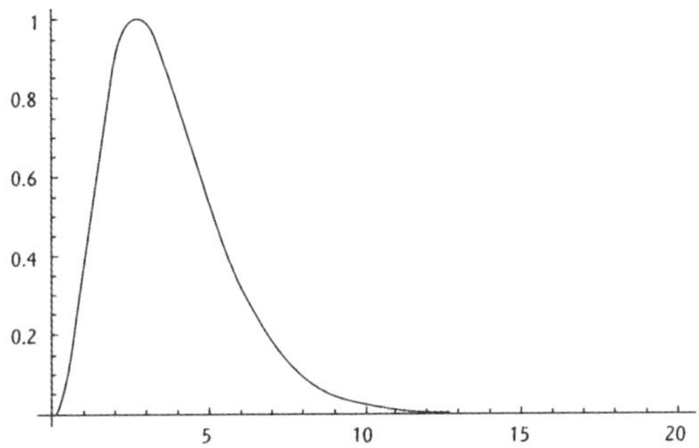

Gráfico de $y = x^e e^{-x}$.

Isto ajuda a explicar por que e^π e π^e têm valores tão próximos, o que faz com que não seja imediatamente óbvio qual dos dois é maior. O gráfico também mostra que, se um número x for razoavelmente próximo de e, então $x^e e^{-x}$ é próximo de 1, portanto x^e é próximo de e^x. Por exemplo, se x estiver entre 1,8 e 3,9, então x^e será, no mínimo, $0{,}8e^x$. Particularmente, isto é válido para $x = \pi$.

• • Colorado Smith e o templo solar

A divisão ilustrada resolve o problema. O mesmo vale para sua reflexão na diagonal.

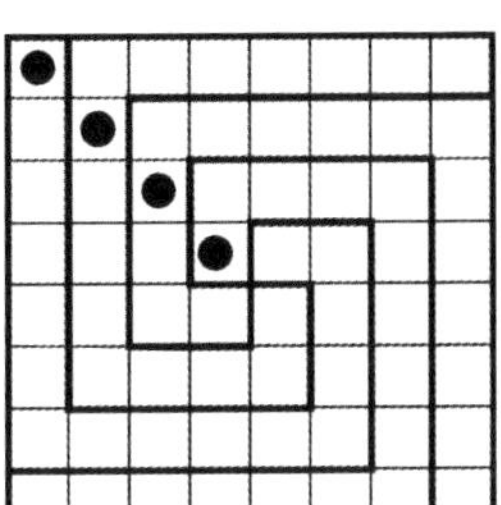

Quatro regiões com a mesma forma, cada uma contendo um disco solar.

Por que não posso somar frações do modo como as multiplico?

A resposta curta é que não podemos somar frações dessa maneira porque não vamos encontrar a resposta certa! Como $3/7$ é quase igual a $1/2$, e o mesmo vale para $2/5$, quando somamos essas frações, o resultado deve ser no mínimo $1/2$. Mas $5/12$ é menor que $1/2$, porque a metade de 12 é 6. O erro é ainda mais evidente quando tentamos somar $1/2 + 1/2$, porque

$$\frac{1}{2} + \frac{1}{2} = \frac{1+1}{2+2} = \frac{2}{4}$$

não faz sentido: como $2/4 = 1/2$, isto seria o mesmo que dizer que $1/2 + 1/2 = 1/2$.

Tudo muito bem, mas por que a regra da multiplicação funciona, e o que devemos usar para a adição?

A maneira mais fácil de enxergarmos por que as regras são diferentes – como devem ser – é usando figuras. Eis uma figura para $2/5 \times 3/7$.

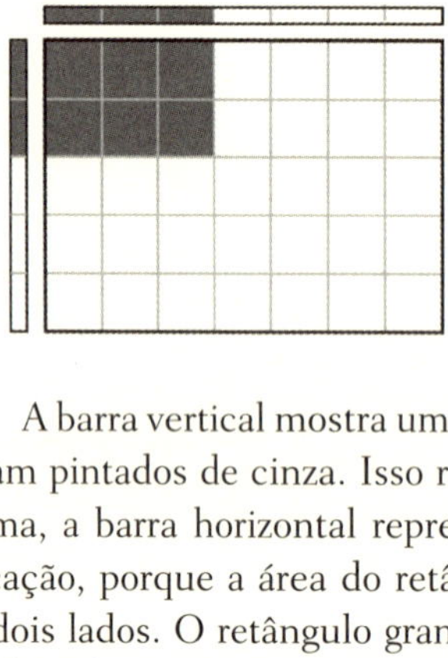

Multiplicando frações.

A barra vertical mostra uma linha com cinco pedaços iguais, dos quais dois foram pintados de cinza. Isso representa $2/5$: duas partes de cinco. Da mesma forma, a barra horizontal representa $3/7$. Os retângulos representam a multiplicação, porque a área do retângulo é o que obtemos quando multiplicamos os dois lados. O retângulo grande contém $5 \times 7 = 35$ quadrados. O retângulo sombreado contém $2 \times 3 = 6$ quadrados. Portanto, o retângulo sombreado é $6/35$ do retângulo grande.

Quando estamos somando, a figura correspondente é a seguinte:

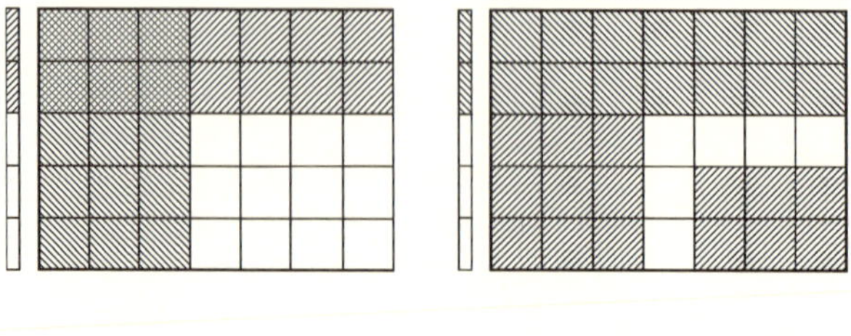

Somando frações.

Encontramos $2/5$ do retângulo grande pegando as duas primeiras fileiras dentre as cinco, e $3/7$ pegando as três colunas da esquerda dentre as sete. Essas regiões estão mostradas na figura da esquerda, com sombreados diferentes, e elas se *sobrepõem*. Para contar quantos quadrados existem no total, temos de contar os quadrados sobrepostos duas vezes, ou então fazer uma cópia adicional, como na figura à direita. De qualquer forma, ficamos com 29 quadrados dentre 35, portanto a soma deve ser

$$\frac{2}{5} + \frac{3}{7} = \frac{29}{35}$$

Para entender como o 29 se relaciona com os números originais, basta contarmos os quadrados das duas primeiras fileiras, 2×7, e somá-los aos das três colunas à esquerda, 3×5. Então $2 \times 7 + 3 \times 5 = 29$. Portanto, a regra da adição é

$$\frac{2}{5} + \frac{3}{7} = \frac{2 \times 7 + 3 \times 5}{5 \times 7}$$

É daí que vem a receita habitual "coloque as duas frações sobre o mesmo denominador".

Somando recursos

Não foi uma boa ideia. Separadamente, Cristina ganharia \$150 e Denise ganharia \$100, um total de \$250. Combinando os recursos, seu rendimento total será de \$240 – menos, portanto.

Os dois pares de vendedoras estão partindo de um pressuposto equivocado; ele funciona a favor do primeiro par e contra o segundo. O pressuposto é que a maneira de combinar os preços de a por $\$b$ e de c por $\$d$ é somar esses números, chegando a $a + c$ por $\$(b + d)$. Isso é o mesmo que tentar somar as frações correspondentes usando a regra

$$\frac{a}{b} + \frac{c}{d} = \frac{a + c}{b + d}$$

e já vimos anteriormente que isto não funciona. O resultado às vezes está errado para mais, às vezes para menos. E está correto quando as duas frações em questão são iguais.

Bem-vindo à toca do réptil

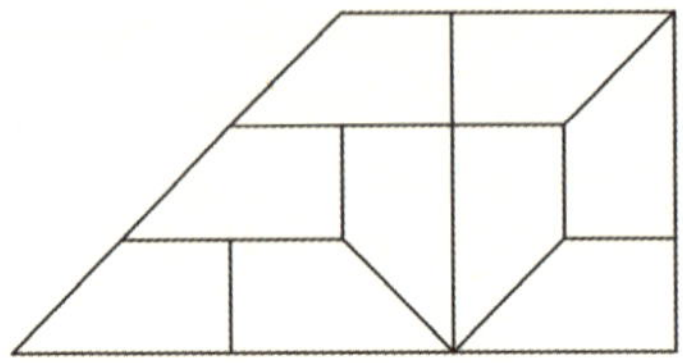

Este polígono é rep-9.

Cozinhando num toro

Um toro pode ser representado como um retângulo no qual as faces opostas estão identificadas – isto é, um retângulo "enroscado", de modo que tudo o que desapareça por uma borda reapareça na borda oposta. Uma fita de Möbius pode ser desenhada como um retângulo no qual as bordas esquerda e direita estão identificadas, mas com meio giro. Desenhadas dessa maneira, eis algumas soluções possíveis. Lembre-se, se você as desenhar numa fita de Möbius feita de papel, as linhas deverão "atravessar" a folha de papel.

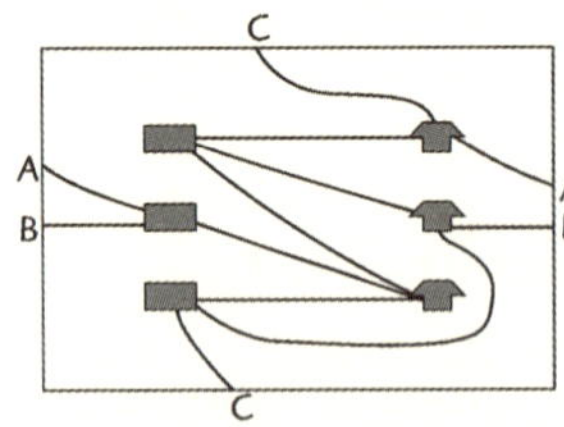

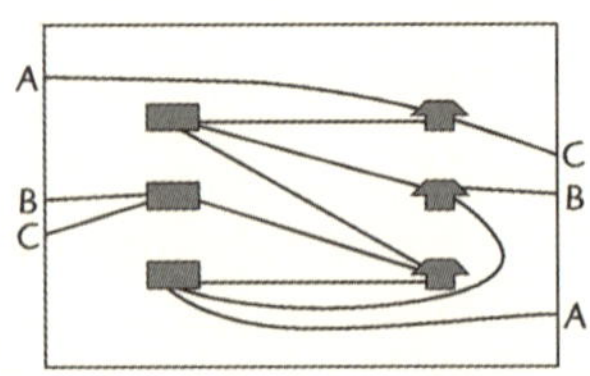

Conectando serviços num toro... ...e numa fita de Möbius.

O teorema do sanduíche de presunto

Muitos exemplos provam que, de modo geral, não podemos cortar três figuras em duas partes iguais com uma única linha reta. Eis aqui um exemplo com três círculos. É fácil mostrar que a *única* reta que corta os dois círculos de baixo em partes iguais é a que está ilustrada. Mas ela não corta o terceiro círculo.

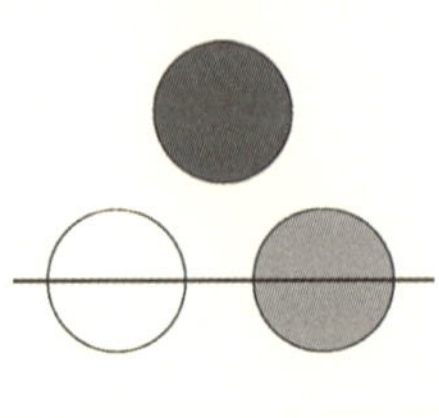

Só uma reta corta os dois círculos de baixo pela metade, e esta reta não pode cortar o círculo de cima.

Em três dimensões, essa mesma ideia funciona com quatro esferas. Os centros de três delas se encontram em algum plano e, desde que esses centros não estejam numa linha reta, existe exatamente um plano que as corta. Agora coloque o centro da quarta esfera num ponto que não esteja no plano.

Críquete em Grumpius

Os grumpianos são heptimistas e usam a aritmética de base 7. Em seu sistema, o número 100 representa

$$1 \times 7^2 + 0 \times 7 + 0 \times 1 = 49$$

Por isso eles ficam muito empolgados em vez de ficarem frustrados: o batedor que fez 49 pontos decimais acabou de marcar um século grumpiano!

A peça que falta

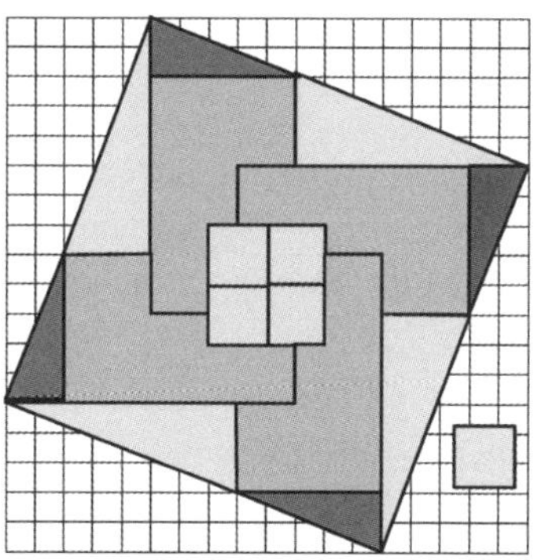

A solução de Innumeratus.

Bem, isto parece bastante convincente... Mas algo deve estar errado, pois a área do "quadrado" de Innumeratus deve ser menor que a do "quadrado" original. Na verdade, nenhuma das duas formas é um quadrado perfeito. A figura original é ligeiramente arqueada para fora; a segunda figura é ligeiramente arqueada para dentro. Por exemplo, os dois triângulos de tamanhos diferentes possuem lados horizontais e verticais em razões 8:3 e 5:2, respectivamente. Se a figura fosse quadrada, essas razões seriam iguais. Mas elas são 2,67 e 2,5, que são diferentes.

Cinco moedas

O contramestre colocou uma moeda sobre a mesa, depois colocou outras duas de modo que se tocassem no centro. Para resolver o problema, basta segurá-las nessa posição e, a seguir, colocar as outras duas quase sobre a borda da moeda inferior, inclinadas para que se toquem em cima. Novamente, todas as moedas se tocam, portanto estão equidistantes.

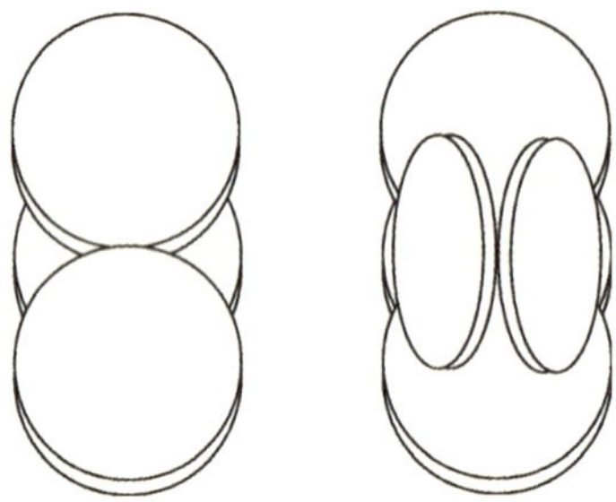

Posicione as três moedas como ilustrado à esquerda, depois acrescente as outras duas.

O curioso incidente do cachorro

O próximo número da sequência é 46.

A ideia de Holmes é: não veja o que está aí, veja o que está *faltando*. Os números faltantes são:

3 5 6 9 10 12 13 15 18 20 21 23 24 25 27
30 31 32 33 34 35 36 37 38 39 40 42 43

Estes são os múltiplos de 3, os múltiplos de 5, qualquer número que contenha um algarismo 3 e qualquer número que contenha um algarismo 5. O próximo número da sequência, portanto, é 46 (porque 45 é múltiplo de 5).

A matemática fica difícil

A fórmula de interpolação de Lagrange afirma que o polinômio

$$P_{(x)}=\sum_{j=1}^{n} y_j \prod_{\substack{k=1 \\ k\neq j}}^{n} \frac{x - x_k}{x_j - x_k}$$

satisfaz $P(x_j) = y_j$ para $j = 1, \ldots, n$. Lembre-se: o livro de Linderholm se baseia na premissa de que a matemática deve ser o mais complicada possível, de modo a aumentar o prestígio do matemático. Na verdade, a ideia básica nesse caso é simples. Numa notação menos compacta, a fórmula se torna

$$P_{(x)} = \frac{(x - x_2)(x - x_3)\ldots(x - x_n)}{(x - x_2)(x_1 - x_3)\ldots(x_1 - x_n)} y + \ldots$$

$$+ \frac{(x - x_1)(x - x_2)\ldots(x - x_{n-1})}{(x_n - x_1)(x_n - x_2)\ldots(x_n - x_{n-1})} y_n$$

Quando $x = x_j$ todos os termos, exceto o j-ésimo, se anulam em virtude do fator $(x - x_j)$. O j-ésimo termo não possui esse fator, sendo uma fração aparentemente complicada multiplicada por y_j. Entretanto, o numerador e o denominador da fração são idênticos, portanto a fração é igual a 1. E 1 vezes y_j é igual a y_j. Brilhante!

Por exemplo, para justificar a sequência 1, 2, 3, 4, 5, 19, tomamos $x_1 = 1$, $x_2 = 2$, $x_3 = 3$, $x_4 = 4$, $x_5 = 5$, $x_6 = 6$ e $y_1 = 1$, $y_2 = 2$, $y_3 = 3$, $y_4 = 4$, $y_5 = 5$, $y_6 = 19$. Então, um cálculo gera

$$P_{(x)} = \frac{13}{120}x^5 - \frac{13}{8}x^4 - \frac{221}{24}x^3 - \frac{195}{8}x^2 + \frac{1841}{60}x - 13$$

e $P(1) = 1$, $P(2) = 2$, $P(3) = 3$, $P(4) = 4$, $P(5) = 5$, $P(6) = 19$.

Edward Waring publicou a fórmula por primeira vez em 1779. Euler a redescobriu em 1783, e Lagrange a descobriu novamente em 1795. Portanto, ela recebe o nome da terceira pessoa que a encontrou, o que é bastante típico quando se trata de dar nomes de pessoas a ideias matemáticas.

• • Um teorema de quatro cores

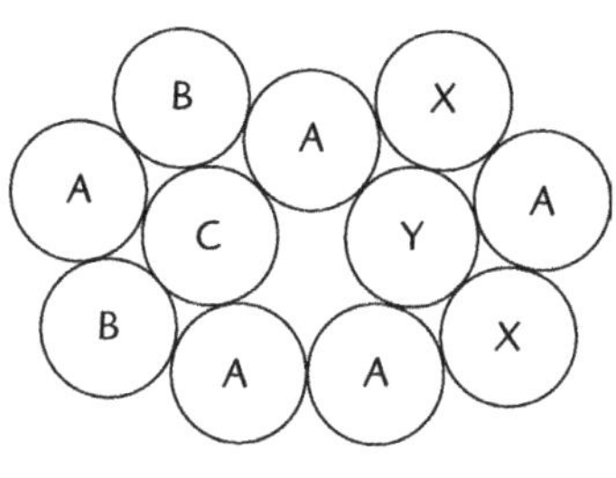

Para colorir estes 11 círculos são necessárias quatro cores.

São necessários 11 círculos. Eis uma arrumação que requer quatro cores. Suponha, por contradição, que esta arrumação pode ser colorida por três cores.

Colorimos o círculo central superior com a cor A e os dois adjacentes a ele com as cores B e C. A seguir, o próximo círculo à esquerda deverá ter a cor A, o que está abaixo dele deverá ter a cor B e o círculo inferior esquerdo deverá ter a cor A. As cores do lado direito da figura devem ser iguais: ou X = B e Y = C, ou X = C e Y = B. De qualquer maneira, o círculo inferior direito deve ter a cor A. Mas agora dois círculos adjacentes têm a mesma cor: A – contradição.

É possível provar que, com 10 círculos ou menos, são necessárias no máximo três cores.

A serpente da escuridão perpétua

A Terra gira em torno do Sol exatamente uma vez por ano, portanto ela retorna ao mesmo ponto de sua órbita em qualquer data (com uma ligeira variação porque o período exato não é um número inteiro de dias, daí a existência dos anos bissextos). Particularmente, a cada 13 de abril, a Terra volta a uma posição na qual a órbita de Apophis cruza a da Terra, condição necessária para que haja uma colisão.

Apophis tem um período de 323 dias, e a distância entre Apophis e o Sol varia de 0,7 a 1,1 unidades astronômicas (uma unidade astronômica é a distância média entre o Sol e a Terra). Assim, o asteroide às vezes está dentro da órbita terrestre e às vezes fora. Se Apophis e a Terra orbitassem no mesmo plano, suas órbitas se cruzariam em dois pontos. No entanto, não é tão simples. As órbitas estão inclinadas num pequeno ângulo, e Apophis é leve o bastante para ser afetado significativamente pela força gravitacional de outros planetas, o que altera a sua órbita. Portanto, embora as órbitas não se *cruzem* necessariamente, a órbita de Apophis – ainda que não necessariamente o asteroide em si – se aproxima da órbita da Terra em dois lugares, e a Terra alcança essas posições em duas datas específicas. A posição que conta, para o futuro próximo, é aquela onde a Terra se encontra todo dia 13 de abril. A ocorrência de uma colisão depende do local preciso onde Apophis se encontra em sua órbita nessa data, sendo necessárias muitas observações de alta precisão para determinar essa posição. Portanto, a data é fácil, mas o ano é difícil.

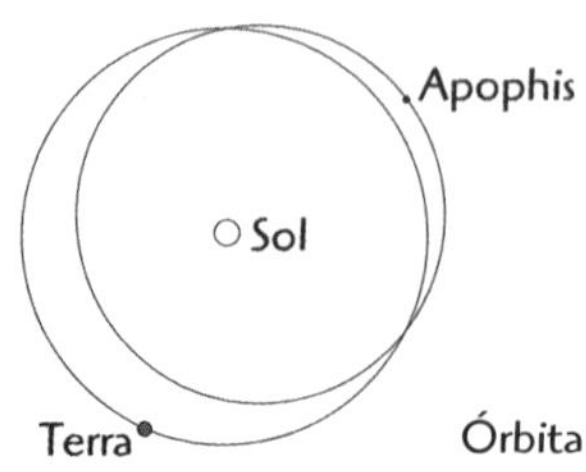

Órbita de Apophis em relação à da Terra.

Na verdade, a história não termina aí. Como sempre. Foi demonstrado por cálculos que, se Apophis calhar de passar por uma região específica do espaço, que tem cerca de 600 metros de extensão, durante uma quase colisão, em 2029, é garantido que retornará praticamente para o mesmo ponto, acertando a Terra em 2036. Por felicidade, as últimas observações indicam que a chance de uma colisão é de, no máximo, 1 em 45.000. Veja neo.jpl.nasa.gov/news/news146.html, science.nasa.gov/headlines/y2005/13may_2004mn4.htm.

Estes dois sites se referem a Apophis por sua denominação provisória de 2004, MN_4.

Qual a probabilidade?

Não, Mathophila está errada, a probabilidade é ⅔. E ela foi muito malvada ao tentar enganar o pobre Innumeratus dessa maneira.

Independentemente da carta que ele escolher primeiro, entre as outras cartas haverá duas de cor oposta e apenas uma da mesma cor. Portanto, a probabilidade de que ele apanhe uma carta da cor oposta é ⅔. Como isso vale para qualquer carta que ele apanhe primeiro, a probabilidade de que suas duas cartas sejam diferentes é de ⅔.

Eis uma outra maneira de enxergar a coisa. Existem seis pares diferentes de cartas, dentre estes, exatamente dois (♠ ♣ e ♥ ♦) têm cores iguais, e quatro têm cores diferentes. Portanto, a probabilidade de que ele escolha um desses quatro pares é de $4/6 = 2/3$.

A piada matemática mais curta da história

Na análise, ε *sempre* é tomado como um pequeno número *positivo*, o que chega a ser um clichê. Assim, essa piada é uma variante mais intelectual de uma questão de mecânica que começa com "um elefante cuja massa pode ser negligenciada...".

Diga as cartas

As cartas eram o rei (R) de espadas, a dama (D) de espadas e a dama de copas. A primeira tem de ser uma espada, e a terceira uma dama, mas a sequência exata não foi determinada.

As duas primeiras afirmações nos dizem que as cartas devem ser RDD ou DRD.

As duas últimas afirmações nos dizem que as cartas devem ser ♠♠♥ ou ♠♥♠.

Combinando estas duas informações, temos quatro soluções possíveis:

K♠ Q♠ Q♥
K♠ Q♥ Q♠
Q♠ K♠ Q♥
Q♠ K♥ Q♠

A quarta possibilidade contém a mesma carta duas vezes, por isso é descartada. Todas as outras possibilidades usam as mesmas três cartas, em ordens diferentes.

Esse quebra-cabeça foi inventado por Gerald Kaufman.

• • Empreguinho bom

Surpreendentemente, Smith ganhou mais – embora \$1.600 por ano seja mais que o salário acumulado de Smith de \$500 + \$1.000 ao longo de um ano. Para entender por que, vamos tabular seus salários em cada período de seis meses:

	Smith	Jones
Ano 1, primeiro semestre	\$5.000	\$5.000
Ano 1, segundo semestre	\$5.500	\$5.000
Ano 2, primeiro semestre	\$6.000	\$5.800
Ano 2, segundo semestre	\$6.500	\$5.800
Ano 3, primeiro semestre	\$7.000	\$6.600
Ano 3, segundo semestre	\$7.500	\$6.600

Note que os \$1.600 de Jones se dividem em dois grupos de \$800 para cada semestre, portanto seu salário semestral aumenta \$800 a cada ano. O salário semestral de Smith aumenta \$500 a cada seis meses. Apesar disso, Smith ganha mais em todos os períodos após o primeiro, e a diferença só aumenta com o passar do tempo. De fato, ao final do ano n, Smith terá recebido um total de $10.000n + 500n(2n - 1)$, enquanto Jones terá recebido um total de $10.000n + 800n(n - 1)$. Portanto, Smith – Jones = $200n^2 + 300n$, que é positivo e cresce proporcionalmente a n.

Um quebra-cabeça para Leonardo

O imperador Frederico II estava à procura de um número racional x tal que x, $x - 5$ e $x + 5$ fossem todos quadrados perfeitos. A solução mais simples é

$$x = \frac{1{,}681}{144} = \left(\frac{41}{12}\right)^2$$

para a qual

$$x - 5 = \frac{961}{144} = \left(\frac{31}{12}\right)^2$$

$$x + 5 = \frac{2{,}401}{144} = \left(\frac{49}{12}\right)^2$$

Leonardo explicou essa solução em seu *Livro dos quadrados*, de 1225. Em notação moderna, ele encontrou uma solução geral

$$\left(\frac{m^2 + n^2}{2}\right)^2 - mn\left(m^2 - n^2\right) = \left(\frac{m^2 - 2mn - n^2}{2}\right)^2$$

$$\left(\frac{m^2 + n^2}{2}\right)^2 + mn\left(m^2 - n^2\right) = \left(\frac{m^2 - 2mn - n^2}{2}\right)^2$$

Aqui, o papel de x é desempenhado pelo número $\frac{1}{2}(m^2 + n^2)$, e queremos $mn(m^2 - n^2) = 5$. Escolhendo $m = 5$, $n = 4$, temos $x = 3\frac{1}{2}$ e $mn(m^2 - n^2) = 180$. Isso talvez não pareça ajudar muito, mas $180 = 5 \times 6^2$. Encontramos então a resposta dividindo x por 6.

Sobre o tempo

		3	6	5		
		1	■	4		
1	5	■	5	0	4	3
6	■	3	0	0	■	3
8	7	6	0	■	9	6
		0	■	3		
		3	6	6		

Solução dos números cruzados.

Eu evito cangurus?

Eu evito cangurus.

Escreva as condições simbolicamente, como na p.292. Seja

B = serve como bicho de estimação
C = come carne
D = detestado por mim
E = evitado por mim
G = gato
K = cangurus
L = ama fitar a lua
M = mata ratos
N = nesta casa
O = gosta de mim
V = vagueia à noite

Então, se o símbolo $\Rightarrow$ significa "implica" e $\neg$ significa "não", os enunciados (na ordem) se tornam

$$N \Rightarrow G, \quad L \Rightarrow B, \quad D \Rightarrow E, \quad C \Rightarrow V, \quad G \Rightarrow M$$
$$O \Rightarrow N, \quad K \Rightarrow \neg B, \quad M \Rightarrow C, \quad \neg O \Rightarrow D, \quad V \Rightarrow L$$

Agora, voltamos às leis da lógica que mencionei na p.292:

$X \Rightarrow Y$ é o mesmo que $\neg Y \Rightarrow \neg X$
Se $X \Rightarrow Y \Rightarrow Z$, então $X \Rightarrow Z$

Usando estas leis, podemos reescrever estas condições como:

$\neg E \Rightarrow \neg D \Rightarrow O \Rightarrow N \Rightarrow G \Rightarrow M \Rightarrow C \Rightarrow V \Rightarrow L \Rightarrow B \Rightarrow \neg K$
de modo que $\neg E \Rightarrow \neg K$, ou, de forma equivalente, $K \Rightarrow E$.

Portanto, eu evito cangurus.

A garrafa de Klein

Para cortar uma garrafa de Klein de modo a formar duas fitas de Möbius, basta dividi-la ao comprido, cortando a "alça" da garrafa e seu corpo ao longo do plano de simetria. Um breve raciocínio mostra que as duas metades são fitas de Möbius.

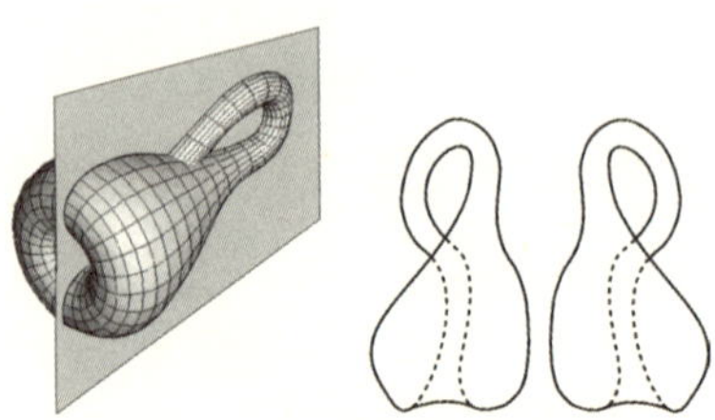

Como cortar uma garrafa de Klein para formar duas fitas de Möbius.

Contabilidade de algarismos

Formulário GFCN007b: Controle da quantidade de dígitos

Operador Nugent
Data 4.4.09
Digite número

6	2	1	0	0	0	1	0	0	0

Registre quantas vezes cada algarismo foi usado

0	1	2	3	4	5	6	7	8	9
6	2	1	0	0	0	1	0	0	0

Devolva o formulário preenchido ao Escritório de Contabilidade B.2.11

Este é o único número possível.

O sol nascerá?

Se os números de Laplace estiverem corretos – o que é bastante discutível –, a probabilidade de que o Sol sempre nasça é igual a *zero*.

A probabilidade de que o Sol nasça no dia n é $(n-1)/n$.

Portanto:

- A probabilidade de que o Sol nasça no dia 2 é $\frac{1}{2}$
- A probabilidade de que o Sol nasça no dia 3 é $\frac{2}{3}$
- A probabilidade de que o Sol nasça no dia 4 é $\frac{3}{4}$

e assim por diante. Portanto,

- A probabilidade de que o Sol nasça nos dias 2 e 3 é $\frac{1}{2} \times \frac{2}{3} = \frac{1}{3}$
- A probabilidade de que o Sol nasça nos dias 2, 3 e 4 é $\frac{1}{3} \times \frac{3}{4} = \frac{1}{4}$
- A probabilidade de que o Sol nasça nos dias 2, 3, 4 e 5 é $\frac{1}{4} \times \frac{4}{5} = \frac{1}{5}$

e assim por diante. O padrão é bastante claro (e fácil de provar): a probabilidade de que o Sol nasça em todos os dias 2, 3, …, n, é $1/n$. À medida que n se torna arbitrariamente alto, a probabilidade tende a 0.

Para fanáticos em cálculo

Para conhecer os detalhes, veja:

D.P. Dalzell, "On 22/7", *Journal of the London Mathematical Society*, vol.19, 1944, p.133-4.

Stephen K. Lucas, "Approximations to π derived from integrals with non-negative integrands", *American Mathematical Monthly*, vol.116, 2009, p.166-72.

• • A estátua de Palas Atena

A estátua continha 40 talentos de ouro.

A soma das quatro frações é igual a

$$\frac{1}{2}+\frac{1}{8}+\frac{1}{10}+\frac{1}{20}=\frac{20+5+4+2}{40}=\frac{31}{40}$$

portanto, o resto é $9/40$. Como para isto são necessários nove talentos, o total deve ter sido 40 talentos.

• • Curiosidade na calculadora 3

$6 \times 6 = 36$
$66 \times 66 = 4356$
$666 \times 666 = 443556$
$6666 \times 6666 = 44435556$
$66666 \times 66666 = 4444355556$
$666666 \times 666666 = 444443555556$
$6666666 \times 6666666 = 44444435555556$
$66666666 \times 66666666 = 4444444355555556$

• • Completando o quadrado

As condições apresentadas não exigem que usemos os inteiros 1 a 9, e realmente não existe nenhuma solução se os usarmos, porque os números pares devem ficar nos cantos. Entretanto, lançando mão de frações, podemos resolver o problema. A figura mostra a solução tradicional, que talvez seja a mais simples, mas existem infinitas outras, mesmo se restringirmos as entradas a números positivos.

$4\frac{1}{2}$	8	$2\frac{1}{2}$
3	5	7
$7\frac{1}{2}$	2	$5\frac{1}{2}$

Um quadrado mágico heterodoxo.

A sequência veja e diga

É mais fácil enunciar a regra da formação da sequência usando palavras. O primeiro termo é "1", que pode ser lido como "um um", portanto o próximo termo é 11. Isso é lido como "dois uns", que leva a 21. Isto é lido como "um dois, um um" e então entendemos de onde veio o 1211, e assim por diante.

Conway provou que, se $L(n)$ é comprimento do n-ésimo termo dessa sentença, então

$$L(n) \approx (1{,}30357726903\ldots)^n$$

onde 1,30357726903... é a menor solução real da equação polinomial de 71º grau

$$\begin{aligned} x^{71} &- x^{69} - 2x^{68} - x^{67} + 2x^{66} + 2x^{65} - x^{63} - x^{62} - x^{61} - x^{60} \\ &+ 2x^{58} + 5x^{57} + 3x^{56} - 2x^{55} - 10x^{54} - 3x^{53} - 2x^{52} + 6x^{51} \\ &+ 6x^{50} + x^{49} + 9x^{48} - 3x^{47} - 7x^{46} - 8x^{45} - 8x^{44} + 10x^{43} \\ &+ 6x^{42} + 8x^{41} - 5x^{40} - 12x^{39} + 7x^{38} - 7x^{37} + 7x^{36} + x^{35} \\ &- 3x^{34} + 10x^{33} + x^{32} - 6x^{31} - 2x^{30} - 10x^{29} - 3x^{28} + 2x^{27} \\ &+ 9x^{26} - 3x^{25} + 14x^{24} - 8x^{23} - 7x^{21} + 9x^{20} + 3x^{19} - 4x^{18} \\ &- 10x^{17} - 7x^{16} + 12x^{15} + 7x^{14} + 2x^{13} - 12x^{12} - 4x^{11} - 2x^{10} \\ &+ 5x^{9} + x^{7} - 7x^{6} + 7x^{5} - 4x^{4} + 12x^{3} - 6x^{2} + 3x - 6 \\ &= 0 \end{aligned}$$

Não se pode dizer que seja um resultado óbvio.

O milionésimo algarismo

O milionésimo algarismo é 1.

Os números 1 a 9 ocupam as primeiras 9 posições.
Os números 10 a 99 ocupam as seguintes 2 × 90 = 180 posições.
Os números 100 a 999 ocupam as seguintes 3 × 900 = 2.700 posições.
Os números 1.000 a 9.999 ocupam as seguintes 4 × 9.000 = 36.000 posições.
Os números 10.000 a 99.999 ocupam as seguintes 5 × 90.000 = 450.000 posições.

Nesse ponto, chegamos ao 488.889º algarismo. Como 1.000.000 – 488.889 = 511.111, estamos buscando o algarismo da 511.111ª posição no bloco que começa com 100.000-100.001-100.002- e assim por diante. Como esses números estão agrupados de seis em seis, calculamos 511.111/6 = 85.185 1/6. Portanto, estamos procurando o primeiro algarismo do 85.186º bloco de 6 algarismos. Este bloco deve ser 185.185, e seu primeiro algarismo é 1.

Caminhos piratas

O banco de Barba-Ruiva fica na rua do Paraíso Fiscal, nº 19.

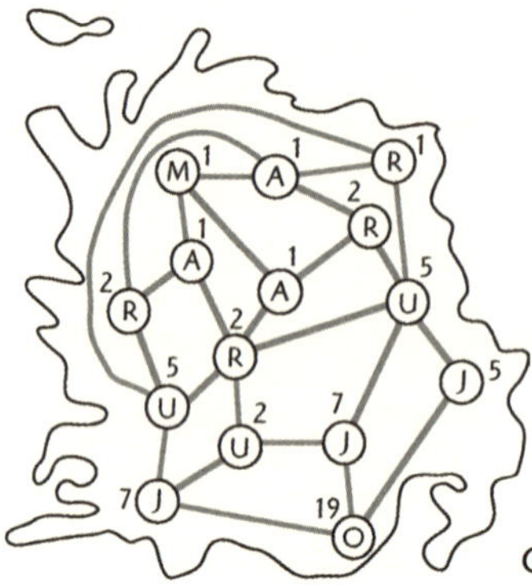

Calculando o número de caminhos.

O número é baixo o suficiente para simplesmente listarmos os caminhos possíveis. Mas existe um método sistemático para resolvermos esse tipo de questão. A figura mostra o mesmo mapa; removi as conexões supérfluas que não podem ser usadas para simplificar a solução. Para esse método, não faz diferença se as deixarmos ali ou não.

Escrevi números além das letras. Esses números nos dizem quantas maneiras existem de alcançarmos essa letra em particular, e a seguir, as calculamos: M, os três A, os quatro R, os três U, os três J e o O final.

- Comece escrevendo 1 ao lado da letra M.
- Existe exatamente um caminho que vai do M para cada um dos A, portanto escrevemos 1 ao lado de cada A.
- Observe cada R, veja quais A se conectam a ele, e some os números ao lado dessas letras. Neste caso, um dos R está conectado a apenas um A, que traz o número 1, portanto o R também recebe o número 1. Os outros três estão conectados a dois A, que trazem o número 1, portanto eles recebem o número 1 + 1 = 2.
- A seguir, passamos aos U. O U da esquerda está conectado a três R: um deles com o número 1 e dois com o número 2, portanto damos a U o número 1 + 2 + 2 = 5. E assim por diante.
- Continuando desta maneira, acabamos por chegar ao O final. Os J que se conectam a ele trazem os números 7, 7 e 5. Portanto, o O recebe o número 7 + 7 + 5 = 19. E esse é o número de maneiras de chegarmos ao E.

•• Desvio de trens

Sim, eles podem passar um pelo outro – por mais longos que os trens sejam.

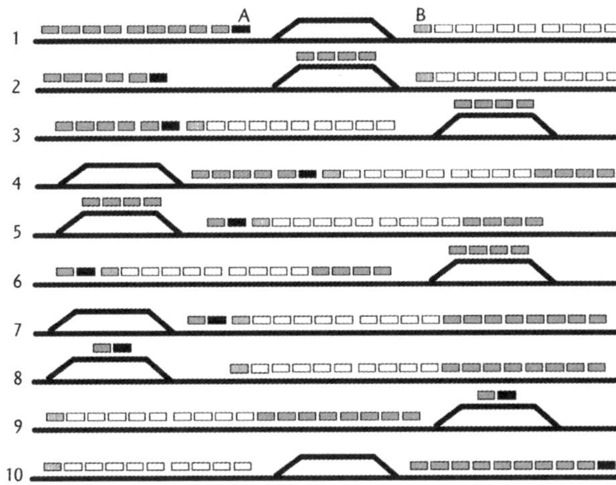

A solução.

1. Inicialmente, cada trem está de um lado do desvio.
2. O trem B se afasta para a direita. O trem A avança para a direita, passando pelo desvio, retrocede, entrando nele, desconecta quatro vagões, retorna para o trilho principal avançando para a direita e retrocede bastante para a esquerda.
3. O trem A avança para a esquerda, passando pelo desvio, e se une à parte principal do trem B.
4. Os trens A+B avançam para a direita, passando pelo desvio, apanham os quatro vagões e retornam para o trilho principal, à direita do desvio.
5. Eles então retrocedem, entrando no desvio, soltam outros quatro vagões e retornam para o trilho principal, à direita do desvio.
6. A parte principal dos trens combinados A+B avança para a esquerda ao longo do trilho principal até liberar o desvio.
7. Novamente, os trens A+B avançam para a direita, entrando no desvio, apanham os quatro vagões e retornam para o trilho principal, à direita do desvio.
8. Eles retrocedem então pelo desvio, soltam um vagão e a locomotiva A e retornam para o trilho principal, à direita do desvio.

9. A parte principal dos trens combinados A+B avança para a esquerda ao longo do trilho principal até liberar o desvio.
10. Finalmente, A+B avança para a direita, entrando no desvio, e recupera a locomotiva A e seu vagão. Os trens então se separam e cada locomotiva segue seu caminho.

O mesmo método funciona para trens de qualquer tamanho, desde que o desvio possa conter ao menos um vagão ou locomotiva.

Quadrados, listas e somas de algarismos

A próxima sequência com esta característica é

99.980.001, 100.000.000, 100.020.001, 100.040.004
100.060.009, 100.080.016, 100.100.025

que são os quadrados dos números 9.999-10.005.

Um bom lugar para procurar são os quadrados dos números 100...00, 100...01, 100...02, 100...03, 100...04, 100...05, que têm muitos zeros, enquanto as somas dos poucos algarismos são os quadrados 1, 4, 9, 16, 16, 9. Para aumentar esta lista de seis quadrados consecutivos para sete, temos que examinar 999...9 e 100...06. Os algarismos de 99^2 somam 18, que não é um quadrado; os algarismos de 999^2 somam 27, que também não é quadrado. Mas os algarismos de 9999^2 somam 16, que é um quadrado. Examinando o outro lado, os algarismos de 106^2, 1.006^2 e 10.006^2 somam 13, que não é quadrado.

Para descartar qualquer coisa entre 15^2 e 9999^2, basta encontrarmos uma sequência de quadrados de números cuja diferença seja de no máximo 6, e cuja soma de algarismos não seja um número quadrado. Por exemplo,

$16^2 = 256$, com soma de algarismos 13
$19^2 = 361$, com soma de algarismos 10
(20^2, 21^2 e 22^2 têm somas de algarismos quadradas, por isso não posso usá-las)
$25^2 = 625$, com soma de algarismos 13
$29^2 = 841$, com soma de algarismos 13

e assim por diante. Certamente deve haver atalhos, e um computador poderá checar rapidamente todas as possibilidades nessa faixa.

Ninguém parece saber se é possível que *oito* quadrados consecutivos possam ter somas de algarismos também quadradas.

Truque com fósforos

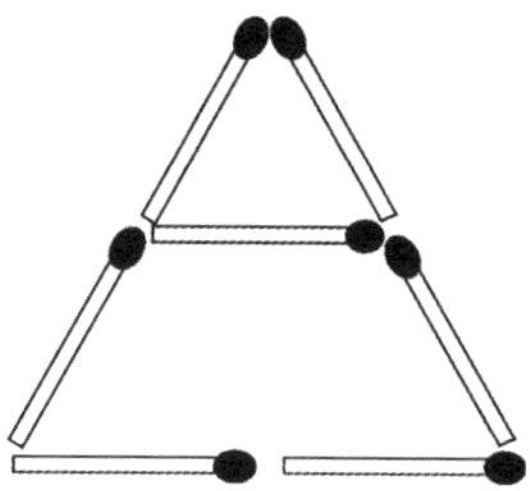

É fácil se permitirmos que os lados dos triângulos se sobreponham.

Divisão do bolo

O maior número de pedaços que podemos criar é 16. Eis uma maneira de fazê-lo:

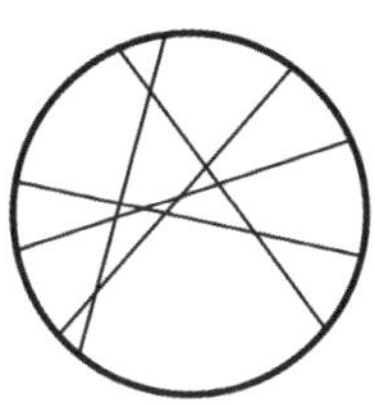

Como formar 16 pedaços com cinco cortes.

Em geral, usando n cortes, o número máximo de peças é $\frac{1}{2}n(n + 1) + 1$, que é o n-ésimo número triangular mais 1.

Escorrega de moedas

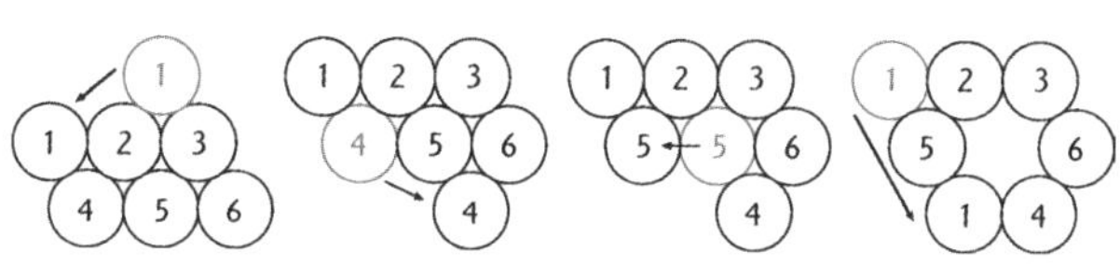

Assim.

Note que, na terceira jogada, a moeda 5 é simplesmente retirada da posição entre as moedas 2 e 4. A seta não mostra a direção da jogada, apenas indica que moeda vai para que posição.

Imbatível!

Um dos dados parou de rodar com um 6 voltado para cima. O outro acertou uma pedra, partiu-se ao meio e as duas peças mostraram um 6 e um 1. Assim, Olavo marcou 13 pontos, ganhando do pobre 12 do rei da Suécia.

Nos círculos matemáticos, este tipo de coisa é chamado "expandir o espaço de estados". Isto é, estender a gama de resultados possíveis. Essa é uma das razões pelas quais os modelos matemáticos nunca correspondem perfeitamente à realidade.

Nos círculos de apostas, isso é chamado de "preparar os dados".

Em círculos políticos, isso é chamado de "política".

Aprendi esta história no livro *The Broken Dice*, de Ivar Ekeland.

O problema de Euclides

O burro estava carregando cinco sacos, e a mula, sete.

Suponha que o burro carregue x sacos e a mula carregue y. Então a mula nos diz duas coisas:

$$y + 1 = 2(x - 1)$$
$$x + 1 = y - 1$$

A segunda equação nos diz que $y = x + 2$. Agora a primeira equação nos diz que $x + 3 = 2x - 2$, o que implica que $x = 5$. Portanto $y = 7$.

O teorema do macaco infinito

Cada caractere tem $1/36$ de probabilidade de ser escolhido em qualquer jogada, portanto, em média, são necessárias 36 jogadas para encontrarmos qualquer letra específica. Para escrevermos REI LEAR, com 8 caracteres incluindo o espaço, são necessárias

$$36 \times 36 \times 36 \times 36 \times 36 \times 36 \times 36 \times 36 = 36^8$$
$$= 2.821.109.907.456$$

jogadas. A obra completa de Shakespeare precisaria de $36^{5000000}$ jogadas, que é aproximadamente $10^{2385606}$. Se o macaco digitasse 10 caracteres por segundo, mais rápido que um datilógrafo muito bom, seriam necessários em torno de 3×10^{2385597} anos para terminar a tarefa.

Em 2004, Dan Oliver colocou tudo isso em um programa de computador, e, após um tempo simulado de 42 octilhões de anos, o macaco digital digitou

VALENTINE. Cease toIdor:eFLP0FRjWK78aXzVOwm)-';8.t.

As primeiras 19 letras aparecem em *Os dois cavalheiros de Verona*. Você poderá encontrar resultados semelhantes em: en.wikipedia.org/wiki/Infinite_monkey_theorem.

• • Cobras e víboras

Num tabuleiro retangular que tenha ao menos um lado par e do qual não seja retirado um canto, como é o caso aqui, o primeiro jogador sempre poderá vencer. Imagine um tabuleiro coberto de dominós: retângulos de 2 × 1. Os dominós poderão cobrir o tabuleiro de qualquer maneira – por exemplo, aqui estão cobrindo todo o tabuleiro de 8 × 8.

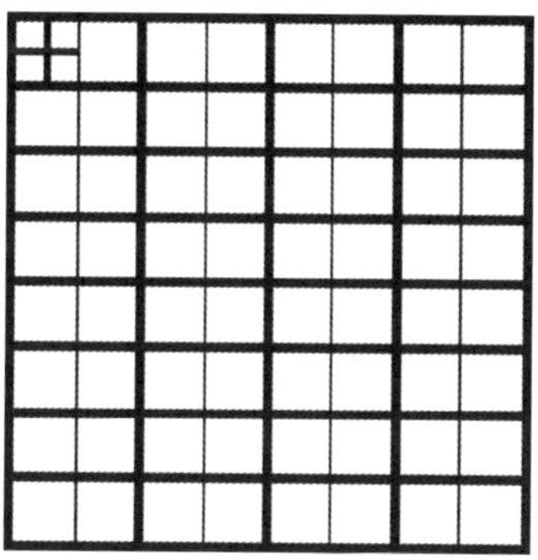

Estratégia vencedora num tabuleiro completo, usando a grade de dominós.

Independentemente da jogada do segundo jogador, a não ser que ele decida perder, acertando a borda, o primeiro jogador sempre conseguirá encontrar uma jogada na qual a cobra termine no meio de um dominó. Com essa jogada ele nunca perderá, pois não acertará uma borda, e o segundo jogador acabará sem opções.

Se os dois lados do tabuleiro forem ímpares, o segundo jogador vence com estratégia semelhante, cobrindo o tabuleiro com dominós de forma que omita o quadrado inicial que tem uma +.

A retirada do canto inferior direito interfere com essas estratégias baseadas em dominós. O primeiro jogador não consegue cobrir o tabuleiro modificado com dominós, pois este tem um número ímpar de quadrados. O segundo jogador também não poderá cobrir todo o tabuleiro menos o quadrado inicial com dominós, mas isso é menos óbvio, pois esses quadrados estão em número par. Mas, se imaginarmos o tabuleiro habitual de xadrez, com casas pretas e brancas alternadas, existem 30 de uma cor e 32 da outra, novamente omitindo o quadrado inicial, marcado com uma +. Entretanto, qualquer dominó cobre um quadrado de cada cor, portanto seria necessário cobrir 31 casas de cada cor.

Deve existir uma estratégia vencedora para um jogador ou para o outro, pois este é um jogo finito, que não pode terminar em empate. Mas ainda não está claro que estratégia seria essa, nem quem deverá vencer.

• • Números cruzados complicados

[1] 5	■	[2] 7	7	[3] 7	[4] 6
[5] 1	2	8	■	[6] 2	7
2	■	[7] 4	0	9	6

Horizontal

2. $7776 = 6^5$
5. $128 = 2^7$
6. $27 = 3^3$
7. $4096 = 2^{12}$

Vertical

1. $512 = 2^9$
2. $784 = 28^2$
3. $729 = 3^6$
4. $676 = 26^2$

• • Lenços mágicos

Se você seguiu as instruções direito, os dois lenços irão se separar milagrosamente.

Se não, tente outra vez e seja mais cuidadoso.

O aspecto matemático é topológico: quando transformamos os lenços em alças fechadas juntando suas pontas, as alças não estão unidas, apenas parecem estar.

• • Século digital revisto

Ela deverá escrever:

$$1 + 2 + 3 + 4 + 5 + 6 + 7 + 8 \times 9$$

para não perder seu dinheiro.

Um século em frações

A solução que Dudeney procurava é $3\frac{69258}{714}$.

As outras, incluindo o exemplo que dei ao apresentar o problema, são:

$$96\frac{2148}{537},\quad 96\frac{1752}{438},\quad 96\frac{1428}{357},\quad 96\frac{1578}{263},\quad 96\frac{7524}{836}$$

$$91\frac{5823}{647},\quad 91\frac{5742}{638},\quad 82\frac{3546}{197},\quad 81\frac{7524}{396},\quad 81\frac{5643}{297}$$

Prove que 2 + 2 = 4

Esta prova não é uma piada – é o que fazemos nos cursos sobre os fundamentos da matemática. Aparentemente, a parte difícil é provar a propriedade associativa, que, naturalmente, eu pressupus. Na verdade, a parte difícil é definir os números e a adição. É por isso que Russell e Whitehead precisaram de 379 páginas para provar o teorema mais simples $1 + 1 = 2$ em *Principia Mathematica*. Depois disso, $2 + 2 = 4$ é moleza.

Cortando a rosquinha

Podemos criar nove pedaços. Eis aqui duas maneiras possíveis.

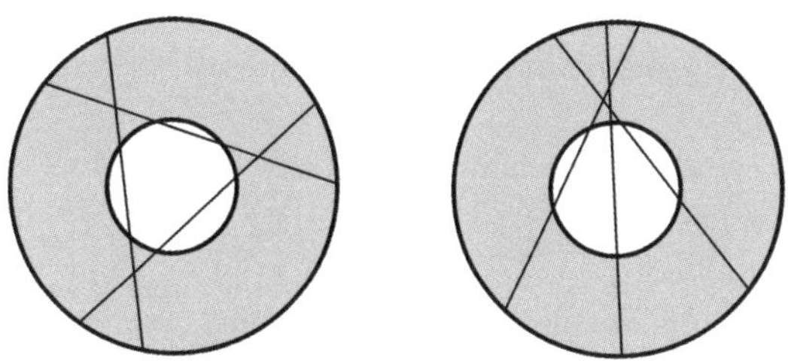

Duas maneiras de formar nove pedaços com três cortes.

Gira pião

Quando o pião vira de cabeça para baixo, ele ainda gira em sentido horário, quando visto de cima.

Se imaginarmos o pião girando sem apoio no espaço, e depois o virarmos de cabeça para baixo, ele estaria girando no sentido anti-horário. Mas não é isso o que o pião faz. Quando ele começa a virar de cabeça para baixo, a ponta do toco acerta o chão, e ela própria começa a girar. Isto modifica o comportamento quando o pião finalmente está apoiado sobre o toco.

O conceito físico, nesse caso, é o momento angular (veja p.41), uma quantidade associada aos corpos em movimento, aproximadamente igual à massa vezes a taxa de rotação ao redor de um eixo apropriado. O momento angular de um corpo em movimento se conserva – não se altera –, a menos que alguma força, como o atrito, atue sobre ele.

A maior parte do momento angular do pião surge da parte esférica, e não do toco. Como o momento angular deve se conservar – com pequenas perdas causadas pelo atrito –, a direção final do giro tem de ser igual à inicial. O atrito apenas diminui um pouco o giro.

• • Juniper Green

Nenhuma outra jogada de abertura no JG-40 é capaz de forçar uma vitória. Existe uma estratégia semelhante para o JG-100, que vou explicar a seguir e que dá a vitória à Mathophila. Quanto à JG-*n*, vamos deixar a solução para outro momento.

Esse jogo parece ter surgido num curso de teoria dos números ministrado pelo grande físico matemático Eugene Wigner, na Universidade de Princeton, no final da década de 1930. Mas há pouco tempo foi reinventado de maneira independente por Rob Porteous, um professor de escola, para ensinar multiplicação e divisão a crianças pequenas. Os alunos de Porteous descobriram que Mathophila sempre vencerá no JG-100 se (e somente se) ela começar com 58 ou 62.

A análise depende dos números primos, que se dividem em diversos tipos: grandes primos maiores que $100/2$ (53, 59, 61, 67, 71, 73, 79, 83, 89, 97), primos médios entre $100/2$ e $100/3$ (37, 41, 43, 47), primos médios entre $100/3$ e $100/4$ (29, 31), primos pequenos menores que $100/4$, mas não pequenos *demais* (17, 19) e primos muito pequenos (2, 3, 5, 7, 11). As jogadas iniciais vencedoras são iguais a duas vezes os primos médios. Por exemplo, eis a análise do caso em que Mathophila abre o jogo com 58.

Jogada	Mathophila	Innumeratus	Mathophila	Innumeratus
1	58		58	
2		29		2
3	87		62	
4		3		31
5	51		93	
6		17		3
7	85		51	
8		5		17
9	95		85	
10		19		5
11	57		95	
12		1		19
13	97		57	
14		DERROTA		1
15			97	
16				DERROTA

Em seu curso de teoria dos números, Wigner resolveu toda a questão apresentando um critério para as jogadas vencedoras em todos os casos. A resposta para JG-n depende da paridade das diversas potências de primos que ocorrem na fatoração de $n!$.

A trança de Slade

O truque da trança de Slade se baseia numa curiosidade topológica: sua fita de couro pode ser deformada no espaço 3D perfeitamente corriqueiro e terminar trançada. Assim, basta manipular a fita de couro sobre a mesa até que ela alcance o estado trançado. Separei as três tiras na minha figura para tornar o método mais claro.

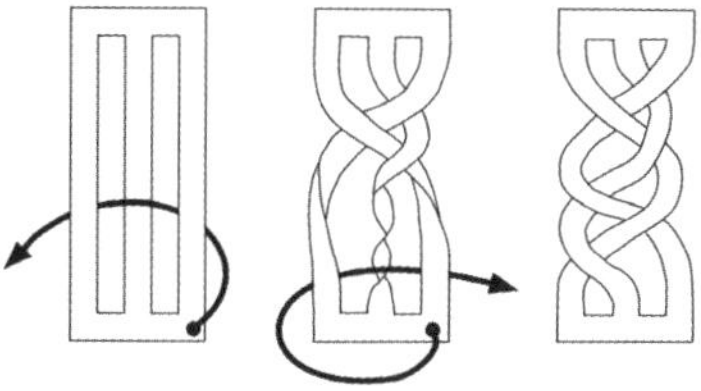

Esta sequência de movimentos acrescenta seis novos cruzamentos entre as três fitas. Repetindo-as, podemos formar tranças muito longas.

Slade teve uma carreira bastante expressiva, e foi exposto como uma fraude pela Comissão Seybert em 1885. Veja: www.answers.com/topic/henry-slade.

Evite os vizinhos

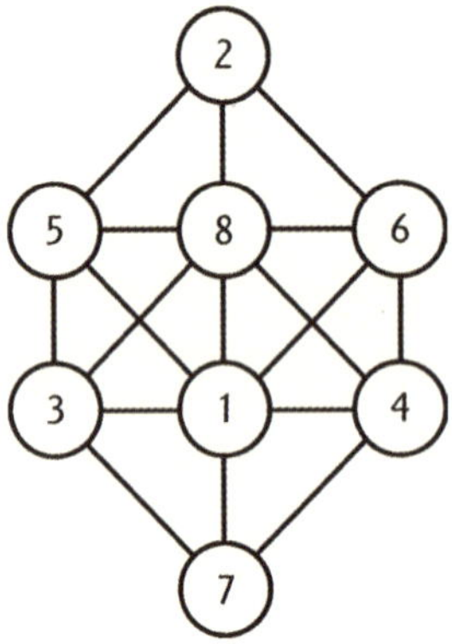

Como manter os vizinhos afastados.

Roda que rola não pega velocidade

O ponto no aro da roda onde ela toca o solo tem velocidade instantânea igual a 0. A condição "sem derrapar" significa que o componente horizontal da velocidade neste ponto é igual a 0; a condição "sem quicar" significa que o componente vertical também é igual a 0.

Isso é interessante, porque o ponto em questão avança pela estrada a 10m por segundo. Porém, ao se mover, o ponto na estrada corresponde a diferentes pontos na roda. E a pergunta era sobre pontos na roda, e não pontos na estrada.

Uma análise mais detalhada, usando o cálculo, mostra que esse é o único ponto estacionário. Suponha que a roda comece com o seu centro em (0,1) e rode ao longo do eixo x para a direita. Coloque um ponto preto no aro, começando na origem (0,0) no instante 0.

Depois de um tempo t, a circunferência rodou $10t$ para a direita, portanto também girou no sentido *horário* num ângulo $10t$. Portanto, o ponto preto estará agora no ponto

$$(10t - \text{sen } 10t,\ 1 - \cos 10t)$$

Seu vetor velocidade é a derivada com relação a t, que é

$$(10 - 10 \cos 10t,\ 10 \text{ sen } 10t)$$

Isso se anula quando

$$\cos 10t = 1, \ \text{sen}\ 10t = 0$$

Isto é, $10t = 2n\pi$ para n inteiro, ou $t = {}^{n\pi}/_{5}$. Mas, nesses instantes, o ponto está nas posições $(2n\pi, 0)$, que são os pontos sucessivos nos quais o ponto acerta o chão.

O mesmo tipo de cálculo mostra que qualquer ponto que *não* esteja no aro sempre terá velocidade diferente de 0. Vou omitir os detalhes.

O problema da colocação de pontos

É possível provar – embora não seja fácil – que o processo não pode continuar depois do 17º ponto.

A primeira prova foi encontrada por Mieczyslaw Warmus, mas não foi publicada; a primeira prova publicada foi apresentada por Elwyn Berlekamp e Ron Graham em 1970. Warmus publicou uma prova mais simples em 1976. Ele também provou que existem exatamente 1.536 padrões diferentes para a colocação de 17 pontos, que formam 768 pares simétricos.

Xadrez na Planolândia

O jogador branco pode forçar uma vitória movendo o cavalo.

Esta é a *única* jogada de abertura capaz de forçar uma vitória, mas vou omitir essa parte da análise.

Para entender por que a abertura com o cavalo leva à vitória, numere as casas do tabuleiro de 1 a 8 a partir da esquerda. Use os símbolos T = torre, C = cavalo, R = rei, × = come, – = caminha, * = xeque e † = xeque-mate. A tabela mostra apenas algumas sequências possíveis de jogadas, basicamente aquelas nas quais o jogador branco faz uma jogada (que acaba por levar à vitória, independentemente da jogada do preto) em cada etapa. Todas as reações possíveis do preto são consideradas. Essa técnica é chamada de "podar a árvore do jogo", e dará resultado desde que o branco vença em todas as linhas de jogo incluídas. Ela omite maneiras alternativas pelas quais o branco poderá vencer, se é que elas existem, e quaisquer jogadas do branco que levariam a uma derrota forçada.

B	**P**	**B**	**P**	**B**	**P**	**B**	**P**	**B**	**P**	**B**
C–4	T×C	T×T	C–5	T×C†						
	T–5	R–2	T–6	C×T†						
			T×C	T×T	C–5	T×C†				
	C–5	C×T*	R–7	T–4	R×C	R–2	R–7	T×C†		
					C–3*	R–2	C–1	C–8†		
							C–5	C–8	R×C	T×C†

• • A loteria infinita

Você não tem como ganhar. A loteria infinita sempre ganha, forçando a remoção de todas as bolas.

Isso pode parecer contraintuitivo, dado que o número total de bolas pode aumentar em quantidades gigantescas a cada etapa. Mas essas quantidades são finitas; a infinidade não é. Em 1979, Raymond Smullyan provou que é impossível ganhar. Sua ideia consistiu em observar o maior número da caixa e rastrear as bolas que trazem esse número.

Em primeiro lugar, suponha que o maior número da caixa seja 1. Então, todas as bolas terão o número 1. Assim, você terá de remover todas as bolas, uma de cada vez – portanto, irá perder.

Agora suponha que o maior número da caixa seja 2. Você não poderá ficar descartando 1 indefinidamente, pois eles acabarão por se esgotar. Portanto, em algum momento, terá de descartar um dos 2 e substituí-lo por muitos 1. Agora o número de 2 diminuiu. O número de 1 cresceu, mas continua sendo uma quantidade finita. Novamente, você não poderá ficar descartando 1 indefinidamente, portanto, em algum momento, terá de descartar outro dos 2 e substituí-lo por muitos 1. Agora o número de 2 diminuiu outra vez. De tempos em tempos, você terá que descartar um 2, por isso vai acabar sem nenhum 2. Mas então todas as bolas da caixa serão 1 – e já vimos que isso leva à derrota, por mais 1 que a caixa contenha.

Ah, mas o maior número da caixa talvez seja 3. Bem... você não poderá ficar escolhendo (e descartando) 2 e 1 para sempre, pelas razões que já discutimos. Assim, em algum momento, terá de descartar um 3. Agora o número de 3 cai em uma unidade, e o mesmo argumento mostra que você terá que descartar outro 3 em algum momento, e depois outro, até os 3 se esgotarem. Agora a caixa contém somente 1 e 2 e já vimos que isso leva à derrota.

Continuando dessa maneira, está claro que você irá perder se o maior número da caixa for 4, 5, 6, ..., e assim por diante. Isto é, você sempre irá perder, por maior que seja o maior número da caixa. Mas o número de bolas na caixa é finito, portanto deve haver *algum* maior número.

Qualquer que seja esse número, você perderá!

Formalmente, esta é uma prova pelo princípio de indução matemática. Este princípio afirma que, se alguma propriedade dos números inteiros n for válida para $n = 1$ e sua validade para qualquer n implicar na sua validade para $n + 1$, então ela será válida para todos os números inteiros. Nesse caso, a propriedade em questão é "se o maior número da caixa for n, você perderá".

Vamos verificar isto. Se $n = 1$, o maior número da caixa é 1, e você perde.

Agora, suponha que conseguimos provar que, se o maior número da caixa for n, você perderá. Suponha que o maior número da caixa seja $n + 1$. Você não pode ficar descartando números n ou inferiores, pois sabe que perderá se o fizer – isto é, as bolas de número n ou inferiores acabarão por se esgotar. Assim, em algum momento, você deverá descartar uma das bolas que trazem o número $n + 1$, e o número de bolas com esse número cai em uma unidade. Pelo mesmo motivo, o número deverá cair outra vez, e outra... e você acabará por descartar todas as bolas marcadas com $n + 1$. Mas agora as bolas restantes têm números n ou menos, portanto você perde. Resumidamente, se o maior número da caixa for $n + 1$, você perderá. E esse é o outro passo de que precisamos para completar a prova por indução.

Você poderá continuar o jogo por quanto tempo quiser, mas ele irá terminar depois de um número finito de jogadas. Entretanto, esse número finito pode ser tão grande quanto você quiser.

Navios se cruzam...

Treze navios.

Suponha (a data não importa, mas a escolha simplifica os cálculos) que o navio de Nova York parte em 10 de janeiro. Ele chega em 17 de janeiro, exatamente no momento em que o navio de 17 de janeiro parte de Londres.

Da mesma forma, o navio que saiu de Londres em 3 de janeiro chega a Nova York em 10 de janeiro, exatamente no momento em que o navio de que estávamos falando está zarpando.

Assim, em alto-mar, nosso navio encontra os navios que saíram de Londres desde o dia 4 de janeiro até o dia 16 de janeiro. São 13 navios no total.

O maior número é 42

O cálculo complicado só serve para despistar. A falácia é a suposição de que esse número n existe. Isso ilustra um aspecto fundamental das provas matemáticas: se definimos alguma coisa exigindo que ela possua alguma propriedade específica, não podemos presumir que essa "coisa" *possui* essa propriedade, a menos que essa "coisa" exista.

Nesse caso, não existe.

Créditos das ilustrações

As seguintes figuras foram reproduzidas com autorização dos detentores dos direitos autorais:

p.41, 297 ("O que Seamus não sabia"), Suppiya Siranan.

p.52 ("Qual é a área do ovo de avestruz?"), Hierakonpolis Expedition, liderada por Renée Friedman; foto de James Rossiter.

p.81 ("Gatos matemáticos"), dr. Sergey P. Kuznetsov, Laboratório de Dinâmica Não Linear Teórica, SB IRE RAS.

p.104 ("Como enxergar dentro das coisas"), Brad Petersen.

p.118 ("Esfera chifruda de Alexandre"), John G. Hocking e Gail S. Young, *Topology*, Addison-Wesley, 1961.

p.124 ("É só uma fase que estou passando"), Licença GNU de Documentação Livre, Fundação para o Software Livre (www.gnu.org/copyleft/fdl.html).

p.195 ("A garrafa de Klein"), Janet Chao (www.illustrationideas.com).

p.198 ("A garrafa de Klein"), Konrad Polthier, Universidade Livre de Berlim.

p.203 ("Multiplicação com bastões"), dr. Eric Marcotte (www.sliderule.ca).

p.230 ("Como virar uma esfera do avesso"), Bruce Puckett.

Este livro foi composto em ITC Highlander e Fairfield 11/14 e
impresso em papel pólen soft 80g/m² e cartão supremo 250g/m²
por Geográfica Editora em novembro de 2010.